D1090123

Augustin-Norbert Morin

1803-1865

Jean-Marc Paradis

Augustin-Norbert Morin

1803-1865

SEPTENTRION

Pour celles et ceux qui seraient intéressés par un index, le site Internet du Septentrion permet de faire une recherche par mot clé à travers tous les textes de cet ouvrage (www.septentrion.qc.ca).

Les éditions du Septentrion remercient le Conseil des Arts du Canada et la Société de développement des entreprises culturelles du Québec (SODEC) pour le soutien accordé à leur programme d'édition, ainsi que le gouvernement du Québec pour son Programme de crédit d'impôt pour l'édition de livres. Nous reconnaissons également l'aide financière du gouvernement du Canada par l'entremise du Programme d'aide au développement de l'industrie de l'édition (PADIÉ) pour nos activités d'édition.

Illustration de la couverture : A.-N. Morin, huile sur toile de Théophile Hamel, avec la permission de la collection de la Chambre des communes ; L'incendie du parlement de Montréal du 25 avril 1849, dans *Punch in Canada*,

Révision : Solange Deschênes

Mise en pages et maquette de la couverture : Folio Infographie

Recherche iconographique : Gaston Deschênes

Si vous désirez être tenu au courant des publications
des ÉDITIONS DU SEPTENTRION
vous pouvez nous écrire au
1300, av. Maguire, Sillery (Québec) G1T 1Z3
ou par télécopieur (418) 527-4978
ou consulter notre catalogue sur Internet :
www.septentrion.qc.ca

© Les éditions du Septentrion
1300, av. Maguire
Sillery (Québec)
G1T 1Z3

Dépôt légal – 2e trimestre 2005
Bibliothèque nationale du Québec
ISBN 2-89448-427-5

Diffusion au Canada :
Diffusion Dimedia
539, boul. Lebeau
Saint-Laurent (Québec)
H4N 1S2

Ventes en Europe :
Distribution du Nouveau Monde
30, rue Gay-Lussac
75005 Paris

PRÉFACE

VOICI UN HOMME qui compte parmi les chefs de la Rébellion de 1837 et qui doit, après la défaite des Patriotes, affronter les années de plomb qui s'ensuivent. Rude époque que celle-là, bien plus exigeante pour le peuple et ses dirigeants que ne le sera la seconde moitié du XXe siècle alors que les Québécois pourront, à deux reprises, se prononcer sur leur avenir national. Les Canadiens francophones de la première moitié du XIXe sont en effet aux prises avec la question de leur survie même, en tant que peuple inséré dans un empire étranger par la force des armes. Aussi l'ouvrage qu'on va lire doit-il être accueilli avec le plus haut intérêt car il nous rappelle que maints principes de notre vie politique, que nous tenons aujourd'hui pour acquis, ont dû être conquis de haute lutte.

Peu d'hommes ont vécu plus intensément qu'Augustin-Norbert Morin les péripéties que connaît notre peuple de 1825 à 1865, c'est-à-dire depuis les prémisses de la Rébellion jusqu'à la fédération des colonies britanniques, en passant par le régime d'union des deux Canadas. Il est sans doute celui qui en a connu le plus grand nombre, en tant que conseiller, lieutenant et ami de Papineau, ensuite de La Fontaine, puis de successeur de celui-ci à la tête du Parti réformiste du Canada-Est. Accédant au poste de premier ministre « conjoint » (avec Francis Hincks et Allan MacNab) de 1851 à 1855, il déploie une activité inlassable, se transformant sous nos yeux de journaliste et juriste en homme d'État, inspiré par une volonté tenace de réforme et d'adaptation des institutions anglaises et de l'ancien droit français pour répondre aux besoins de ses compatriotes.

Enfin paraît cet ouvrage que le regretté professeur Jean-Marc Paradis a consacré à la vie et à l'œuvre de Morin. Certes, quelques auteurs, notamment Laurent-Olivier David (1876) et Auguste Béchard (1885), ont laissé des opuscules fort élogieux au sujet de son caractère et de l'étendue de ses connaissances et Gérard Parizeau a rédigé un essai bien documenté dans

La Société canadienne-française au XIX*e siècle* (1975), mais il n'existait pas encore de livre couvrant l'ensemble de sa carrière. Celui que nous donne l'historien Paradis, fruit de sa thèse de doctorat, résulte de recherches approfondies dans les dépôts d'archives où se trouvent les nombreuses traces de Morin, notamment à Québec, à Ottawa et à Saint-Hyacinthe.

Augustin-Norbert Morin aura été un homme politique hors norme: l'exercice du pouvoir n'est pas pour lui une fin en soi, mais un moyen de mettre en œuvre les idées et les convictions qu'il s'est forgées à partir d'une érudition exceptionnelle et d'une réflexion inquiète sur la condition dans laquelle se trouve le peuple auquel il appartient corps et âme. Ce fils d'une famille paysanne nombreuse reçoit au Séminaire de Québec une formation à la fois littéraire, religieuse, philosophique et scientifique, après que le curé de Saint-Michel-de-Bellechasse, son village natal, eut discerné l'intelligence précoce du jeune garçon et l'eut fait admettre à des études qui demeurent, au début du XIXe siècle, le privilège d'une infime minorité.

Ses premières armes sont celles des idées et non du pouvoir, mais il sera irrésistiblement entraîné vers l'engagement politique dans une société et à une époque où les hommes capables d'analyser le présent et d'orienter l'avenir ne sont pas légion. Il est encore élève au Séminaire et n'a guère que 17 ans lorsqu'il commence à écrire, en 1820, dans le journal *Le Canadien*, qu'il dirige bientôt et rédige avec son collègue et ami Étienne Parent, qu'il retrouvera par la suite à plusieurs étapes de sa vie. Et lorsqu'il décide de se former au droit dans l'étude de Denis-Benjamin Viger, à Montréal, ce sera pour se porter à la rescousse des siens dès la première occasion: la lettre ouverte au juge Edward Bowen sur les droits de la langue française devant les cours de justice (1825) en fait sur l'heure un champion de la cause nationale. Pour défendre celle-ci, il fonde *La Minerve*, sortie tout armée de sa tête et qui connaîtra une longue carrière comme journal d'opinion, même si son peu de souci des aspects financiers de la publication le contraint à la céder à d'autres.

Les idées issues de la cervelle du jeune homme – il n'a encore que 22 ans –, que Parent compare à de la « lave bouillante », le propulsent rapidement à l'avant-scène de la vie politique. Cela n'a rien d'exceptionnel en soi, cependant; ce qui l'est, c'est le fait qu'à travers les hauts et les bas de son intense activité il ne négligera jamais la vie de l'esprit et la réflexion qui en forment chez lui le substrat. Là sont sans doute à la fois le secret de sa fécondité politique et l'explication du fait qu'il vécut presque toujours au second plan, à la droite d'hommes plus doués que lui pour exercer l'ascendant d'un chef de parti, tels Papineau ou La Fontaine.

En octobre 1830, il est élu député de Bellechasse, sur la Côte-du-Sud, pays de sa famille. À 27 ans, le voilà immergé dans les querelles incessantes entre la population majoritaire francophone et un gouvernement qui est aux mains de *colonials* britanniques fort accapareurs, particulièrement à l'égard des finances publiques et des emplois gouvernementaux. C'est bientôt à lui qu'on fait appel, en raison de sa connaissance des dossiers, pour la rédaction des *Quatre-vingt-douze résolutions* dans leur forme parlementaire. Et c'est encore lui que ses collègues délèguent à Londres pour présenter ces remontrances devant le Parlement impérial et en défendre le contenu en compagnie de Denis-Benjamin Viger. On me permettra d'ouvrir ici une parenthèse : lorsque je fus appelé à rencontrer les mêmes instances en 1981, à la demande du premier ministre René Lévesque, pour plaider contre la modification unilatérale de la Constitution canadienne par le Parlement d'Ottawa, les parlementaires britanniques me firent remettre le procès-verbal de la comparution de Morin au mois de mai 1834. Il s'y exprime avec une concision remarquable, dans une langue qui n'est pas la sienne mais dont il a visiblement une bonne connaissance théorique ; cependant, ce document ne peut nous faire entendre son accent, lequel, paraît-il, trahit fortement ses origines…

L'échec des réformes revendiquées dans les *Quatre-vingt-douze résolutions* sert de prélude à la Rébellion de 1837. Montréalais d'adoption, mais Québécois de formation, Morin se voit alors confier par Papineau la tâche de préparer le terrain dans la région de Québec. Les divergences sociales et politiques entre les deux villes, déjà anciennes, ressortent cependant clairement, reflétées dans l'attitude d'un Étienne Panet à l'égard de la violence armée ; Morin lui-même n'y est d'ailleurs pas favorable, bien qu'il accepte de seconder Papineau dans les assemblées. Il en paiera le prix : détenu brièvement en 1837, il échappe ensuite à l'arrestation en se réfugiant dans les solitudes de la Côte-du-Sud ; il finira par se livrer volontairement et demander qu'on lui fasse un procès. Les preuves manquent contre lui car il n'a pas participé à l'insurrection armée, mais il n'en subira pas moins pendant quelque temps les glaciales geôles de Colborne, dont sa santé sortira fragilisée.

Les sanctions imposées au peuple et aux chefs de la Rébellion sont redoutables : non seulement plusieurs doivent-ils monter sur l'échafaud, mais, dans la foulée du rapport Durham, le Bas-Canada se voit contraint à l'union législative et gouvernementale avec le Haut-Canada, dans des conditions qui réduisent dans les faits la majorité francophone à l'état de minorité et lui font de surcroît assumer la dette publique du Haut-Canada. Augustin-Norbert Morin se trouve alors à la croisée des chemins : faut-il abandonner le combat politique ou encore rejoindre Papineau en exil, comme celui-ci le souhaite, ou doit-il tenter de tirer le meilleur parti possible d'un régime qui lui répugne ? La situation dans laquelle se trouve la nation après l'insurrection le place devant ce choix crucial et sûrement pénible. En définitive, avec quelques autres, dont avant tout La Fontaine, il estime que la pire des politiques serait de renoncer à défendre les intérêts des siens. Ils acceptent donc de jouer le jeu de l'Union, dans l'espoir d'en tirer le meilleur parti possible. L'avenir leur donnera raison, après mille difficultés : avec les réformistes du Canada-Ouest, ils contribueront à acheminer la colonie vers le gouvernement responsable.

L'infatigable activité politique de Morin entre 1840 et 1855 fait l'objet de la majeure partie de l'ouvrage qu'on va lire : c'est là que se trouve l'essentiel de l'apport de l'historien à la connaissance de l'homme, de son œuvre et de son influence. Les recherches de Jean-Marc Paradis se sont étendues aux débats parlementaires, aux lois, aux décisions administratives, à la correspondance des principaux acteurs de la scène politique, aux discours et aux conférences de Morin ; les journaux ont été épluchés et les grands témoins de l'époque, tels Thomas Chapais et François-Xavier Garneau, consultés.

Nous pouvons suivre le développement de la pensée et de la carrière de Morin depuis le moment où il entre au ministère La Fontaine-Baldwin en tant que commissaire des Terres (1842-1843), responsabilité qui lui donne le pouvoir d'ouvrir de nouveaux espaces à la colonisation pour une population rurale qui connaît une croissance démographique exponentielle et qui se trouve de plus en plus à l'étroit dans le cadre du vieux système seigneurial, en attendant d'émigrer massivement vers les États-Unis. C'est à cette époque qu'il présente également un premier projet de loi sur l'établissement d'écoles publiques dans les paroisses, sous la direction de commissaires élus, dont l'adoption fera l'objet de maints débats avant d'aboutir : il y voit le seul moyen de soustraire les nombreux habitants sans formation à la domination économique et sociale des gens instruits, dont plusieurs ne sont pas francophones…

Autre épisode significatif de la carrière de Morin : son élection à la présidence de l'Assemblée législative de l'Union après la victoire décisive des réformistes des deux Canadas, à la fin de 1847. C'est le moment où le gouverneur Elgin applique les principes du gouvernement responsable dans le choix du ministère La Fontaine-Baldwin. Le zèle réformateur du président – on disait « l'Orateur » – peut se donner libre cours : le Code de procédure de la Chambre fait l'objet d'une refonte en 1850 en vue de l'adapter au nouveau régime politique. Incident révélateur du tempérament de l'homme : un jour d'avril 1849, alors qu'il préside la séance, des émeutiers montréalais mettent le feu au parlement pour protester contre l'adoption de la Loi sur l'indemnisation des victimes des troubles de 1837. L.-O. David raconte que le feu menace déjà la chambre lorsque son président exige une proposition d'ajournement en bonne et due forme avant de lever la séance. Cela trahit le respect de Morin pour les institutions britanniques ; seulement, il entend les mettre au service de ses compatriotes.

Homme d'étude et de pensée plus que de pouvoir, Morin n'aspire pas à diriger le Parti réformiste du Canada-Est au moment où La Fontaine songe à quitter la vie politique. C'est pourtant vers lui qu'on se tourne à l'automne 1851 : le voilà donc aux commandes, successivement avec Hincks et MacNab. Il y voit l'occasion de régler quelques questions demeurées en souffrance, comme la désuétude du régime seigneurial, l'absence d'enseignement universitaire en français, le caractère non démocratique du Conseil législatif et les obstacles au droit de vote. Tout cela au milieu de difficultés économiques et financières incessantes, liées notamment à la construction des chemins de fer, pour lesquels il se passionne, car il veut que les siens bénéficient de ce facteur de progrès économique.

On lui doit en effet l'abolition de la tenure seigneuriale, qui avait rendu de grands services sous le régime français, mais qui constituait depuis longtemps un frein au développement du pays. Fils de la terre, il y songe depuis des lustres, mais le projet l'oppose à Papineau et aux autres seigneurs, dont plusieurs sont anglophones. Il choisit de mettre fin au système en évitant de spolier ceux-ci : le compromis prend la forme d'une indemnisation par la commutation de leurs droits en une rente. C'est l'un des derniers projets de loi qu'il pilote en Chambre ; quelques semaines plus tard, en janvier 1855, il quitte son poste, avant tout pour des raisons de santé. Il devra encore se pencher, cependant, sur cette profonde mutation sociale, à titre de membre de la Cour seigneuriale, tribunal présidé par

La Fontaine, chargé de résoudre les questions soulevées par l'application de la loi.

L'exercice du pouvoir donne parfois quelque satisfaction : il lui permet de favoriser la création de l'Université Laval en 1852. C'est Morin, en effet, qui annonce la décision du gouvernement au Séminaire de Québec, qui avançait ce projet, sans résultat, depuis plusieurs années. L'université l'invitera d'ailleurs, après son départ de la vie politique, à devenir le premier doyen de la nouvelle Faculté de droit, où il enseignera le droit civil et le droit international.

Certains problèmes fondamentaux résistent cependant à toute tentative de réforme : c'est le cas du Conseil législatif, Chambre haute dont les membres sont nommés et dont les Patriotes ont appris à se méfier dès les années 1830. Influencé sur ce point par le modèle américain, il obtient de l'Assemblée qu'elle le transforme en organe électif, mais mille atermoiements viendront faire obstacle à la mise en œuvre de ce changement, constamment renvoyé aux calendes grecques. Le Sénat actuel, héritier en quelque sorte de l'ancien Conseil, demeure le parfait exemple d'une institution irréformable. Morin en serait bien marri.

Le retrait de la vie politique, pour « monter sur le banc », n'empêche pas Morin de reprendre du service, sous une autre forme toutefois. Lorsque George-Étienne Cartier lui demande, en 1858, d'entreprendre avec les juges René-Édouard. Caron et Charles Dewey Day la codification et la révision du droit civil, il accepte cette vaste tâche malgré l'état de sa santé. Les commissaires la mèneront à bien en dépit de l'opposition d'un milieu juridique et d'un certain clergé très conservateurs, avec le souci d'adapter les anciennes coutumes françaises aux réalités d'une société en pleine mutation économique et sociale. Leur œuvre durera plus de cent ans avant de faire l'objet, à son tour, d'une révision complète. Les notes que Morin a laissées aux archives du Séminaire de Saint-Hyacinthe disent assez avec quelle application il pousse ses recherches en droit comparé. Il aura la satisfaction de voir l'Assemblée adopter le Code civil quelques semaines avant son décès, le 27 juillet 1865.

L'historien qu'on va lire a eu le souci de s'intéresser aux nombreuses facettes d'un homme d'État dont les préoccupations débordent largement les limites de la politique. Ses recherches dans le domaine agricole et ses activités personnelles de colonisation retiennent l'attention car elles ne sont pas chose courante. Fils d'une famille terrienne, Morin mesure, à l'aune des connaissances scientifiques qu'il ne cesse de cultiver, le piètre état de l'agriculture dans le Bas-Canada. Il s'intéresse non seulement à l'étude des sols, mais aussi aux techniques nouvelles et à la formation des agriculteurs – il propose la création de véritables écoles techniques pour propager cette formation –, sans compter les expériences qu'il organise sur les terres dont il a obtenu la concession dans les Laurentides, au nord de Montréal. La toponymie de la région en est encore empreinte aujourd'hui : le village de Sainte-Adèle (du prénom de son épouse) est traversé par la côte Morin et le lac Raymond (du patronyme d'Adèle) s'étend à Val-Morin, sans oublier Morin-Heights. On voit encore la maison qu'il fit construire à Mont-Rolland (alors partie de Sainte-Adèle), où il est frappé d'apoplexie lors d'un séjour auprès de son ami, le Dr Benjamin Lachaîne, à qui il a cédé ses terres.

Il n'est guère qu'un aspect des recherches de Morin qui n'est pas évoqué : la généalogie et la provenance de sa famille, qu'il cherche à connaître dans sa jeunesse comme dans son grand âge. Ses écrits sur le sujet sont peu connus, mais permettent de jeter un certain éclairage sur son engagement politique. On ne se souciait guère de cela à une époque où la tradition orale tenait lieu d'histoire des familles. Aussi est-il étonnant, à première vue du moins, de lire sous sa plume les neuf grands feuillets qu'il y consacre en 1829, lesquels constituent sans doute le premier document du genre au Québec.

C'est donc à l'âge de 26 ans qu'il commence à s'interroger sur ses origines et à composer le tableau des premières générations de Morin en Nouvelle-France. Les deux premières ne lui sont pas connues, mais il écrit qu'elles eurent l'Acadie pour patrie. Nous savons aujourd'hui que les ancêtres de Morin en furent chassées, bien avant le Grand Dérangement. Ce sont les seigneuries de Bellechasse et de la Rivière-du-Sud qui les accueillent après maintes péripéties et ils connaîtront la vie laborieuse et modeste des habitants de Saint-François-de-la-Rivière-du-Sud, de Saint-Pierre-de-la-Rivière-du-Sud et de Saint-Michel-de-Bellechasse avant de se répandre dans toutes les régions du pays et à l'étranger. Ils ne sont pas épargnés par l'invasion de 1759 et les dévastations qui l'accompagnent. Le grand-oncle d'Augustin-Norbert, Jean-Baptiste Morin, enseigne de milice, meurt des blessures reçues au cours de ces combats et, quinze ans plus tard, des membres de la famille sont démis de leurs fonctions d'officiers de milice pour avoir pris le parti des rebelles américains lors de l'occupation de 1775. Ces mauvais souvenirs ne sont sans doute pas étrangers au cheminement intellectuel et politique d'Augustin-Norbert Morin. Il y reviendra d'ailleurs après son retrait de la vie politique : ses papiers montrent l'ampleur de ses explorations dans les archives. Celles-ci conservent la lettre qu'il adresse à La Fontaine au moment où celui-ci effectue un séjour en Europe, lui demandant de s'enquérir au sujet des origines des Morin en France. Quant au précieux document de 1829, le hasard des successions l'a mis entre mes mains avec les papiers personnels de Morin et l'ensemble se trouve maintenant aux Archives nationales du Québec.

Voilà donc l'homme de fidélité, mais aussi de lucidité, dont Jean-Marc Paradis retrace l'itinéraire complexe, mais toujours orienté vers le même objectif. Issu des profondeurs de notre peuple et ayant su profiter pleinement de la formation offerte par le destin, inspiré à la fois par la modestie de ses origines et l'importance des fonctions auxquelles deux générations de ses compatriotes l'appellent, il en accepte la grandeur et les misères et laisse derrière lui, à une époque qui compte parmi les plus pénibles de notre histoire, un pays plus viable que celui dont il a hérité.

JACQUES-YVAN MORIN

AVANT-PROPOS

Jean-Marc Paradis, historien et professeur retraité de l'Université du Québec à Trois-Rivières, est décédé le 1er février 2004, après une longue maladie qui ne lui a pas laissé le loisir de préparer lui-même l'édition d'un livre, issu de sa thèse de doctorat sur Augustin-Norbert Morin.

Son épouse, Mme Louisette Gélinas-Paradis, nous a fait le redoutable honneur de prendre la relève. C'est donc avec un mélange d'enthousiasme et de crainte que nous nous exécutons. Enthousiasme à l'idée de sortir enfin de l'ombre un personnage important de l'histoire du Québec et du Canada, et à la perspective de rendre un hommage bien mérité à l'œuvre de M. Paradis. Mais crainte, aussi, de ne pas être à la hauteur de la situation, n'étant pas historien professionnel. Cependant, le hasard, qui fait quelquefois si bien les choses, a voulu que la lecture du manuscrit soit confiée à monsieur Gaston Deschênes, historien émérite et spécialiste de l'histoire parlementaire. L'élément professionnel qui manquait à notre travail lui est entièrement redevable. Qu'il trouve ici l'expression de notre gratitude.

Une thèse de doctorat, préparée par un spécialiste à l'intention d'autres spécialistes, peut difficilement être présentée telle quelle au grand public. Il fallait donc l'épurer de différents éléments, indispensables au soutien d'une thèse, mais jugés superflus et encombrants pour un livre, sans pour autant la défigurer ou l'altérer. Fort heureusement, M. Paradis avait un style simple, direct et alerte qui rend son œuvre d'une lecture facile et agréable. Donc, nul besoin de réécrire le texte en entier en langage accessible aux non-spécialistes : il l'est déjà.

Le lecteur verra facilement, au fil de sa lecture, que Jean-Marc Paradis vouait une grande admiration et un très grand respect à Augustin-Norbert Morin. La somme colossale de travail que M. Paradis a dû abattre, pour reconstituer l'histoire de Morin et la situer dans le contexte d'une époque

Plaque commémorative posée à La Durantaye en juin 2000
(Photo Ghislain Gourde).

extrêmement fertile en rebondissements de toutes sortes, a produit un rapprochement très perceptible entre l'auteur et le personnage étudié. Ce qui rend sa narration des événements très vivante, captivante même, sans pour autant tomber dans les travers du roman historique ou le parti pris d'un esprit critique oblitéré par l'aveuglement volontaire d'un « fan » inconditionnel.

C'est donc avec beaucoup d'émotion et de respect, tant envers Morin qu'envers son biographe, que l'Association des Morin d'Amérique s'associe à l'édition du présent livre.

Jean-Louis Morin, secrétaire
Association des Morin d'Amérique

INTRODUCTION

POURQUOI ÉTUDIER la vie d'Augustin-Norbert Morin ? Au début, la seule motivation était la curiosité. Cet homme dont j'entendais constamment parler était pourtant assez méconnu, en retrait par rapport aux grands ténors comme Louis-Joseph Papineau, Louis-Hippolyte La Fontaine et George-Étienne Cartier. Était-il un de ces organisateurs politiques qui assurent le succès électoral des grands hommes publics ? La lecture des biographies de Morin par Auguste Béchard[1] et Laurent-Olivier David[2] m'a rassuré à cet égard. Bien plus, mes recherches me présentaient Morin comme un humaniste, ce qui était de nature à plaire au diplômé de collège classique que j'étais. Au fur et à mesure qu'elles progressaient, je découvris chez Morin des qualités extraordinaires que peu d'hommes politiques de cette époque possédaient et qu'on insuffle à ceux d'aujourd'hui par des lois et des directives sévères : il évite les conflits d'intérêts dans la question des chemins de fer[3] et tous les autres sujets qui l'intéressent, comme l'agriculture[4] et l'éducation[5]. Son honnêteté intellectuelle le rive à des principes et la loyauté à son parti lui attire maints problèmes[6] que plusieurs de ses collègues n'ont jamais éprouvés, faute de cette vertu !

Mais, en même temps que je découvrais un homme politique au caractère assez spécial, des interrogations importantes surgissaient. Comment Morin a-t-il pu réussir en politique et être élu presque continuellement durant vingt-cinq ans, sans posséder une seule once de talent oratoire à une période où les assemblées publiques faisaient foi de tout et où le tribun Papineau constituait un modèle à imiter ? Comment comprendre la participation du pacifique Morin à la rébellion de 1837 ? Comment expliquer que Morin, le patriote, ait accepté de servir le régime d'union qu'il avait combattu ? Comment expliquer que Morin, grand propriétaire foncier, ait contribué à l'abolition du régime seigneurial ?

Ces questions et ces problèmes ne peuvent être résolus convenablement si l'on se contente d'examiner les documents officiels, les prises de position de l'homme politique prêtant souvent flanc à la critique par leur ambiguïté. Mais l'examen de l'ensemble de la documentation permet de dégager une idée directrice qui confère à l'activité politique de Morin une grande unité : la « canadianisation » des institutions importées tant de France que d'Angleterre. Cet idéal inspire son action. Vues sous cet angle, toutes les questions soulevées ont alors une réponse et les problèmes, une solution. Mais que signifie la « canadianisation » ? Pour Morin, il s'agit d'adapter au temps et au lieu, dans la ligne de la tradition, des institutions d'importation étrangère. L'opération consistera tantôt à ajuster, tantôt à abolir, tantôt à créer des institutions.

Morin était homme de convictions. Et, au service de ces convictions, il a mis toutes les ressources de sa personnalité, qui étaient grandes : une solide formation humaniste, un goût marqué pour l'altruisme et l'action immédiate, un enthousiasme tenace, de même qu'une vision presque prophétique de l'avenir.

Certes, la biographie s'avérait le meilleur outil pour démontrer la véracité de l'hypothèse de base et en même temps vérifier que ce goût de créer un ordre nouveau n'était ni le fruit du hasard ni le fait d'un électoralisme opportuniste. La présentation d'une biographie comme thèse soulève quelques difficultés. Ainsi, règle générale, il faut situer le personnage dans le temps et le lieu, c'est-à-dire décrire parfois le contexte. Plus la biographie s'adresse à un public large, plus le contexte est important pour que le lecteur comprenne. Le public très spécialisé à qui s'adresse une thèse permet donc de limiter le contexte à l'essentiel, sachant que les spécialistes connaissent la période.

Nous devons avouer ne pas avoir cru que cette biographie puisse prendre tant de temps à voir le jour. La diversité des sources et la multiplicité des champs d'action de Morin nous ont obligé à réviser nos jugements et à procéder à de multiples vérifications. Mais la qualité de ces mêmes sources a aussi engendré une difficulté agréable pour tout historien : il nous a fallu être sélectif dans leur emploi. Qu'il nous soit permis de dire, cependant, que la mauvaise calligraphie de Morin, due à ses crises de rhumatisme, ne rend pas la lecture des manuscrits facile et agréable,mais facilite leur identification. Enfin, l'absence presque totale d'inventaire analytique nous a obligé à faire ce travail au sein des sources manuscrites les plus importantes.

Morin était un auteur prolifique et un épistolier de grand talent. Malheureusement, ses lettres et ses écrits relatifs à la politique ne sont pas conservés dans un fonds d'archives organique comme ceux de la plupart de ses contemporains. On doit procéder à une étude serrée de toutes les collections pour retracer les documents de Morin. De plus, les nombreux changements de résidence de Morin ainsi que la grande variété de ses préoccupations politiques et intellectuelles accentuent cette dispersion. En revanche, c'est au Séminaire de Saint-Hyacinthe que nous avons pu retracer, dans le seul fonds Morin qui ait une grande valeur, des manuscrits nous permettant de connaître plus profondément et plus intimement ce grand homme. Dans cette maison d'enseignement où sont conservés soigneusement la bibliothèque personnelle de Morin et son fonds d'archives, le souvenir de l'homme public est aussi vénéré que celui de son beau-frère, Mgr Joseph-Sabin Raymond. Et après avoir dépouillé systématiquement cette collection, nous avons véritablement pris la mesure de Morin. Il a touché à tout, et tout l'intéressait : la généalogie, l'histoire, la poésie, l'agriculture, le droit, le journalisme, l'enseignement, les institutions politiques, les inventions modernes et leur diffusion ainsi que la vie publique sont autant de domaines qui ont provoqué chez Morin une action efficace, quoique diversement apprécié et souvent méconnue. Il incarnait véritablement l'honnête homme, tel qu'il était défini au XVIIIe siècle.

L'anonymat des articles de journaux de l'époque ne nous a pas causé trop de difficultés. Outre le style assez particulier de Morin, de nombreuses lettres nous aident à retracer avec beaucoup de certitude les articles publiés dans *La Minerve*. Il en est autrement, cependant, de ses articles sur l'agriculture publiés dans quelques revues spécialisées de l'époque. Le passage du français à l'anglais déforme le style habituel et, à part quelques originaux écrits de sa main, nous devons avouer notre impuissance à prouver que plusieurs articles sont de Morin.

Des biographies de Morin, trois sont du siècle dernier. À vrai dire, il s'agit plutôt de témoignages, puisque Béchard, Maximilien Bibaud et David n'ont certainement pas eu accès à la documentation mise à notre disposition. Toutefois, ce témoignage de contemporains nous permet de mesurer l'estime que l'on avait pour l'homme politique en certains milieux et ajoute aussi certaines données orales qui ne nous seraient pas parvenues autrement. Le texte de L.-O. David est particulièrement intéressant par son style vivant et son goût de faire connaître et aimer tous les patriotes de 1837-1838. Le ton est romantique, mais l'information est souvent exacte et l'analyse psychologique, fine et nuancée. Quant aux œuvres de Béchard et Bibaud[7], elles tiennent plus de la chronique que de la biographie.

La plus récente biographie de Morin est l'œuvre de Gérard Parizeau[8] que nous avons rencontré à Ottawa et à qui nous avons donné des orientations bibliographiques. Son article fait partie d'une fresque sur la société canadienne-française au XIXe siècle et décrit principalement l'œuvre de Morin comme colonisateur dans le nord de Montréal et comme juriste : ce sont là les points vraiment originaux de l'œuvre. Antérieurement à cette biographie, Parizeau avait signé une notice biographique de Morin dans une revue[9]. Il s'agit tout au plus d'une esquisse de sa carrière.

Les biographes des contemporains de Morin lui ont forcément consacré quelques lignes ou quelques pages à l'occasion. L'information est généralement exacte, mais l'interprétation de l'action de Morin manque d'originalité et de perspective, car elle n'est étudiée qu'en relation avec leur personnage.

Jacques Monet et Fernand Ouellet[10] ont aussi étudié les actions politiques de Morin. Pour Monet, Morin est un parlementaire important grâce à ses talents de législateur et à sa culture alors que Ouellet ne lui reconnaît ni influence ni importance, le considérant comme un éternel assistant du chef de la députation canadienne-française. Nous ne pouvons être d'accord avec ces interprétations qui ne rendent pas justice au rôle de Morin.

François-Xavier Garneau et Thomas Chapais ont écrit quelques pages sur Morin dans leur histoire du Canada. Alors que le premier laisse parler son cœur et dénonce avec aigreur Morin qui a collaboré au gouvernement sous le régime de l'Union, ne semblant retenir que ce fait dans sa carrière, Chapais imite L.-O. David et fait un éloge dithyrambique de Morin. Ce sont deux extrêmes qui nous semblent assez éloignés de la vérité historique.

Bien que nous insistions sur l'action politique et publique de Morin, les divisions de notre plan vont coïncider avec les principales étapes de sa vie.

Le chapitre premier traite des origines, de la formation et des premières années de Morin. Il est intéressant de noter l'influence des maîtres de Morin et de vérifier l'audace d'un jeune homme qui termine par son élection à la « Chambre d'Assemblée », à l'âge de 27 ans, une vie de jeunesse pour le moins bien remplie.

Le chapitre deuxième décrit les actions du jeune parlementaire à partir de sa prise de position ferme face à la composition du Conseil législatif en passant par son rôle discret mais influent auprès de Papineau et en terminant par l'insuccès de son action révolutionnaire. Cette période s'étend de 1831 à 1840.

Les trois chapitres suivants couvrent l'action politique de Morin. Avec sa nomination comme commissaire des Terres de la Couronne, Morin développe son goût pour l'agriculture et ne manque pas l'occasion de préconiser des réformes en profondeur qui devaient modifier l'agriculture et la vie des agriculteurs. Homme d'action à qui l'injustice répugne, il est le défenseur des biens des Jésuites. Puis survient la période la plus difficile de sa vie alors que William H. Draper et le gouverneur général le sollicitent pour faire partie d'une coalition à laquelle il aurait ainsi donné une crédibilité qu'elle ne méritait pas. Après un mandat difficile comme président de la Chambre, Morin accède à la direction du ministère au moment où l'on fonde tellement d'espoir sur son parti dont le programme politique et la qualité de ses dirigeants laissaient croire à des changements radicaux pour le mieux-être de la population bas-canadienne. Sa démission, en 1855, met fin à cette période commencée en 1841.

Le dernier chapitre traite de son rôle de juriste, principalement à la Cour seigneuriale et à la Commission pour la codification des lois du Bas-Canada où il peut, en toute latitude, procéder à une réforme qui amalgamera harmonieusement dans une tradition canadienne les lois françaises héritées de nos ancêtres et les lois anglaises imposées depuis un siècle déjà.

Enfin, la conclusion donne une série de jugements sur l'importance de l'action politique de Morin, de même que sur son influence, ses réformes et son comportement. Nous répondrons alors à notre hypothèse de départ : est-ce que Morin a réussi à « canadianiser » les principales institutions de son temps ? Et si la domestication a effectivement eu lieu, quelle a été l'influence de cette réforme sur les Canadiens français de l'époque ?

Chapitre premier

FORMATION ET PREMIÈRES ANNÉES 1803-1830

LES MORIN SONT UNE FAMILLE implantée depuis longtemps au Canada lorsque naît l'aîné de la septième génération, Augustin-Norbert, le 13 octobre 1803. Quatrième à porter le nom d'Augustin de père en fils, il est issu du mariage d'Augustin et de Marianne Cottin dit Dugal. Quatorze enfants naissent de cette union et onze survivent : « Joseph, le quatrième, mort à trois mois et deux autres [sont] morts, ondoyés seulement[1]. »

Modestes origines

La famille Morin vit sur une terre « en arrière de Saint-Michel, dans la partie qui a formé depuis, la paroisse de Saint-Raphaël[2] ». Des sept garçons que compte la famille, deux seulement feront des études supérieures, Augustin-Norbert, et François, prêtre, qui sera curé de Saint-Pierre-de-la-Rivière-du-Sud, de Cap-Saint-Ignace où il a été inhumé, de Saint-Alphonse

Saint-Michel au XIXe siècle (*Opinion publique*, 15 janvier 1880).

(baie des Ha! Ha!) au Saguenay et de Saint-Sauveur de Québec où il est décédé.

Les finances de la famille Morin ne sont pas particulièrement florissantes et la condition familiale plus que modeste n'autorise pas les parents à pousser les études de leur progéniture. Mais le curé de la paroisse de Saint-Michel-de-Bellechasse, l'abbé Thomas Maguire[3], donne des leçons de catéchisme aux enfants et décèle rapidement le talent du jeune Augustin-Norbert. Il le fait entrer, quelques années plus tard, au Séminaire de Québec.

Au Séminaire de Québec

Morin y entreprend ses études en 1815[4] et il a comme grand concurrent, à la tête de la classe, Alexis Mailloux, le futur apôtre de la tempérance. Les études classiques de cette époque, au Séminaire de Québec en particulier, bénéficient alors des services de l'abbé Jérôme Demers, grand propagandiste d'études plus approfondies, surtout en matière de sciences et de philosophie. Les changements qu'il propose et expérimente vont favoriser le jeune Morin dont le talent et le goût profond du travail intellectuel s'accommodent bien d'un labeur soutenu et plus exigeant. Tous ses maîtres attestent qu'il est un élève pieux, docile, travailleur et discipliné. Une lettre du directeur du Séminaire de Québec et futur archevêque de Québec, l'abbé Pierre-Flavien Turgeon, est assez révélatrice des qualités intellectuelles de Morin: on affirme qu'il « s'est très bien comporté pendant le cours de ses études et qu'il y a fait des progrès très satisfaisants[5] ».

Le jeune étudiant développe très tôt le goût d'écrire: avec son ami d'adolescence, Étienne Parent, il tâte de la poésie. En décembre 1820, il adresse au *Canadien* des vers « qu'il signait de ses initiales[6] ». Et

> cela était d'autant plus remarquable que, à cette époque, la grammaire française était le cadet des soucis des professeurs. Mais Parent et Morin faisaient des vers, et pour faire des vers il faut bien étudier la grammaire. D'où il résultait que ces deux élèves étaient à peu près les seuls qui sussent écrire français au collège: aussi pareil phénomène ne demeura-t-il pas longtemps caché[7].

Au journal *Le Canadien*

Il est possible que le rédacteur de *L'Opinion publique* soit un peu sévère. Quoi qu'il en soit, non seulement les vers, mais la prose de Morin, sont remarqués par Flavien Vallerand, rédacteur-imprimeur du troisième *Canadien*. Aussi confie-t-il à Morin et à Étienne Chartier, le futur curé patriote, la direction du journal au cours des années 1820 et 1821. Encore très jeunes, les deux hommes manquent d'expérience : « La colonne éditoriale n'est pas mieux alimentée qu'elle ne l'était dans le second *Canadien*[8]. »

Toutefois, la présence de Parent et Morin au *Canadien* soulève un problème que rien ne nous permet d'élucider : les écoliers d'un collège, internes par surcroît, peuvent-ils avoir la permission de travailler et surtout de « sortir en ville » si souvent ? Il faut explorer quelques hypothèses.

La plus simple serait que les deux écoliers auraient réussi à effectuer ce travail sans permission et de façon anonyme. Cela pourrait être plausible, s'il s'agissait d'une collaboration sporadique. Mais une telle aventure est impossible à réussir durant une période aussi longue, lorsqu'on sait la surveillance étroite qui entourait les écoliers de l'époque. L'hypothèse d'un maître complaisant doit être écartée aussi rapidement, car elle ne cadre pas avec le type d'enseignant de cette période.

La dernière explication pourrait être les besoins financiers aigus de Morin. Même s'il hésite entre « la soutane et la robe d'avocat[9] », sa décision de poursuivre des études de droit lui crée l'obligation de payer sa pension au Séminaire alors que son entrée dans la vie religieuse le dispenserait d'une telle dette, car le clergé de l'époque absorbe le coût de la formation des jeunes clercs démunis financièrement[10].

Le droit comme choix de carrière

Le choix de carrière du jeune Morin est difficile à expliquer. Son protecteur, le curé Maguire, et les prêtres du Séminaire l'orientent certainement vers la vie ecclésiastique. Tout laisse croire à une vocation religieuse : le jeune homme de Saint-Michel est congréganiste pendant cinq ans et les commentaires de ses maîtres au sujet de sa pratique religieuse sont unanimement élogieux. La famille de Morin n'exerce pas de pression sur l'orientation de son aîné. Reste alors le climat extérieur. Depuis le début du siècle, le clergé a fondé quelques collèges en dehors de Québec et Montréal. Avant tout, le recrutement du clergé se trouve facilité par ces nouvelles institutions, mais la promotion des professions libérales s'en trouve aussi accrue. Être le défenseur de la veuve et de l'orphelin paraît à Morin aussi digne qu'être ministre de Dieu. A-t-il déjà envisagé une carrière politique ? Aucun écrit ne permet de l'affirmer, mais son goût du journalisme et son intérêt pour les débats publics du jour nous le laissent croire.

Mais la voie choisie s'annonce difficile. Le maigre salaire que Vallerand consent à payer à ses jeunes rédacteurs ne constitue pas un empêchement au travail et au dévouement de Morin, mais il a terriblement besoin d'argent. Sa situation financière est si précaire en 1823 qu'il écrit à plusieurs reprises à l'abbé Turgeon pour lui demander des délais dans le paiement de sa pension au Séminaire. Mais, comme Morin désire faire ses études de droit à Montréal, il veut assurer la relève au *Canadien* et il influence assez le propriétaire et l'éditeur pour lui faire engager Étienne Parent, son ami et condisciple, en août 1822.

Clerc de Denis-Benjamin Viger

Lorsque Morin arrive à Montréal, la session de la Législature de 1824 débute. Elle va marquer une profonde divergence entre Papineau et Vallières, d'abord au sujet du *Canada Trade Act* et ensuite au sujet des subsides. Cette lutte entre l'ancien orateur de la Chambre et son successeur est un signe des temps: elle fixe la rivalité entre Québec et Montréal à un cran plus élevé et elle étiquette la faction montréalaise comme radicale. Profondément uni derrière Papineau, le groupe montréalais piaffe d'impatience, car il désire donner au Parti canadien une direction unifiée et aussi une voix pour faire connaître à la population les enjeux des luttes qu'il mène.

Les élections générales tenues à l'été de 1824 permettent au parti de faire des gains partout. Mais, en même temps, elles sont l'occasion d'un autre duel entre Papineau et Vallières pour la présidence de l'Assemblée et pour la direction du parti. La victoire de Papineau propulse Morin au cœur d'une activité politique et culturelle intense, car les réunions des membres du parti, tenues à la librairie d'Édouard-Raymond Fabre, sont une occasion privilégiée pour le jeune étudiant d'approfondir son bagage culturel, de connaître les derniers développements de la vie publique et aussi de se forger une opinion éclairée sur le programme du parti.

Il choisit d'étudier le droit sous la direction de Denis-Benjamin Viger. C'est un excellent professeur et un maître recherché, mais pas nécessairement prodigue. Dès son arrivée à Montréal, Morin doit enseigner le latin et les mathématiques pour survivre. Le 16 septembre 1826, ses problèmes financiers atteignent leur point culminant. Dans une lettre adressée à l'abbé Turgeon du Séminaire de Québec, il demande de ne pas révéler à son grand-père qu'il doit payer la pension de l'année et que des arrérages sont dus. Alors, il confie sa détresse, face aux engagements non respectés de Viger : « Il [mon grand-père] ne sait pas qu'il existe de tels arrérages parce qu'il croit que monsieur Viger a tout payé pendant qu'il a toujours retardé à effectuer ses promesses et que c'est moi qui ai payé le peu qui a été payé tant au Séminaire qu'ailleurs[11]. »

Lettre au Juge Bowen

Les problèmes financiers de Morin n'entravent pas la poursuite de ses études de droit. Déjà, en 1825, il se rend célèbre lorsqu'il répond au juge Edward Bowen qui a décidé, comme plusieurs de ses collègues, de refuser un bref de sommation écrit en français. Ce geste provocateur est d'autant plus inacceptable que le français a une existence légale dans les tribunaux bas-canadiens et que Bowen connaît le français et les lois françaises suffisamment pour être « traducteur français du Conseil exécutif [1816-1817] et secrétaire français de la province [1816-1824/26[12] ?] ». Morin lui écrit le 1er juillet 1825, sous le pseudonyme d'un étudiant en droit, une longue lettre de seize pages rendue bientôt publique. Les principaux arguments du stagiaire sont difficiles à réfuter :

> Le parlement impérial passa en conséquence en 1774, l'acte connu sous le nom d'Acte de Québec, qui, pour m'en tenir à mon sujet, est la carte la plus claire qui conserve aux Canadiens l'usage de la langue française. La mère patrie commence par y reconnoître qu'il n'avoit jusqu'alors été pris aucune mesure pour l'administration du gouvernement civil dans les colonies nouvellement acquises, et que les arrangemens provisoires qui avoient été faits pour cette Province, ne convenoient nullement, en égard aux circonstances et aux besoins de ses habitants ; elle remet ensuite ces derniers sous la protection de leurs anciennes lois, telles qu'elles étaient en force avant la conquête, et leur rend de la manière la plus étendue leurs coutumes et leurs usages[13].

Puis, il enchaîne :

> Ainsi, Monsieur, jamais la Grande-Bretagne n'a restreint dans ce pays la liberté de langage ; il seroit peu judicieux de présumer une telle restriction sur des principes vagues, lorsque tous les procédés de la mère patrie

> envers nous ont augmenté les franchises de toutes les classes de citoyens dans la colonie. On ne peut nier d'ailleurs qu'on sait très bien au delà de l'Atlantique, que la langue française est usitée dans les deux Chambres du Parlement de cette province et dans tous les tribunaux. Or, si cet usage répugnait totalement à la Constitution, s'il mettoit l'Empire en danger, ne nous l'auroit-on pas défendu en termes exprès ? Cependant, bien loin que l'Angleterre nous veuille ravir un droit si clair et si raisonnable, les colonies voisines le reconnoissent, et les requêtes du Haut-Canada contre l'union projettée des deux Provinces, allégoient entr'autres raisons, l'incompatibilité de langage, et l'injustice qu'il y auroit à priver du leur les habitants de l'une ou de l'autre[14].

La réplique de Bowen ne constitue pas une réponse réelle et, du coup, l'épineux problème de l'utilisation du français dans les cours de justice se trouve réglé.

Cet incident n'entrave pas le plan de carrière de Morin puisqu'il reçoit une commission signée de Dalhousie le 7 juillet 1828 l'autorisant à la pratique du droit. Il passe ses derniers examens devant un jury formé du juge en chef de la cour du Banc de la Reine, l'honorable James Reid, et de deux autres juges de la même cour, les honorables Louis-Charles Foucher et Norman Fitzgerald, tous trois du district de Montréal.

Fondation de *La Minerve*

Durant ses études de droit, Morin ne perd pas pour autant le goût d'écrire qu'il a acquis lorsqu'il était à l'emploi du *Canadien* à Québec. En 1826, le stagiaire en droit de 23 ans apprend que « le *Canadien* venait de suspendre sa publication[15] » laissant aux seuls journaux *Montreal Gazette* et *Canadian Spectator* le soin de défendre les intérêts des Canadiens. « Morin, le 14 octobre 1826, lance, par l'entremise du *Spectator*, un prospectus[16]. » Mais cette fondation n'est pas une initiative de Morin seul. C'est le moment où le groupe montréalais commence à réorganiser le parti et à définir une nouvelle stratégie. Venant de Québec et amenuisant ainsi la rivalité entre les deux villes, possédant une certaine expérience journalistique et recommandé par Viger, Morin est le choix de la faction montréalaise pour diffuser les idées et les politiques du Parti patriote[17].

Le premier numéro, daté du 9 novembre 1826, explique bien les buts de ce nouveau bihebdomadaire :

> Nous aurons pour la religion le respect que lui assure son caractère divin et les sublimes vérités qu'elle enseigne aux hommes. Nous suivrons avec attention la politique du pays. Ardents à soutenir les intérêts des Canadiens, nous leur enseignerons à résister à toute usurpation de leurs droits, en même temps que nous tâcherons de leur faire apprécier et chérir les bienfaits et le gouvernement de la mère patrie. Nous donnerons les débats de la Chambre d'Assemblée avec un précis des lois qui y seront proposées. Le peuple a un intérêt majeur à connaître la conduite de ses représentants pour motiver son choix et faire respecter l'opinion publique à ceux qu'il charge de la défendre [...].
>
> Enfin, *La Minerve* s'occupera de l'Agriculture, de la Littérature, de la Politique étrangère[18].

À la vérité, il s'agit d'un programme à la fois conservateur et novateur qui traduit assez bien les préoccupations et les goûts de Morin. La soumission à la volonté divine et l'attachement inconditionnel à la mère patrie constituent les éléments traditionalistes du programme, bien que la défense des droits des Canadiens soit prioritaire. Il est plus audacieux, toutefois, de vouloir expliquer les projets de loi présentés en Chambre, la démocratie gouvernementale de l'époque étant réservée à une élite. Cette idée de vulgarisation, tout comme le projet de s'occuper d'agriculture et de littérature, forme la partie la plus originale de la nouvelle publication. Elle constitue un avant-goût des motifs qui vont mener Morin à la vie publique.

Établi à Montréal, Morin, songe à des collaborateurs pour suivre les débats de la session à Québec. Il a en tête l'idée d'engager Étienne Parent, affecté par la suspension du *Canadien*. Dans un style à la fois familier et satirique, Parent pose d'abord des questions au sujet de l'utilité du nouveau journal et met des exigences très spéciales et coûteuses pour la couverture des débats :

> Ce matin 18 octobre, je reçois une lettre de toi, datée des Calendes Grecques ; c'est pourquoi je m'empresse d'y répondre. Etant parti d'ici sans penser aux choses de ce monde, sans même à ta valise qui devait être tout ton bien, je me suis douté qu'une cervelle si olympique avait enfanté Minerve la canadienne. Mais dis-moi donc, est-elle comme la Minerve mythologique armée de pied en cap ? et pourra-t-elle comme un cossaque supporter le frimas du Canada ? Tu ne me dis rien de ce qui pourrait le plus m'intéresser, sur les détails, sur les moyens et les circonstances de ton entreprise. Je crois deviner pourtant que le parti Canadien y a un certain intérêt. Mais que deviendra leur vieux Spectator, et pourquoi deux papiers ?

Tu as raison, les projets de Gazette me font mal au cœur, ou plutôt la mémoire, mais la sueur du jardin des Oliviers m'a percé l'épiderme lorsque tu m'as annoncé que vous aviez jeté les yeux sur moi pour les débats car s'il y a du fiel dans la conduite d'un papier, les débats en sont bien la lie. J'ai déjà une fois assisté tous les jours à la Chambre jusqu'à minuit passé, plongé dans une atmosphère de carbonne, épuisé de chaleur et de soif et me refusant, comme au mauvais whisky, une goutte d'eau. En outre cela entraîne pour moi la perte de mes écoliers à qui je donne des leçons le matin et le soir et une fois perdu mon hiver sur lequel je fonde pour subsister le reste de l'année, et à moins que vous ne soyez résolus de couvrir les notes que je ferai, la première loi de la nature, celle de vivre, m'empêche d'accepter votre offre. Il y a une autre condition à laquelle je ne puis m'engager, c'est celle de vous donner les débats en Anglais, surtout pour les longs discours, et vous auriez à les traduire. Ainsi donc, je ne puis accepter votre offre à moins de £50.

Il est entendu aussi que dans le cas d'un arrangement, je désirerais, pour sûreté, autre chose que la bonne foi et l'honnêteté méconnues de la Minerve et du Spectator. Les circonstances ne me permettent pas de me fier à des choses aussi immatérielles que des vertus [...][19].

Ludger Duvernay acquiert *La Minerve*

Les exigences de Parent ne sont en rien comparables aux problèmes qui très tôt assaillent l'éditeur de *La Minerve*. Les deux cent dix souscriptions d'abonnement ne suffisent pas à payer les frais. Aussi, dès le cinquième numéro, Morin écrit :

> [...], nous annonçons à regret que ce nombre, quelque considérable qu'il soit vu la rareté de l'argent, ne suffit pas pour soutenir notre publication, que nous sommes obligés de suspendre jusqu'à ce que nous soyons sûrs de nos frais.
>
> Au reste, nous le répétons, notre journal n'est que suspendu. Nous allons redoubler d'efforts pour nous procurer de nouveaux abonnés ; nous nous proposons même de faire pour cela un voyage à Québec et dans les campagnes lorsque la saison le permettra[20].

Cette suspension survient en même temps que la disparition de l'imprimeur John Jones, ce qui démontre « que l'administration du journal était faible[21] ». Mais Ludger Duvernay est intéressé à ce journal dont il fait l'acquisition le 18 janvier 1827. Moyennant la somme de £25, il acquiert le titre du journal et s'assure les services de Morin pour six mois.

La Minerve reprend sa publication le 12 février 1827. Mais l'attitude change :

> Sous Morin, elle s'était tenue dans les bornes, craignant la censure des gouvernants. Le parti qui inspirait la résurrection de *La Minerve* désirait prendre un ton plus énergique, plus décisif; Duvernay y communiqua son feu ; il la ranima pour faire marcher les affaires. La rédaction resta sous le contrôle de Morin, car Duvernay écrivait peu, n'ayant pas reçu d'éducation poussée[22].

Plusieurs personnes ont cru que Morin avait continué de diriger le journal pendant dix ans. Les textes du journal et la correspondance de Morin prouvent aisément qu'il a collaboré jusqu'à l'interdiction de *La Minerve* le 20 novembre 1837, mais que sa direction a été plus courte. Morin fut le rédacteur de 1827 à 1830 et il est remplacé par Léon Gosselin à compter de 1830.

Journaliste à *L'Argus*

L'aventure de *La Minerve* n'arrête pas l'ardeur de Morin pour le journalisme. C'est ainsi qu'il ressuscite à Montréal *L'Argus* que le propriétaire-éditeur Ludger Duvernay a dû faire disparaître lorsqu'il était publié à Trois-Rivières. Il agit comme rédacteur de ce journal politique, dont Duvernay assume les coûts, qui a pour but d'entretenir ses lecteurs des « principes qui doivent guider nos concitoyens dans le choix d'une personne pour les représenter au parlement[23] ».

Bien que cette double occupation ne dure que peu de temps, soit du 24 juillet 1827 au 11 mars 1828, elle tient Morin fort occupé. Mais la disparition de *L'Argus* provoque un manque d'activité littéraire à ce bourreau de travail. La rédaction de *La Minerve* n'occupant pas tout le temps libre du jeune avocat, Morin s'associe avec son bon ami, le médecin Jacques Labrie, dans le but de fonder une publication « offrant de nouveaux élémens d'instruction[24] ». Le *Coin du feu* ne voit cependant jamais le jour.

Premiers contacts avec la Parti patriote

Par Viger, Morin est mis en contact avec les hommes politiques montréalais. Il s'engage fortement dans la cause des patriotes. Il combat avec fougue par l'écrit et aussi par militantisme dans l'organisation du parti. En 1828, il est le co-secrétaire du Comité central du district de Montréal et des Trois-Rivières pour la rédaction des résolutions sur l'état actuel du pays. Ce comité recueille de l'argent et adopte des résolutions pour les agents de la province à Londres, chargés de présenter au gouvernement britannique la situation réelle des habitants de l'ancienne colonie française. Son action est décidée de concert avec les députés ; c'est une manière bien directe de sensibiliser les citoyens au travail de leurs députés et des représentants à Londres.

Il n'y a pas de preuve tangible de la participation de Morin à ce comité après 1828, ni la preuve de l'existence de ce comité pour les années postérieures à 1828. Mais il nous est permis de croire à son existence au moins jusqu'en 1834, d'après les quelques dépêches glanées dans *La Minerve*.

Un idéaliste modéré

Ce qui est certain, c'est que Morin se trouve entraîné dans les revendications pour une responsabilité accrue de la Chambre. Il se passionne pour le sujet, mais il n'est pas un extrémiste qui ne voit que du mal chez les Anglais. Pour justifier cette passion raisonnée, il définit ainsi les Canadiens :

> Qu'est-ce que les Canadiens ? Généalogiquement, ce sont ceux dont les ancêtres habitaient le pays avant 1759, et dont les lois, les usages, le langage leur sont politiquement conservés par des traités et des actes solennels ; politiquement, les Canadiens sont tous ceux qui font la cause commune avec les habitans du pays, quelle que soit leur origine ; ceux qui ne cherchent pas à détruire la religion ou les droits de la masse du peuple ; ceux en qui le nom de ce pays éveille le sentiment de la patrie ; ceux pour qui l'expropriation du peuple au moyen des intérêts commerciaux seront un malheur ; ceux enfin qui ne voient pas un droit au-dessus de toutes les lois dans les traitans venus d'outre-mer depuis 1759. Ceux-là sont les vrais canadiens, et il y a dans le pays un grand nombre d'anglais respectables, que le pays reconnaît parce que leurs intérêts sont les mêmes que les siens ; le pays compte même parmi ces honnêtes citoyens plus d'un défenseur de ses droits, et il le sait[25].

Déjà, Morin émet les éléments fondamentaux de sa pensée politique : sa notion de canadianisation commence par cette définition passablement large pour l'époque des citoyens du pays. Il accepte l'apport de toutes les ethnies, mais il pose des conditions de désintéressement pour obtenir le droit d'être désigné Canadien. Ainsi, le respect des droits et de la religion des habitants du pays constitue une reconnaissance historique obligatoire du fait français et catholique, l'adoption du territoire comme patrie oblige l'admission de la géographie nord-américaine et l'engagement aux intérêts du pays assure une autonomie plus ou moins proche de la province. Cette idéologie naissante ne tient pas compte des jeux de coulisses de la politique et encore moins du tempérament des hommes publics. Vu de l'extérieur, le credo politique du jeune avocat semble idéaliste. Il lui incombe maintenant de faire passer son programme en se lançant en politique active.

Député de Bellechasse à 27 ans

Fils de Bellechasse, Morin accepte de se présenter dans sa circonscription natale aux élections d'octobre 1830. Il doit certainement plus à sa naissance qu'à son éloquence son premier succès électoral, car il « avait plutôt l'air d'un évêque en visite pastorale qu'un candidat en quête de comté ; il parlait avec la simplicité et la franchise du bon curé qui fait le prône à ses paroissiens depuis vingt-cinq ans[26] ». Morin est déclaré élu le 26 octobre 1830, treize jours après son 27e anniversaire de naissance. Mais il est impossible de savoir s'il est élu par acclamation ou non.

Le mouvement de rajeunissement des députés dans la décennie 1820 s'inscrit aussi dans le contexte d'une influence grandissante des membres des professions libérales. Comme plusieurs collègues qui sont élus pour la première fois, Morin est bien au courant de la situation politique et il fait une entrée remarquée au Parlement. C'est le début d'une carrière de vie politique qui durera, il ne le sait pas encore, vingt-cinq ans.

Chapitre deuxième

LIEUTENANT DE PAPINEAU
1831-1839

QUAND MORIN EST ÉLU, la représentation vient de passer de 50 à 87 députés en raison d'une nouvelle carte électorale qui fait passer le nombre de comtés de 27 à 46. Cette importante arrivée de nouveaux députés est composée de

> jeunes politiciens plus sensibles au nationalisme, au libéralisme ou aux idées radicales qui joignent l'équipe dirigeante et exercent des influences qui vont dans le sens d'un plus grand libéralisme ou d'un nationalisme accru, quand ce n'est pas dans les deux directions à la fois[1].

Cette cohorte ne cherche pas à modifier la nature du parti, mais la jeunesse même des nouveaux représentants incite « à une action plus violente et à un radicalisme croissant[2] ». Et comme la plupart des nouveaux élus se rattachent à la faction montréalaise plutôt que québécoise, cet état de fait contribue à diviser entre modérés et radicaux la représentation du Parti patriote et à désigner les députés de la région de Québec comme modérés et ceux de la région de Montréal comme radicaux. Cette division de la majorité ira en s'amplifiant jusqu'aux élections de 1834.

Premiers pas à l'Assemblée

Lorsque Morin assiste pour la première fois aux débats, la question des subsides n'est plus le centre des discussions. L'attention des parlementaires est attirée plutôt par la composition et l'opposition du Conseil législatif. La présence de juges au sein du Conseil et la perpétuelle opposition Assemblée-Conseil législatif sur tous les sujets importants irritent au plus haut point les

La chapelle du Palais épiscopal, siège du premier Parlement (Gravure de James Smillie, coll. ANQ, GH-772-23).

membres du Parti patriote. Il semble à la majorité que le Conseil s'est donné une mission incompatible avec une saine constitution, soit de servir de contrepoids au nationalisme et à la démocratie des députés.

Le député de Bellechasse sait très bien que le milieu de vie dans lequel il évoluera désormais est moins serein qu'un cabinet feutré d'avocats ou même une salle de rédaction enfiévrée par l'heure de tombée. Il sait aussi qu'il devra rapidement faire ses preuves : le temps est à l'action et il n'est pas question d'attendre une promotion par ancienneté. Aussi, dès les premières séances de la session de 1831, il s'insurge contre une demande de James Stuart de lui substituer Louis Lagueux au sein du Comité de la justice, sous prétexte qu'il est trop jeune :

> M. Morin ne se lève pas pour objecter à la nomination de l'honorable membre qui a plus de talens et d'expérience, mais il ne peut passer cette occasion sans protester contre toute tentative, toute idée de diviser la représentation en membres anciens et en membres nouveaux [...]. La représentation leur avait donné à tous les mêmes privilèges, les mêmes avantages qu'il avait l'honneur de réclamer en ce moment. Ils étaient délégués pour être l'expression des opinions, des idées, des sentiments du peuple. C'est avec orgueil qu'il se glorifiait d'appartenir à la génération actuelle si dévouée, si patriotique et qui avait grandi avec le pays[3].

Cette intervention dénote une certaine confiance en soi. Et non sans raison, car Morin a une connaissance adéquate de la situation politique, jouit d'appuis importants au sein du parti et est désireux d'améliorer les conditions de ses compatriotes. Capable de comprendre les données abstraites d'un problème, de rationaliser une situation, il a un esprit loyal et demeure fidèle à sa pensée et à ses opinions ; mais, surtout, il est un travailleur acharné, d'une curiosité intellectuelle insatiable.

Forte participation à la Chambre

Même ses adversaires reconnaissent son talent. La Chambre l'utilise de façon presque abusive. En février 1831, il est déjà membre de sept comités. Aussi fait-il part à Ludger Duvernay qu'il n'a plus la disponibilité de rédiger des éditoriaux pour *La Minerve* tant il est plongé dans un labeur soutenu :

> Je suis déjà nommé de sept Comités, dont celui des Fabriques, celui des Privilèges, celui des Griefs et celui des Cours de Justice ; ainsi que vous devez juger combien cela prend de tems ; il y a des séances de quelques-uns de ces comités tous les jours, et même souvent plusieurs à la fois[4].

Cet emploi du temps, incompatible avec son statut de nouveau venu sur la scène politique, décrit bien le rôle important qu'il joue déjà dans la définition, l'énoncé et la défense du programme de parti. Il n'est pas une recrue destinée à l'arrière-banc, car le parti fonde en lui de grands espoirs.

Mais l'emploi de député n'est pas le plus lucratif et les problèmes financiers de Morin sont aussi grands qu'au temps de ses études. Morin est trop occupé pour voir à ses affaires et sa constante charité va l'empêcher de recevoir simplement ce qui lui est dû comme avocat et procureur. À la fin de sa première année comme député, il doit envisager sérieusement une retraite prématurée de la vie publique à moins d'un réaménagement de ses revenus, et particulièrement d'un partage des profits avec l'éditeur-propriétaire de *La Minerve*. Il semble que Duvernay accède à cette demande qui équivaut à un prêt à fonds perdus ! Avant son mariage, la situation financière du député de Bellechasse est d'ailleurs constamment précaire.

Durant la première période de sa vie publique, soit de 1830 à 1833, Morin est manifestement un modéré qui touche à tout. Cette modération n'est pas le fait d'un être timoré ou d'un conciliateur né, mais plutôt d'un état d'esprit qui l'empêche de dénoncer toute argumentation non conforme à celle du parti. C'est nettement différent des autres modérés du parti qui, eux, sont considérés comme tièdes par rapport au radicalisme de la faction montréalaise. Aucun sujet débattu en Chambre ne le laisse indifférent.

Relations avec Papineau

Avant de prendre connaissance de ses positions, il est bon de se demander quelles sont ses relations avec Louis-Joseph Papineau. Il connaît bien le tribun pour l'avoir rencontré souventes fois à la librairie d'Édouard-Raymond Fabre, lors des réunions de l'Union patriotique[5]. Une certaine amitié et une intimité certaine lient les membres de ce cercle plus ou moins patriotique, mais très friands de lecture. Morin semble subjugué par le charme de la rhétorique de Papineau, comme on peut le deviner par cette lettre qu'il écrit à Ludger Duvernay :

> Si les discours de l'Orateur [Louis-Joseph Papineau] sont les mieux rapportés, c'est qu'ils ne ressemblent pas plus à ceux des autres que le jour à la nuit, quelques grands talens que possède d'ailleurs la Chambre ; et certainement ses discours, par leur suite et leur clarté, sont les plus faciles à bien saisir[6].

Mais l'admiration de Morin pour le grand tribun ne l'empêche pas d'avoir publiquement des opinions divergentes avec lui sur divers sujets. Ainsi, lorsque vient le temps de féliciter Joseph Bouchette pour l'édition de son recueil de cartes, Louis-Joseph Papineau déclare

> que l'honorable membre pour le comté de Bellechasse avait parlé avec art des talents de M. Bouchette, qu'il les admirait beaucoup lui aussi mais, selon lui, cet ouvrage ne convenait pas au Canada[7].

La réponse est cinglante :

> M. Morin croit que l'honorable membre pour Nicolet aurait bien mieux fait de ne pas faire de compliments à M. Bouchette que de lui faire ceux qu'il a faits. L'honorable membre a dit qu'on ne savait que faire de ces cartes, tout ce qu'on peut leur reprocher c'est d'être trop riche, est-ce un défaut ? Tous les membres de cette Chambre en ont besoin et y refèrent tous les jours[8].

Au sujet des subsides pour le soutien du gouvernement en 1833, Morin prépare des résolutions qui semblent conformes aux désirs de la Chambre. Malgré tout, Papineau insiste pour que les subsides ne soient

Louis-Joseph Papineau (DeCelles, *Papineau, Cartier…*).

pas votés : une large majorité se rallie à l'Orateur et Morin, à la fin, et pour ne pas briser l'unité fragile du Parti patriote, rentre dans le rang. Le député de Bellechasse est, à n'en pas douter, de la faction des modérés.

Centres d'intérêt comme député…

Pendant ces trois premières années comme député, l'action législative de Morin est orientée vers quatre grands centres d'intérêt : l'administration de la justice, la concession des terres, le respect des électeurs et de l'Assemblée et, finalement, la composition du Conseil législatif. En cette matière, point de manifeste ou de déclaration globale, mais des actions et des interventions ponctuelles qui tendent toutes vers le même but : adapter les institutions aux besoins propres du pays, sans en contester l'existence, et en faire des outils au service des citoyens plutôt que des carcans. Morin est capable de discuter des principes, mais, en homme pratique, il en prévoit les applications concrètes.

... l'administration de la justice...

L'administration de la justice paraît à Morin comme le point le plus déficient des services offerts aux citoyens. Ses interventions, dès les premières séances auxquelles il participe, sont orientées vers la formation de jurys aptes à entendre les causes civiles et criminelles. Il lui faut vaincre les résistances considérables de l'administration qui ne croit pas les Canadiens aptes au rôle de juré. Pour contourner cette difficulté, Morin dépose un projet de loi pour régler la qualification et la sommation des jurés. Parallèlement à cette première intervention, le jeune député doit défendre les notaires de campagne contre des accusations d'ignorance des lois ; catégorique, il affirme : « Les notaires de campagne connaissent mieux les lois du pays que ceux de la ville, surtout dans les affaires très compliquées de succession[9]. »

Il paraît aussi à Morin que l'accès aux cours de justice qui siègent uniquement dans les grandes villes est trop limité aux citadins, dont un grand nombre sont de langue anglaise. Les rigueurs du climat et les mauvaises conditions de transport privent donc les justiciables de la campagne d'une justice expéditive. Il présente alors des projets de loi visant à la décision sommaire des petites causes dans les campagnes et aussi à l'affectation d'une certaine somme d'argent pour faciliter l'érection de cours de justice et de prisons dans les comtés. Ces mesures, à n'en pas douter, s'inspirent un peu du régime seigneurial, mais elles sont d'avant-garde, bien que nécessaires. Voilà un premier exemple d'adaptation d'une institution aux besoins du pays : le fils de Bellechasse, sans le savoir encore, trouve la voie de son action politique.

... la concession des terres...

La concession et la répartition des terres sont une source de contestation depuis une bonne dizaine d'années lorsque Morin devient député. La décennie 1830, par suite de la surpopulation des seigneuries, donne naissance à des revendications soutenues et de plus en plus étoffées contre le régime seigneurial, le mode de concession des terres et la spéculation d'importantes réserves de terres arables nécessaires à l'établissement d'une population agricole gonflée par un extraordinaire taux de natalité. Fils de la campagne et député d'une circonscription rurale, Morin connaît bien la situation. Et comme il n'est pas seigneur, comme quelques autres membres du Parti patriote, le représentant de Bellechasse prend des initiatives qui inquiètent certains députés.

C'est ainsi que, le 25 janvier 1832, il présente un projet de loi visant à amender une certaine partie de l'ordonnance de 1667. Les changements proposés concernent les articles qui ont trait à la concession des terres et à l'organisation des lots concédés. Durant la même année, il multipliera les interventions et les adresses au gouverneur, en particulier pour connaître les

> cas de refus des seigneurs de concéder des terres et des procédés qui en ont été la suite ; aussi, une liste des concessions faites depuis la cession sous la tenure de franc aleu noble et celle de franc aleu roturier avec les noms des requérans, l'étendue de terre concédée, la date de telles concessions et les conditions auxquelles elles ont été faites[10].

Tenace, Morin intervient encore pour dénoncer les abus des seigneurs qui refusent de concéder des terres. Mais les intérêts personnels et de groupe (le parti anglais) s'unissent pour contrer le projet d'amendement à l'ordonnance de 1667 qui, malgré les grands efforts de Morin, n'est jamais adopté : la procédure a gain de cause.

Le 7 mars 1833, lors du dépôt de la pétition des habitants de Deux-Montagnes, Morin profite de l'occasion pour signaler le danger de la spéculation :

> Les habitans de cette province ont vu avec alarme la formation d'une compagnie de particuliers en Angleterre, dont le but serait de spéculer sur les terres en friche de cette Province, comme devant en soustraire l'accès libre aux sujets canadiens de Sa Majesté, en favorisant l'agiotage et le monopole, et augmenter les difficultés qu'ils ont éprouvées jusqu'à présent pour s'y établir[11].

Puis, réfutant les accusations de xénophobie proférées par B.-C.-A. Gugy, il répond au député de Sherbrooke :

> Les habitans du pays sont prêts à admettre tous ceux qui voudront s'y établir, mais ils ne veulent pas qu'on monopolise les terres, peut-être pour les en priver par la suite. On ne s'oppose pas à l'émigration mais l'on veut que les habitans du sol aient autant de droits à leurs terres que ceux qui émigrent[12].

Même s'il n'obtient pas l'appui des membres de son propre parti dans ce débat, Morin ne renonce pas, au fil des ans, à un principe plus libéral pour la concession des terres et mieux adapté aux besoins du pays. Sa délégation à Londres lui permet d'aborder à nouveau le sujet. Mais il ne peut exercer une influence réelle qu'après l'imposition du régime d'Union, durant ses mandats de commissaire des terres et de secrétaire provincial.

... le respect des électeurs et de la Chambre...

Pour Morin, le respect des électeurs et de la Chambre est sacré. Il est très sévère à l'endroit de Robert Christie dont il propose et obtient l'expulsion pour une troisième fois, en 1832, pour haut mépris à l'endroit de la Chambre[13]. Le débat auquel l'incident donne lieu permet à Morin, pour la première fois, d'être qualifié de radical. Neilson et Stuart lui reprochent son manque de modération. C'est que Morin voit dans l'intrusion de Londres dans cette affaire une atteinte aux droits de l'Assemblée : pour lui, cette intervention est plus importante que les propos et les agissements du député de Gaspé.

D'autres sujets permettent à Morin de démontrer son profond respect de la démocratie. L'élection contestée d'Olivier Berthelet dans Montréal-Est le 21 mai 1832 et le remplacement de Daniel Tracey fournissent au représentant de Bellechasse l'occasion de tracer le portrait d'une séparation des pouvoirs qui donnerait à chaque conseil, exécutif et législatif, et à la Chambre, des droits et des devoirs. Désormais, les relations de la Chambre avec les deux conseils vont monopoliser les débats et Morin ne peut échapper à cette question de fond. De façon générale, en 1831,

> le Conseil législatif est donc devenu la cause universelle des maux qui affligent la législature. Le grand remède consisterait à lui appliquer le principe électif. L'Assemblée hésite encore, cependant, à faire de cette suggestion l'objet d'une revendication formelle[14].

... et la question du Conseil législatif

Le Parti patriote, au cours de la même année, favorise davantage la disparition du Conseil législatif. La lettre de Morin à Ludger Duvernay le 19 mars 1831 est fort instructive à ce sujet.

> Nous avons refusé toute appropriation permanente [crédits] ; mais quant aux dépenses de l'année, je crois que la Chambre sera dans la nécessité de la voter, si elle veut donner suite à la marche qu'elle a tenue jusqu'ici.

Nous étions bien partis ; nous abolissions le Conseil. Mais Mr Neilson qui est trop modéré et qui a une extrême influence, a fait pencher la balance de son côté et nous nous contentons de faire de nouvelles présentations[15].

Pendant sa première session, Morin subit l'influence des autres membres du Parti patriote au sujet de la formation des conseils. Mais, dès le début de la session de 1832, il professe pour la première fois la théorie de l'élection du Conseil législatif. À la séance du 16 janvier, Morin entreprend d'abord de démontrer l'impossibilité de nommer les meilleurs candidats comme conseillers législatifs.

Si tous ceux [les conseillers législatifs] qui y étaient doués de qualités qui leur donassent la confiance du peuple, à la bonne heure ; mais la nomination était laissée au choix de l'exécutif; vu l'instabilité de la situation d'un gouverneur, il lui était impossible, il lui était absolument impossible de juger qui avait ces qualifications ou qui ne les avait pas ; et s'il avait les renseignements nécessaires, et qu'il s'en prévalût, il s'exposerait aux machinations et aux calomnies de dénonciateurs en Angleterre[16].

Pour un Conseil législatif électif

Jugeant inacceptable que le Conseil législatif soit en pratique dans les mains du Conseil exécutif, l'élection lui paraît seule conforme à l'esprit de la législation anglaise. Morin entreprend de démontrer que l'élection du Conseil législatif est conforme à l'esprit de la législation anglaise :

On ne peut obvier au mal qu'en rendant le Conseil électif. Comment peut-on trouver dans le présent état des choses la moindre analogie avec la constitution vantée d'Angleterre quand un corps de douze, nommés par une puissance, forme une branche coordonnée avec la puissance qui les nomme tandis que nous seuls nous formons la branche populaire ? En Angleterre, il y a trois intérêts distincts, celui de l'Exécutif, celui des grands propriétaires représenté par les Lords et celui du commerce, des arts et de l'agriculture représentés par les Communes ; il y avait donc trois branches. Mais ici il n'y a que deux intérêts, l'intérêt de l'exécutif et celui du peuple entier car il n'y a pas de grands propriétaires ni de capitalistes et le gouverneur et l'assemblée répondraient au Roi, aux Lords et aux Communes. Quoique nous puissions nous passer du Conseil, un conseil électif est le cri général[17].

Le juriste Henri Brun, analysant la conjoncture, commentera que ce long détour dans l'évolution du parlementarisme canadien peut s'expliquer seulement par la situation particulière de la Province où la majorité, tout en favorisant un accroissement de responsabilité du Conseil exécutif, tarde à demander expressément la responsabilité ministérielle[18].

Plusieurs historiens vont noter l'influence des institutions américaines dans les revendications du Parti patriote. De fait, des réformistes du Haut-Canada, de la Nouvelle-Écosse et du Nouveau-Brunswick formulent déjà la même demande. Morin est le responsable du programme et des interventions législatives du Parti patriote. Généralement, il agit comme porte-parole du parti, ce qui n'exclut pas certaines initiatives individuelles. Toutefois, cette demande de l'élection du Conseil législatif n'est pas une revendication théorique, mais, encore selon Morin, elle

> était plutôt l'aboutissement concret de difficultés croissantes éprouvées dans la réalisation d'un minimum de collaboration matérielle au sein de la législature provinciale. Avant qu'il ne s'imposât à l'Assemblée, cette dernière avait épuisé une série de moyens intermédiaires. Et tout en réclamant le Conseil législatif électif, l'Assemblée réclamait le gouvernement responsable, à la mode britannique[19].

Morin partage le dégoût profond de ses collègues pour l'opposition constante et implacable du Conseil législatif. Non seulement, les arguments qu'il apporte sont bien fondés au point de vue des institutions politiques, mais leur comparaison avec le système anglais lui-même a le don de réduire au silence les membres de l'administration. Il influence largement Papineau et c'est à lui qu'est dû le changement de revendication du Parti patriote quant au Conseil législatif[20]. D'ailleurs, le parti s'en remet à Morin pour l'élaboration de sa pensée et de ses objectifs. Bourdages et Papineau ont tôt fait d'épouser la cause de leur collègue de Bellechasse. C'est Bourdages qui dépose les propositions relatives à la composition du Conseil législatif : le débat est long et stérile à cause des tactiques procédurières de l'administration ; il est repris à la session de 1833. Mais, déjà, la portée des propositions composées par Morin ne laisse pas de doute :

> M. Morin a répondu avec beaucoup de talent et de précision à M. Stuart en particulier et a fait preuve de hautes vues politiques, de connaissances étendues dans l'histoire de son pays et surtout d'un ardent désir de voir nos institutions plus conformes au bien public et à l'état social où nous vivons[21].

On tente de discréditer Morin

Le jeune député fait impression sur tous : adversaires comme amis lui reconnaissent du talent, une application soutenue aux travaux parlementaires, une imagination qui l'aide à trouver des solutions nouvelles et un bon sens qui sait rallier l'opinion de la majorité. Pourtant, ils lui trouvent des défauts car il est dangereux pour les uns comme pour les autres. Pour ses adversaires, Morin est le cerveau de l'écriture qui prépare les dossiers du tribun Papineau ; pour les membres du Parti patriote, il est le jeune loup qui risque de passer en avant d'eux et qui paraît encore bien tiède. Il faut trouver le moyen de freiner cette étoile filante au firmament de la politique. Quoi de mieux qu'un petit scandale ?

La confection de la liste des jurés est le point de départ de cette campagne de dénigrement à son endroit. Le *Quebec Mercury* prétend qu'il existe un conflit d'intérêts entre son mandat de député et cette tâche d'élaborer des listes particulières des personnes pouvant servir la justice à titre de jurés au sein de chaque municipalité. En riposte, dès le mois de septembre 1833, Morin croit nécessaire d'adresser une lettre ouverte aux éditeurs de *La Gazette de Québec* et de *La Minerve* pour se disculper de cette attaque.

Le ton monte d'un cran en février 1833. Il réplique avec une fureur mal dissimulée à de nouvelles attaques :

> L'outrage et la calomnie ne m'énervent guère, surtout de la part d'hommes que je ne respecte pas. J'aurais donc passé sous silence tout ce que le journal *Le Mercury* contient de mensonges et d'indignités à mon égard, s'il n'avançait avec une impudence qui pourrait en imposer, que je dusse renoncer à la place honorable de représentant du peuple pour prendre une situation inférieure dans les bureaux de l'Assemblée. Jamais l'idée ne m'en vint à l'esprit, et je ne sais ni ne pense qu'aucune personne avec qui je sois en relation ait donné lieu à une accusation semblable. Mes amis savent que j'avais eu antérieurement l'occasion de troquer contre une place la confiance dont mes contituans m'ont investi et que je ne l'ai pas fait[22].

Un repos forcé

Le surcroît de travail accumulé par trois années d'un labeur parlementaire exténuant, en plus de ses autres occupations à titre d'avocat et de journaliste, vient à bout des forces du député de Bellechasse. Aussi doit-il prendre un repos prolongé à compter de la mi-octobre 1833. Consterné, Étienne Parent confie au directeur de *La Minerve*:

> Vous m'affligez en m'apprenant la maladie prolongée de M. Morin. Je crains bien que nous le perdions jeune. Ce n'est pas de la cervelle qu'il a dans la tête, c'est de la lave brûlante. Il faudrait à ce génie une sphère où il pût s'ébattre à son aise. Cette imagination n'ayant pas d'aliments extérieurs à consumer, dévorera son enveloppe. Toujours, faites à Montréal tout ce que vous pourrez pour le conserver longtemps au pays. Nous ne mettrons pas la main sitôt sur son pareil[23].

L'absence de Morin permet à *La Gazette de Québec* de publier une lettre anonyme qui lance une autre accusation puisque l'affaire de la liste des jurés n'a pas ému la population.

> M. Morin, éditeur de *La Minerve* fait les listes de jurés à £250 par an; prend un dirty job, comme disent les Anglais, pour la vente des terres de la Couronne, Rivière-du-Sud; est-ce preuve qu'il crie contre les gens en place avec désintéressement? devrait-il résigner sa place de membre[24]?

À Saint-Benoît, chez son grand ami, le notaire Jean-Joseph Girouard, Morin est excédé par cette lutte anonyme. Sa santé chancelante ne lui laisse plus la force de se défendre et son honneur ne souffre pas qu'on puisse même douter de son intégrité. Il démissionne sans fracas le 18 décembre 1833. Bien que Louis-Hippolyte La Fontaine ait écrit à *La Minerve* pour se porter à la défense de «son ami intime[25]», les insinuations concernant la confection n'ayant pas créé les remous attendus, les adversaires de Morin reviennent à la charge. *La Gazette de Québec* publie une lettre non signée qui, pensait-on, l'incriminerait davantage:

> M. Morin présenta l'été dernier une requête de certains habitans du comté de Bellechasse afin de leur procurer des terres dans le township d'Armagh (Rivière du Sud) et il suggéra un nouvel arpentage du township, dans la vue de faire borner les terres par la rivière, ce qui serait plus conforme au système suivi dans les seigneuries. M. Bouchette reçut l'ordre d'arpenter le terrain et de le diviser de la manière demandée. L'arpentage terminé, le commissaire offrit l'agence pour la vente des terres à M. Morin et M. Morin l'accepta. Mais quelques jours avant la vente, il se rendit au bureau et informa le commissaire qu'on pourrait donner à son agence une interprétation qui l'assujettirait aux résolutions de la chambre, relativement aux membres qui acceptent des emplois, et il désira alors remettre son agence. M. Roy fut nommé agent, en rem-

placement de M. Morin qui, cependant, se rendit sur les lieux et aida M. Roy. Il est certain que M. Morin n'a rien reçu du gouvernement pour ce service[26].

Le député de Bellechasse a pris un risque, mais les apparences trompeuses ne doivent pas faire perdre de vue le but véritable de sa démarche : établir des gens sur des terres dans le respect de la coutume, sinon du coutumier.

Réélection dans Bellechasse en 1834

Indignés par les attaques mesquines dont leur député est l'objet, les électeurs du comté de Bellechasse élisent à nouveau Morin le 25 janvier 1834. Morin est élu sans quitter la maison des Girouard où il poursuit sa cure de repos, sans prononcer un seul discours, sans rencontrer même ses partisans. Cette victoire est une preuve de son incontestable popularité auprès de ses commettants et de la crédibilité électorale de son action politique. Désormais, il impose le respect et ses ennemis, des deux côtés de la Chambre, doivent apprendre à composer avec lui. Moins éloquent que Papineau, il est tout aussi redouté. Mais c'est Morin lui-même qui ressent le plus vivement les effets de cette réélection : il s'engage de façon illimitée à la poursuite des objectifs du parti et le ton monte. Sa lettre de remerciements aux habitants de son comté indique bien cette nouvelle tendance :

> Dévoué de cœur et d'intérêts à la cause canadienne, j'y ai depuis longtemps voué pour ainsi dire toute mon existence. Je continuerai jusqu'à ce que le pays ait appris s'il jouira librement des institutions qui lui sont chères et des droits les plus essentiels des sujets anglais, ou si nous sommes des esclaves à la merci d'un décret ministériel. Votre attachement aux principes pour lesquels nous avons combattu ensemble, me persuade davantage que le peuple ne se mentira pas à lui-même, que par son attitude imposante, mais calme, il réduira au silence les ennemis de sa prospérité[27].

La nouvelle orientation de Morin ne passe pas inaperçue et, deux jours après la publication de cette lettre, un lecteur de *La Gazette de Québec* dénonce le style vindicatif de Morin : « Je suis d'avis qu'on peut soutenir nos droits et insister sur nos réclamations avec plus d'avantage sans l'usage de pareils appels aux préjugés[28]. » Ce mouvement irréversible de Morin le conduira de la contestation légale et articulée en 1834 jusqu'à la Rébellion de 1837 et 1838, et la prison commune en 1839.

La réélection de Morin est l'occasion pour le Parti patriote de lui renouveler sa confiance : on lui confie la présidence du Comité des revenus et finances de même que celui des terres et des droits seigneuriaux. Il est devenu le numéro deux du parti ; à la vérité, Morin hérite de deux comités « chauds » dont les sujets sont l'objet de la majorité des contestations des parlementaires.

Les *Quatre-vingt-douze Résolutions*

Mais le dialogue devient de plus en plus difficile, voire impossible, avec les autorités coloniales. Aussi, quelques membres influents du parti, nommément Louis-Joseph Papineau, Augustin-Norbert Morin, Elzéar Bédard et Louis Bourdages, décident de faire état des griefs des parlementaires à l'endroit du pouvoir exécutif, à l'occasion d'un débat en comité plénier « sur l'état de la province ». Ce débat annuel, l'ancêtre de l'actuel débat sur le discours inaugural, est l'occasion propice non seulement de faire connaître les griefs mais aussi de proposer des solutions qui répondraient aux attentes de la majorité. En quelques jours et quelques nuits aussi, ce comité restreint collige un véritable cahier de doléances, propose des solutions conformes à la pensée sociale et politique du parti et « M. Morin, l'homme de plume du parti, fut chargé de rédiger les résolutions dans leur forme parlementaire[29] ».

Ce véritable réquisitoire, connu sous le nom des *Quatre-vingt-douze résolutions*, est soumis à la Chambre le 17 février 1834. Le document comprend plusieurs parties. La première, soit les huit premières résolutions, constitue un rappel de faits historiques qui ne peuvent guère être contredits. De la neuvième à la quarantième résolution, en deuxième partie, on s'attaque au nœud de l'affrontement de l'heure avec le Conseil législatif. Tout est remis en question, à partir de la composition et de la désignation des membres du Conseil en passant par son esprit d'opposition à la Chambre élue, par l'influence qu'il subit de la part du pouvoir exécutif et par le cumul de fonctions qu'exercent plusieurs de ses membres jusqu'au caractère de certains hommes dont on prétend qu'ils n'ont plus la confiance du pays. La seule façon de contrer tous ces problèmes est, selon les résolutions, de rendre électif le Conseil. La troisième partie, de la résolution quarante et une à quarante-sept, réclame une révision des institutions et, à toutes fins utiles, constitue la demande formelle du gouvernement responsable, seul capable de rendre justice à la majorité. Une quatrième partie importante consacre cinq résolutions à une affirmation des droits sociaux et politiques des Canadiens et proteste contre les abus des autorités coloniales en matière d'administration, dénonçant ainsi la ségrégation raciale dont les Canadiens sont victimes. Sept résolutions, formant une cinquième partie imposante, exprime l'opinion de la majorité au sujet de la tenure seigneuriale, grave problème de l'époque à cause de l'accroissement de la population et de la diminution dramatique des terres disponibles pour l'agriculture. Onze résolutions constituent une violente attaque de la gestion financière de la Province et terminent cette sixième partie par la demande du contrôle du budget. Les deux dernières parties importantes sont consacrées à la magistrature, dont on critique le mode de nomination, le choix et la tendance à se mêler de politique, et aux droits de la législature qu'on désire égaux à ceux du Parlement britannique. Quelques autres articles sont soit l'énoncé de principes généraux, soit la justification d'actes posés par l'Assemblée, comme l'expulsion de Robert Christie et la vacance du siège de Dominique Mondelet, appelé à siéger au Conseil exécutif. Le texte, en son entier, se présente comme un programme politique fondé sur les principaux problèmes de l'époque.

La discussion en comité plénier permet à Papineau de prendre part aux débats, ce qu'il fait avec force et détermination. Mais son argumentation ne rallie point l'unanimité des députés, et même des membres du Parti patriote. John Neilson, député de Québec, est celui qui s'oppose avec le plus de fermeté et de conviction aux propos de son chef, favorisant une plus grande modération dans les demandes faites au gouvernement britannique et une plus grande pondération dans le ton pris pour formuler ces demandes. Andrew Stuart appuie Neilson dans son effort pour contrer la radicalisation de l'Assemblée. Quant au parti anglais, son principal porte-parole est B.-C.-A. Gugy, député de Sherbrooke, bien connu pour son outrance verbale à l'endroit du parti de la majorité.

Le débat, amorcé le 18 février, prend fin trois jours plus tard avec l'adoption des résolutions, à 56 voix contre 23. Le vote concrétise la séparation entre radicaux et modérés au sein du Parti patriote. Cette première division sera suivie assez rapidement d'une autre rupture, cette fois entre radicaux et révolutionnaires. Peu après, Morin est mandaté[30] pour porter ces résolutions à Londres et prêter main-forte à Denis-Benjamin Viger, l'agent de la province auprès du gouvernement impérial et son ancien maître.

Délégué à Londres

La décision d'envoyer Morin à Londres étant prise, il faut maintenant trouver la somme nécessaire pour payer son passage. Comme l'Assemblée ne peut engager de crédits à cet effet et que les finances personnelles de Morin lui interdisent cette dépense, ce sont les autres députés et quelques citoyens généreux qui souscrivent « environ £350 pour subvenir aux frais de la mission de M. Morin[31] ». Il quitte Québec le 15 mars, assiste au banquet organisé par les Irlandais à Montréal à l'occasion de leur fête nationale, le 17 mars, où il est acclamé, et il se dirige vers New York dès le lendemain. Le 24, il s'embarque seul à bord du voilier *John Jay* qui fait voile vers Liverpool sous la direction du capitaine Glover. La traversée est sans problème, malgré cette période redoutée de l'année qu'est l'équinoxe du printemps, et Morin arrive à Londres quelques heures avant le 1er mai.

Le voyage de Morin outre-mer n'est pas un succès. Ce n'est pas non plus un échec total, car le Parlement anglais a eu au moins l'occasion d'entendre Viger et Morin et d'apprendre d'eux certaines situations et certains écarts de conduite dans le gouvernement de la province. Aussi, la situation ne s'est pas améliorée pour les membres du Parti patriote. Mais les élections générales de 1834, au cours desquelles Morin est réélu sans opposition dans Bellechasse, plébiscitent leurs actions et permettent aussi de balayer les modérés de l'échiquier politique : John Neilson, le chef de l'aile modérée, Augustin Cuvillier, Frédéric-Auguste Quesnel, Andrew Stuart, ancien chef du parti, et J.-F. Duval sont battus. Désormais, le dialogue cède le pas à l'affrontement.

Chef parlementaire du Parti patriote

Fort d'une victoire électorale sans bavure, le Parti patriote revient à l'Assemblée plus que jamais décidé à continuer son action contestataire jusqu'à ce que ses revendications soient satisfaites. Morin, agissant comme leader parlementaire, donne le ton dès l'ouverture de la session :

> Je me lève maintenant pour proposer que la Chambre se forme en Comité général pour considérer l'état de la Province, mesure que je considère comme nécessaire, afin de nous assurer si nous serons gouvernés conformément aux lois et aux droits de sujets Anglais et si nous jouirons véritablement des avantages d'une liberté constitutionnelle, ou si nous gémirons sous le poids de la tyrannie qui pèse sur nous et se

> répand parmi nous sous les plus hideuses formes [...]. Tout ce que je désire est de faire exprimer cette approbation de la conduite du dernier Parlement par une Pétition au Parlement d'Angleterre, pétition que je proposerai être la même que celle déjà signée par les membres en leur qualité individuelle et hors de la session [...]. Je n'ai point d'autre chose à soumettre que cette pétition, qui est un exposé fidèle des nouveaux griefs du Pays, exprimés dans un langage très modéré et plus modéré peut-être qu'il me semblerait convenir à un peuple opprimé[32].

Tout au long de cette session, les propos de Morin deviennent plus énergiques et aussi plus durs. Quoique le ton soit ferme mais aussi très parlementaire, Morin exprime ainsi son radicalisme : sa nature lui défend l'emploi de la véritable violence verbale, mais une intolérance nouvelle est observable. Ainsi, lorsqu'il est question d'adopter par un projet de loi la nomination de M. Roebuck comme agent de la province à Londres, quelques députés font des objections à Morin, alléguant que le Conseil législatif pourrait ne pas voter le projet de loi et que l'administration pourrait proroger la Chambre. Morin est incisif :

> J'ignore si cette Chambre sera ou non prorogée et je ne m'en occupe pas. Mais outre le concours du Conseil, il faut encore que ce bill ait la sanction royale, et nous ne pouvons attendre jusqu'à ce temps pour passer des résolutions : il sera trop tard. Ce n'est point non plus provoquer le conseil : ce corps sait bien qu'il n'a plus notre confiance et qu'il ne peut l'avoir, tant qu'il sera constitué comme il l'est[33].

Puis, en réponse à la harangue du gouverneur, Morin amorce la stratégie d'opposition au vote des subsides.

> Y a-t-il à hésiter à dire que la Chambre ne peut pas accorder ce qu'on nous demande ? On parle d'avoir une session : ne sommes-nous pas en session ? ne nous occupons-nous pas des grandes mesures politiques ? Quelle raison avons-nous de compter sur les dépêches, quand le gouverneur nous annonce lui-même dans son discours qu'il n'a pas reçu d'instructions. Admettre par notre réponse que nous prendrons en notre considération, le payment de £31,000 fait sur la caisse militaire, ce serait admettre le droit du gouvernement et du ministère en Angleterre de se mêler de nos affaires et de payer les officiers publics sans notre aveu[34].

Morin est l'architecte de la procédure parlementaire du Parti patriote. Tous les sujets inscrits au feuilleton de la Chambre sont scrutés à la loupe par le député de Bellechasse qui ne perd pas une occasion de faire passer ses idées et d'attaquer l'administration. Quand Bédard introduit un projet de loi pour autoriser les Messieurs du Séminaire de Montréal à transiger leurs droits seigneuriaux avec leurs censitaires, Morin énonce le grand principe qu'il défendra pendant vingt ans sur le sujet :

> Cette question est importante, et peut s'envisager sous deux points de vue. Le premier est que les prétentions de l'Exécutif et la servilité des Messieurs du Séminaire, deux corps aristocratiques, jaloux du pouvoir et amis des abus, qui se soutiennent et cherchent à se rapprocher ; le second est celui du commerce. Mais dans ce cas la mesure devrait s'étendre à toutes les terres seigneuriales et renfermerait beaucoup d'autres considérations[35].

Non seulement Morin est de tous les débats et de tous les comités, mais il est l'organisateur et le secrétaire du caucus du Parti patriote tenu à Trois-Rivières au début de septembre 1835 afin que les membres du parti puissent « se raccorder entre eux sur les mesures les plus propres à prendre dans l'intérêt des affaires publiques[36] ». Cette réunion, inusitée pour l'époque, montre bien les tiraillements à l'intérieur du parti.

C'est finalement Morin qui soumet la réponse à la harangue du gouverneur. Cette adresse n'est pas un simple écho du discours, mais constitue une réponse ferme et un habile exposé des droits de l'Assemblée et des réclamations du peuple. Papineau, publiquement, pour la première fois, félicite son lieutenant, au grand désarroi de l'opposition :

> M. Papineau, dans le cours d'un discours qui a duré une heure et quart, a dit que le projet d'adresse que la Chambre devait au travail et au talent de M. Morin, était un chef-d'œuvre. L'opposition dans la Chambre est tout-à-fait déroutée : elle ne sait plus comment paraître sur la scène avec quelque grâce, et dans son désir extrême de prouver son zèle à l'administration, elle dépasse les bornes et veut même ce que le pouvoir qu'elle caresse ne veut pas[37].

Le même jour, d'ailleurs, et de façon unanime, l'Assemblée vote une motion de remerciement à l'endroit de Morin pour sa mission auprès du Parlement de Londres. Sans doute pour compenser le long retard mis à évaluer ce travail, Louis-Joseph Papineau écrit au « leader » parlementaire de son parti :

> C'est avec la plus vive satisfaction que je remplis le devoir dont m'a chargé la Chambre d'Assemblée, celui de vous transmettre ses remerciements du talent, de l'assiduité, du patriotisme éclairé avec lesquels vous avez rempli la situation importante d'Agent auprès du Gouvernement

de Sa Majesté et du Parlement Impérial [...]. Vous vous êtes attaché à faire connaître à la Nation et au gouvernement Anglais ce vœu et ce besoin des peuples de l'Amérique anglaise. A l'unanimité, la Chambre d'Assemblée vous remercie des services que vous avez rendus à la Patrie[38].

Radicalisation de Morin

La « conversion » de Morin au radicalisme plaît à Papineau, qui sait apprécier ses grandes qualités. Mais les déclarations de l'Orateur ont surtout réduit au silence quelques députés qui doutent encore de la sincérité de Morin. En même temps, modérés et députés de l'opposition ont compris qu'ils ne pourraient plus rallier le représentant de Bellechasse à leur cause.

Le radicalisme de Morin est tangible non seulement par ses actions parlementaires, mais aussi par ses agissements hors de l'Assemblée. Ainsi, le 28 mai 1835, il accepte d'être l'un des officiers de l'union patriotique dont les buts sont « la propagation de la connaissance, obtention du gouvernement responsable, amélioration des moyens de communication dans la colonie, administration prompte et peu coûteuse de la justice, opposition, par tous les moyens possibles, à l'intervention indue du Bureau colonial, de la Trésorerie ou du bureau militaire[39] ».

La présence active de Morin au sein de cette association donne encore plus de poids à sa participation et à la lettre que les chefs montréalais du Parti patriote envoient à leurs collègues de Québec, durant la campagne électorale de novembre 1834, et que Fernand Ouellet a présentée sous l'entête « l'idée de révolution[40] ». Il s'agit de sensibiliser de plus en plus la population, par tous les moyens, à la crise politique en cours et de la préparer à des jours encore plus difficiles. Le ton n'est pas encore révolutionnaire, mais l'esprit y est.

Cet adversaire si coriace qu'un prétendu scandale n'a même pas terrassé et qui a marqué des points auprès de l'opinion publique dans une mission casse-cou à Londres tout en s'affirmant un rude jouteur dans les débats parlementaires, il faut trouver un moyen de le neutraliser, car son poids auprès de la population est grand. Il est hors de question de lui offrir un poste au sein du Comité exécutif puisqu'on aurait ainsi consacré le principe de la responsabilité ministérielle et ses attaques contre le Conseil législatif laissent facilement penser qu'il refuserait, par principe, un poste au sein de cet organisme si honni. Reste une position prestigieuse, stable, aux émoluments sûrs : celle de juge. Le juge Kerr étant destitué, un poste s'ouvre et, parmi les candidats, « le *Vindicator* désirait que ce fût M. Morin[41] ». Le rédacteur en chef de ce journal, le docteur Edmund Bailey O'Callaghan, député de Yamaska, est un radical à tous crins qui ne croit pas au radicalisme récent du député de Bellechasse. Mais les rumeurs de cette candidature, bien que celle-ci soit diversement appréciée[42], ne semblent être autre chose qu'une manœuvre bien vite désamorcée. Les opposants du Parti patriote doivent prendre leur mal en patience, car Morin ne donne aucun signe d'intérêt pour une telle nomination.

1836, la querelle des subsides

Déjà la question des finances publiques fait l'objet de débats importants. À l'instigation de Morin, l'Assemblée vote en mars 1835 des résolutions qui sont des griefs à l'endroit du gouverneur. On lui reproche d'avoir refusé d'autoriser le Receveur général à avancer une somme de sept mille livres pour les dépenses courantes de la Chambre. Cette dernière réplique en ne votant pas les dépenses de l'année, sous prétexte qu'elle ne connaît pas complètement leur affectation ainsi que la source des revenus de la province. L'Exécutif décide alors de faire des avances à même la caisse militaire : le député de Bellechasse ne manque pas l'occasion de souligner l'illégalité d'un tel geste puisque « dans les colonies où il y a une législature, on ne devait pas se servir de caisses militaires pour des fins civiles[43] ».

La querelle des subsides est nettement le sujet de la session de 1836. Toutes les occasions sont bonnes pour le Parti patriote de placer l'Exécutif dans des situations délicates. Dès le 5 janvier, Morin demande la destitution du procureur général James Stuart à l'occasion de la présentation d'une requête signée par deux cents personnes qui s'opposent à l'érection d'un quai dans la seigneurie de Mille-Vaches. Interprétant le sens de la requête, le « leader » parlementaire du Parti patriote déclare

> qu'elle se plaint d'une spoliation inique de propriété publique et de négligence grossière des officiers publics de la Couronne ; elle implique gravement leur conduite comme tels, en les accusant d'injustice et partialité, et d'avoir sacrifié la probité que le public a droit d'attendre d'eux pour favoriser les mignons de l'exécutif[44].

L'Hôtel du Parlement où siégea Augustin-Norbert Morin
au milieu des années 1830 (Leclaire, *Le Saint-Laurent...*).

Le ton ne manque pas de sévérité et le jugement est quasi prononcé à partir d'une simple dénonciation et de la présentation d'une pétition : cet incident décrit assez bien l'état d'esprit des parlementaires.

Au sujet des comptes publics, Morin soumet douze résolutions « qui ne sont qu'une énonciation de principes depuis longtemps soutenus par la Chambre[45] ». Entre autres, on retrouve dans ces résolutions le droit au contrôle de l'Assemblée sur tout le revenu prélevé dans la province, le devoir de la même Assemblée de prendre connaissance de tout ce qui peut menacer la paix, la tranquillité et la prospérité du pays.

Pas assez radical...

Même durant cette période où Morin s'affirme, quelques députés, dont Charles-Ovide Perrault, ne le trouvent pas assez radical. C'est que le radicalisme verbal chez Morin ne l'empêche pas de raisonner froidement et même de penser à des solutions qui ne sont pas forcément dans la ligne dure des partisans de la voie révolutionnaire. Il n'est pas exagéré de penser qu'il s'oppose ainsi à Papineau si l'on en juge par la correspondance de Perrault :

> Hier soir (14 février 1836) nous avons eu une petite réunion chez Lemoine où logent plusieurs membres. Morin opine toujours pour le vote avec conditions : il trouve que c'est pour nous gagner du tems quoique nous ne soyons pas plus avancés au bout de 12 mois, néanmoins il croit que nous pouvons nous préparer 2 ans d'intervalle et faire pour le mieux. Il était *seul* (*sic*) de son opinion [...]. Morin a fait une fameuse réponse à Bédard. Samedi, il a parlé mieux que dans aucune occasion précédente[46].

Quelques jours plus tard, Perrault écrit à son correspondant qu'enfin « Morin est avec nous et j'espère que ça marchera[47] ». Pourtant, l'intervention de Morin le 22 février 1836 tend à prouver le contraire :

> M. Morin, membre du comté de Bellechasse, se lève et explique, que vu que le pays est encore dans l'état où il était sous les administrations précédentes ; que bien peu de griefs, et seulement de griefs secondaires ont été redressés ; que les mesures les plus importantes pour le pays sont encore en discussion ; et que les dernières dépêches du ministre colonial, lord Glenelg, annoncent une disposition à maintenir les abus du système colonial, la chambre doit continuer à garder son attitude d'opposition à ce système et à employer le moyen constitutionnel de forcer les ministres à faire les concessions demandées, à accorder le contrôle des deniers publics et le conseil électif, et ne doit pas voter la liste civile, tant que justice ne sera pas faite au pays : mais pour ôter tout prétexte et pour fournir à lord Gosford le moyen de faire marcher son gouvernement, et de travailler à l'œuvre de la réforme, il proposera que la chambre se départe un peu de sa sévérité et lui vote les deniers nécessaires pour subvenir aux dépenses du gouvernement, durant six mois. Malheureusement, dit-il, il existe dans cette chambre une grande diversité d'opinion mais je me flatte que nous réussirons à adopter des mesures qui conviennent à notre propre honneur et à la prospérité du pays, dont le sort nous est confié. Jusqu'à ce jour, nos efforts ont été infructueux et nous nous trouvons encore obligés de nous adresser au parlement impérial pour obtenir le redressement des griefs que depuis si longtemps nous demandons en vain. C'est dans cette vue que je soumets au comité un projet d'adresse au roi, sur laquelle il ne peut y avoir diversité d'opinions[48].

… ou plus réfléchi que ses collègues?

Il semble bien que l'influence du représentant de Bellechasse est plus forte que ne le prévoit Charles-Ovide Perrault. Il s'agit d'une concession mineure et de bonne guerre qui place Gosford et l'Exécutif avec l'odieux du *statu quo*. Fondamentalement pourtant, la position de Morin est conforme à celle du Parti patriote:

> Quant à la question des finances, et à l'octroi d'une liste civile permanente, il y a peu de doute qu'avant de nous en occuper, il faudrait que nous eussions plus d'espoir d'obtenir justice: d'ailleurs les conditions auxquelles on voudrait que la chambre se soumit dans le vote de subsides, afin d'obtenir le contrôle des revenus, sont de nature à ne pouvoir jamais rencontrer les vues de cette chambre. La prétention de vouloir soustraire au contrôle de la chambre certains grands fonctionnaires publics, déjà trop irresponsables détruirait entièrement le système d'administration responsable que nous voulons introduire dans le gouvernement colonial. La distinction et l'approbation de certaines sources de revenus qu'on veut soustraire au contrôle des représentants, est une autre prétention non moins étrange et à laquelle nous ne pouvons accéder[49].

L'influence de Morin est tellement grande que la proposition qu'il fait de voter des subsides de six mois est appuyée par Perrault lui-même! Mais cette prise de position démontre nettement l'enjeu du Parti patriote au sujet des subsides, enjeu qu'assume et exprime tout à la fois Morin. Même au cœur de cette querelle des subsides, le Conseil législatif continue de préoccuper Morin; les doléances restent les mêmes, mais la solution au problème est plus originale: le «leader» parlementaire propose de voter un amendement à l'*Acte constitutionnel* de 1791 afin de rendre le Conseil législatif électif.

Différend avec Papineau

La dépêche envoyée par le gouverneur pour tenter de trouver une solution à l'embâcle administrative est l'occasion d'un différend entre Papineau et Morin. Alors que le premier voit la nécessité de répondre sans tergiversation, son principal lieutenant croit à l'importance d'étudier scrupuleusement l'offre, de prendre le temps de répondre et de faire une réponse lucide, calme et réfléchie. Perrault profite alors de l'occasion pour répudier à nouveau Morin:

> Morin ayant dit à plusieurs membres qu'il lui fallait 15 jours pour préparer une réponse à la Dépêche, voilà que tous les membres s'effrayent et partent. M. Papineau est mécontent de cela et cherchait ce matin à rejoindre Morin pour lui faire reproche de cette annonce ou du moins le prévenir des effets qu'elle doit avoir. M. Papineau est pour dire en peu de mots les sentiments de la Chambre sur la dépêche, dire pourquoi nous persistons dans notre marche et pourquoi nous refusons les subsides – puis, en finir. Il ne partage pas là-dessus le sentimens de Morin : il craint au contraire que des délais aient l'effet de susciter des intrigues et que l'on profite de ce moyen pour vider la question des subsides et faufiller un bill pour payer les officiers publics. Qui sait si les « tièdes » voyant que les membres fermes quittent leurs postes ne reprendront pas courage et ne chercheront pas à faire voter de l'argent à leur « chère administration » ? Vous voyez donc que nous ne sommes jamais en sécurité avec des hommes sur qui on ne peut compter et qui d'un moment à l'autre peuvent profiter de l'occasion pour nous jouer pièce. Morin a chassé le Dr Nelson hier en disant qu'il lui fallait 15 jours et il chasse encore ce soir M. Roy qui s'embarque dans l'Aigle à 5 heures[50].

Morin, en plus de son calme désarmant dans pareille situation, aime bien arriver lui-même à la conclusion de la majorité sans qu'elle lui soit imposée. Pour les militants comme Perrault, et aussi comme Papineau, la réflexion de Morin passe pour de l'inaction et, pis encore, pour de l'hésitation et même de la faiblesse. Papineau convainc son lieutenant de répondre plus rapidement. Bien plus, Morin croit bon de poser un geste remarquable pour prouver péremptoirement l'importance qu'il attache à ses opinions et, partant, à sa pensée politique : il accepte de déménager à Québec, en novembre 1836, pour aider le parti dans une région où le programme et les actions du Parti patriote sont loin de susciter un enthousiasme délirant.

1836 : Morin revient à Québec

Cette mission est compatible avec le degré d'organisation du parti :

> « au moment où débute la Rébellion de 1837 on est en face d'un véritable parti politique au sens moderne. Ce parti non seulement précède-t-il dans l'histoire l'apparition d'un phénomène identique dans la plupart des pays, y compris la France et la Grande-Bretagne (le phénomène apparaît cependant aux États-Unis à peu près en même temps), mais il possède un autre trait particulier : celui d'être non un parti de notables,

peu articulé et essentiellement intra-parlementaire, mais une force politique beaucoup plus proche des partis de libération nationale que l'on a connus depuis la Seconde Guerre mondiale. Comme beaucoup de ces mouvements politiques, il est né dans un contexte colonial dont il a voulu briser les contraintes, il précède l'existence d'un véritable système parlementaire démocratique et porte dans son projet la volonté de constitution d'une nouvelle société. Fatigués des élections-pétitions, qui ne servent qu'à confirmer l'appui populaire et à augmenter la pression sur l'exécutif sans pouvoir le remplacer, les patriotes cherchent à conquérir le pouvoir. Pour ce faire, ils innovent en créant un nouvel instrument de lutte, un véritable parti politique[51].

La désunion entre l'aile québécoise et l'aile montréalaise peut s'expliquer par des raisons d'ordre pratique, comme la distribution et le contrôle du patronage. Mais il y avait plus.

> En politique comme en d'autres domaines, Québec ne vit pas exactement à la même heure que Montréal. Les tensions sont moins prononcées dans la capitale et les sources de radicalisme y sont moins vives que dans la métropole[52].

L'opposition au Parti patriote est pourtant imposante. À part les membres de l'Exécutif et les principaux fonctionnaires dont on peut deviner aisément les motifs d'opposition, la presse anglophone est particulièrement hostile à certains points du programme patriote, dont l'élection des membres du Conseil législatif. Les anglophones craignent de devenir « The Helots of democratic principles and electives institutions[53] ». De fait, ils flétrissent.

> The persevering and inwearied endeavours of the French Canadian political leaders to destroy the Constitution of the Province, and to introduce a Republican form of Government by rendering the Legislative Council elective[54].

L'influence modératrice du rédacteur du *Canadien*, Étienne Parent, constitue un frein important au mouvement de radicalisation. Aussi, l'envoi de Morin à Québec, où il a fait ses études en plus d'y commencer sa carrière dans le journalisme, est une mesure prise pour neutraliser cette influence et pour rallier les habitants de la capitale au programme et aux actions du parti. De plus, sa présence lui permet, sinon d'arrêter, du moins de freiner les ragots de l'administration.

Été 1837 : à l'œuvre à Québec

Dès le début de l'été 1837, le député de Bellechasse se met à l'œuvre. Le 4 juin, il préside à Québec, au marché Saint-Paul, « une assemblée publique des personnes favorables aux 92 résolutions ainsi qu'aux demandes de justice et de redressement de griefs faites par le pays[55] ». Il y explique le sens des demandes faites au Parlement impérial et il est aidé par des orateurs tels R.-S.-M. Bouchette, Charles Hunter, Édouard Rousseau, L.-J. Besserer, Jean Blanchet, Martial Bardy et Charles Drolet. Malgré un certain succès, les résolutions qui y sont adoptées « formaient, par leur modération, un contraste frappant avec celles qui avaient été adoptées dans le district de Montréal[56] ».

Le jour de la fête de la Saint-Jean-Baptiste, Morin escorte Louis-Joseph Papineau et ses amis Jean-Joseph Girouard et Louis-Hippolyte La Fontaine lors de la première célébration de cette fête dans les comtés de L'Islet et de Bellechasse. Même si l'éloquence de Papineau semble éclipser les arguments solides et sérieux du député, c'est un bon succès pour la cause des patriotes. Aux assemblées de Saint-Thomas et de Beaumont, le Parti patriote marque encore des points. En revanche, celle de Deschambault, tenue le 16 juillet, s'avère presque un échec : Morin lui-même y mesure que la cause suscite des résistances certaines.

Il se rend compte que le climat politique de la région de Québec est nettement défavorable aux tactiques de pression préconisées par le Parti patriote, comme la pratique de la contrebande. Le député de Bellechasse, voulant justifier la contrebande, déclare qu'elle n'est pas défendue par la loi naturelle et qu'on doit la pratiquer pour aider le pays. Mais, « ce brin de casuistique fut sans effet. Deschambault, comme le reste du district, resta sur ses positions[57] ».

La courte session de 1837, du 18 au 26 août, refroidit le zèle de Morin de propager dans le district de Québec la ferveur pour la cause patriote. Le député agit à nouveau comme chef parlementaire et veille à faire adopter chaque paragraphe de l'adresse en réponse au discours du Trône. Devant l'intransigeance du Parti patriote, la session est rapidement prorogée, ce qui permet à Morin de redoubler d'ardeur pour rallier le district de Québec à la cause des patriotes.

Automne 1837 : travail d'éducation populaire

Le 17 septembre, Morin préside à la formation d'un Comité permanent « chargé de veiller aux intérêts de la cause canadienne[58] » dans la paroisse Saint-Roch de Québec. Il semble posséder des amitiés solides au sein de cette paroisse ouvrière fondée en 1829 par son confrère du Séminaire de Québec, l'abbé Alexis Mailloux. Mais la plus grande partie de son temps est consacrée moins à des apparitions publiques qu'à un travail assidu de coulisses visant essentiellement à détruire la crédibilité de l'administration qui ne ménage pas les efforts pour discréditer la cause des patriotes. Meilleur écrivain qu'orateur, Morin entretient une correspondance soutenue avec les secrétaires archivistes des autres comités permanents. La situation enflamme Morin, mais ne l'empêche pas de voir les faiblesses de la position de son parti dans la région de Québec :

> Je suis sensible à la manière dont ils [les membres du Comité] veulent bien apprécier mes faibles efforts pour le soutien des libertés du peuple et de la cause canadienne. Ces efforts ainsi que les vôtres auraient déjà été couronnés de succès sans l'influence que les meneurs, l'intrigue, l'ignorance et la corruption ont exercé sur ceux qui avaient une prédisposition ou qui étaient le plus exposés. Ces effets, qui au reste sont nuls chez vous, sont assez puissans au siège du gouvernement pour paralyser les travaux des amis du pays. Mais la masse du peuple est bonne, même à Québec : elle a les yeux sur vous et sur le reste du district de Montréal. Avec de la constance et du courage, nous détruirons un mal éphémère, nous démasquerons l'avilissement et la corruption de nos ennemis et de quelques ci-devant prétendus amis. Et nous verrons s'élever pour le pays des jours de liberté et de bonheur parce que nous combattons pour nos lois, nos autels et nos foyers avec les armes puissantes de la vérité et de la justice[59].

L'administration coloniale est parfaitement au courant du travail de Morin et surtout de son influence. Son rôle prépondérant lors des débats parlementaires, la qualité de son argumentation et son influence auprès du peuple en font un adversaire redoutable qu'on n'hésitera pas à mettre en tête de liste, au même titre que les orateurs qui soulèvent les passions populaires et les combattants armés, en cas d'insurrection ou de « prévention de sédition[60] ».

Radicalisation croissante de Morin

La courte session de 1837 démontre à nouveau l'importance de Morin au sein du Parti patriote et marque une évolution de son radicalisme. Il dirige les travaux puisqu'il exprime les vœux de la majorité ; c'est ainsi qu'il propose que l'Assemblée se forme en comité plénier pour prendre en considération l'état de la province et qu'il rédige les résolutions qui sont finalement adoptées sur division le 25 août 1837. Le ton est devenu si intransigeant que Joseph-René Kimber de Trois-Rivières[61] se prononce contre l'adresse de Morin en disant que « la marche proposée par M. Morin tend à repousser le gouvernement par la force, que cette ligne de conduite est dangereuse et peut mener à la révolution[62] ». Désormais, le député de Bellechasse est un révolutionnaire, ce qui ne manque pas de surprendre : « Qui aurait cru que cet homme aux manières si douces, aux habitudes si rangées, était partisan de l'appel aux armes[63]. » Comme Papineau et plusieurs autres, il a toujours cru à la revendication légale, mais il se rallie à un projet qui, dans sa phase ultime, comportera un recours aux armes. Il ne renie pas son engagement et assiste aux réunions du Comité central et permanent de la ville et du district de Québec où il accepte de faire partie d'un comité de cinq membres chargé de « préparer une déclaration formelle des principes politiques du Comité, de son but et des objets de sa formation et de dresser un code de règlements pour la conduite et direction ultérieures[64] ».

Arrestation préventive de Morin

Toutes ces preuves circonstancielles justifient son arrestation préventive le 15 novembre 1837 et *La Gazette de Québec* annonce ainsi cette nouvelle :

> M. A.-N. Morin avocat, membre du parlement provincial et du soi-disant comité central permanent, réputé le chef du parti Papineau à Québec, a été emprisonné hier. MM. Morin, Légaré, Chasseur et Lachance sont jusqu'à présent les seuls contre qui des mandats d'arrestation, par suite de l'enquête dirigée par M. Symes, aient été exécutés[65].

Les autorités ne pouvant incriminer Morin, il est libéré sous caution trois jours plus tard. Vraisemblablement, Morin n'a pas pris les armes. Il demeure à Québec, évitant les apparitions publiques et communiquant très peu avec les autres membres du parti. Durant le mois de décembre

Augustin-Norbert Morin au moment de son emprisonnement (Dessin de Louis-Joseph Girouard, coll. ANC, C-018455).

1837, il aurait accompagné son ami Louis-Hippolyte La Fontaine parti pour l'Europe par le chemin de Kennebec pendant quelques milles, puis il serait revenu à Québec.

À la « clôture du terme criminel », le 31 mars 1838, Morin doit renouveler son cautionnement. Rien ne nous autorise à croire qu'il prépare ou soutient la seconde rébellion. Seuls ses amis intimes communiquent avec lui et la correspondance échangée vise à justifier la prise d'armes. Ainsi, le notaire Jean-Joseph Girouard écrit à Morin le 1er avril 1838 :

> Que dirait-on en Angleterre si l'on prouvait qu'il n'y a point eu de révolte, comme on l'a dit partout sur toutes les gazettes, et dans le parlement impérial et dans des actes publics, que le peuple n'a fait que se défendre et n'avait plus l'alternative de l'attaque[66] ?

Nouveau mandat d'arrestation

Pourtant, en octobre 1838, Morin est soupçonné d'avoir caché un évadé de la citadelle de Québec. La déposition de William Valentine Andrews, le 16 octobre, est fort incriminante :

> That this morning, about eight o'clock, he sees E.-A. Theller, a convicted traitor, near the door of the house of A.-N. Morin, Esquire, Advocate,

> in the Upper Town of this City. That deponent verily believes the said Theller went into the said Morin's house, and that the said Theller is now concealed and secreted in the House and premises of the said A.N. Morin, against the Peace of Our Lady the Queen[67].

La perquisition policière ne donne aucun résultat. Néanmoins, un mandat d'arrestation est émis contre Morin. Craignant qu'un séjour plus ou moins prolongé en prison n'avive les crises de rhumatisme dont il a souffert pendant et après son premier internement, il se réfugie dans les bois de la paroisse Saint-François-de-la-Rivière-du-Sud. Cette fuite n'est guère plus salutaire pour sa délicate santé, mais elle est au moins l'occasion d'une réflexion profonde.

Morin refuse l'exil

Les difficultés des patriotes demeurés au Bas-Canada préoccupent Louis-Joseph Papineau qui a fui aux États-Unis. Dans une lettre datée du 3 mars 1839, alors qu'il réside à Albany, la capitale de l'État de New York, le chef du Parti patriote écrit à Charles-Ovide Perrault :

> Mon opinion est qu'au plus vite ils [Girouard-La Fontaine-Viger et Cherrier] doivent soustraire Mr Morin au danger d'arrestation puisqu'ils [les Anglais] ont commencé dans le District de Québec, il ne peut s'y cacher longtemps, que le plutôt qu'il est aux États est le mieux. Il doit être pourvu des moyens de faire le voyage d'Europe — venir m'y rejoindre — ou si l'on pensait que lui put aller en Angleterre (ce que je ne pense pas s'il échappe dans les accusations de haute trahison) y aller et me le faire savoir pour que je lui fasse part de ce que j'aurai appris. Je suis soumis à la direction que me donnera la majorité de mes collègues, de ceux que l'on peut et doit consulter dans les circonstances aussi difficiles que celle où la meilleure des populations est affamée par le plus mauvais des gouvernements[68].

Mais Morin n'accepte pas cet exil volontaire. Pour lui, il doit rester au milieu de son peuple, avec les risques personnels que cette décision comporte. Sentiment du devoir peut-être exagéré mais qu'aucun remords ne peut atteindre, car « s'il avait été en butte à de nombreuses accusations et avait suscité beaucoup d'animosité, il paraissait n'avoir pris aucune part à la dernière rébellion[69] ».

D'ailleurs, le solliciteur général Andrew Stuart, ancien membre du Parti patriote, ne ménage aucun effort pour rassembler des preuves contre

Morin lorsqu'il est évident, au départ de sir John Colborne, que l'ancien député de Bellechasse va refuser l'exil offert par les autorités en retour de la non-application du mandat d'arrestation émis contre lui. Le 26 octobre 1839, il écrit à un officier de police de Montréal, P.-E. Leclerc :

> I would be obliged to you to communicate to me any affidavits or depositions in your possession against Mr Morin, advocate and late Member of the Assembly, upon which any warrants may have issued for this apprehension[70].

Dans une longue réponse, le 4 novembre, Leclerc reconnaît qu'il n'y a aucune déposition contre Morin mais ce dernier s'est déjà livré à la police le 28 octobre[71]. Il est cependant libéré la semaine suivante et ne sera pas inquiété par la suite[72].

Difficiles lendemains de l'insurrection

L'insurrection met un terme à la première étape de la carrière politique de Morin. Il a 36 ans, il est célibataire et son biographe Auguste Béchard mentionne que son père a refusé de le recevoir lorsqu'il prend la fuite, n'approuvant pas la désobéissance civile de son fils ; la famille Morin n'approuve pas la conduite révolutionnaire d'Augustin-Norbert, suivant en cela la directive paternelle. Vivant donc isolé, Morin doit soigner une condition physique chancelante que le séjour dans les bois et quelques semaines passées en prison ont détérioré passablement. Sans revenu et sans économie, sa condition financière est tellement mauvaise qu'elle touche presque la pauvreté. Toutefois, il n'accepte pas la prise de position du clergé lors du soulèvement ; il ne devient pas anticlérical, mais il conserve sa vie durant une profonde méfiance à l'égard du clergé qu'il trouve, comme corps social, trop préoccupé d'étendre son emprise sur le peuple.

Durant cette période qui prend fin avec la Rébellion, Morin a l'occasion d'établir, d'abord, et de définir aussi les champs de ses futures luttes politiques : électivité de la Chambre haute, responsabilité complète de la Chambre basse face aux deniers publics, partage équitable des terres de la Couronne et justice rendue expéditive. Force est d'admettre que Morin est un avant-gardiste. Peut-être, aussi, ces événements dramatiques lui ont-ils permis de se rendre compte que, n'étant pas de la fibre des tribuns, il n'a que peu de chances d'émouvoir et encore moins convaincre ses collègues députés du bien-fondé de ses solutions. Peut-être, enfin, ressent-il comme une épreuve d'être considéré par plusieurs de ses compatriotes, voire de ses pairs, comme un utopiste parce que leur est étrangère la principale préoccupation de Morin : adapter les institutions aux besoins du Bas-Canada.

Ses actions législatives témoignent d'un souci constant de l'équité. Il est un bourreau de travail, continuellement assidu à ses tâches de député, même aux dépens de ses affaires personnelles. Méticuleux, il prépare ses interventions, scrute à la loupe les textes soumis et s'avère très tôt un expert en procédure parlementaire. De ce fait, il devient le complément nécessaire à Louis-Joseph Papineau et son principal conseiller en matière de législation.

En revanche, si Morin tout au cours de ces années de lutte acharnée ne peut résister à l'influence de Papineau, il a quand même conservé une certaine indépendance dans ses jugements, ce qui agace plus les partisans aveugles du tribun que Papineau lui-même. Peut-être, par respect de la discipline du parti dont il est membre à part entière, en épouse-t-il des décisions et des actions qui répugnent à sa nature.

Au lendemain de la tourmente, convaincu que la voie de la légalité est la seule que peuvent emprunter les réformes qu'il chérit, Morin décide alors de rompre ses attaches avec ses collègues qui ont choisi l'affrontement et l'exil. Il se remet à la pratique du droit à Québec et vit humblement, solitaire, dans une petite maison de la rue Desjardins. Alors qu'il a tant désiré servir son pays, il attendra désormais que le pays lui fasse signe avant de servir à nouveau.

Chapitre troisième

LES ANNÉES D'INCERTITUDE

LES LENDEMAINS DE LA RÉBELLION constituent une épreuve particulièrement difficile à surmonter pour les Canadiens. Les chefs sont en exil ou en prison ; des patriotes sont exécutés ou déportés ; le pays en certains endroits est ravagé ; le régime parlementaire est suspendu, ce qui laisse les Canadiens à la merci des autorités coloniales. En effet, après le soulèvement de 1837, le gouverneur, sir John Colborne, a suspendu par ordre du Parlement britannique la branche législative du gouvernement, « Chambre d'Assemblée » et Conseil législatif, pour les remplacer par un Conseil spécial formé de vingt-deux membres divisés en parts égales entre francophones et anglophones. Ce premier conseil spécial ne siège qu'une fois avant l'arrivée du nouveau gouverneur, lord Durham, le 27 mai 1838.

Le rapport Durham

Arrivé au Canada avec une réputation déjà bien établie d'homme politique intelligent et compétent, Durham est reconnu comme « une sorte de César sans emploi[1] » et son mandat fort large d'enquêteur lui permet d'explorer des solutions agréables à ses goûts de réformiste. La formation d'un nouveau conseil spécial composé entièrement d'étrangers, qui n'étaient que des marionnettes entre ses mains, vient confirmer son goût pour la dictature. Mais la situation canadienne est telle qu'il peut prendre des décisions qui, toutes illégales qu'elles soient[2], plaisent à la population, car elles détendent le climat politique. Après avoir expédié les choses courantes, Durham prend des notes et fait enquête, puis rédige son célèbre rapport. Un désaveu intempestif du gouvernement impérial amène Durham à démissionner et il quitte définitivement le Canada le 3 novembre 1838, remplacé par son prédécesseur. Son rapport, rendu public en février 1839, est un document fort judicieux, bien que plusieurs jugements fort contestables et parfois carrément faux soient dus à une enquête trop expéditive pour ne pas dire sommaire. Ses recommandations, peu suivies en général par le Parlement britannique, sont controversées.

Proposition d'unir les deux Canadas

La recommandation de Durham d'unir les deux Canadas est sanctionnée en mai 1840 et Charles Edward Poulett Thompson est nommé gouverneur à la même occasion, avec mission de faire sanctionner cette nouvelle constitution par les deux provinces. Mission impossible, s'il en est une, car la responsabilité ministérielle et les principales améliorations apportées aux institutions, telles qu'elles sont préconisées par le lord enquêteur, ne sont pas retenues. Pour en arriver à ses fins, le gouverneur se sert du Conseil spécial mis en place par Colborne après la démission de Durham et qui est la réplique presque parfaite du premier Conseil spécial de mars 1838 : l'approbation du Bas-Canada par ce simulacre de corps législatif est loin de refléter l'état d'esprit des habitants de la province. Il remporte l'adhésion du Parlement haut-canadien en promettant que le siège du gouvernement de la nouvelle province serait dans cette partie du territoire, que la représentation serait égale pour les deux anciennes provinces et que la dette publique du Haut-Canada serait absorbée par la nouvelle province. Les réformistes de cette législature posent des questions, laissées sans réponse, au sujet de la responsabilité ministérielle, mais s'opposent avec succès aux mesures d'ostracisme préconisées par le « Family Compact » contre les Canadiens français.

Les Canadiens se réorganisent

La manière même de faire accepter le projet d'union n'est pas de nature à attirer l'adhésion des hommes politiques canadiens. Le départ de Papineau et des principaux radicaux laisse la députation sans chef réel. Mais Neilson et La Fontaine essaient de remplacer l'exilé. Deux chefs, deux attitudes, deux stratégies. Neilson est de Québec et il propose le rejet pur et simple du projet d'Union. Bien appuyé par le clergé, il fait signer une pétition dénonçant le régime proposé et envoie ces résolutions à Londres. La Fontaine est de Montréal et se montre plus politique. Il appuie la pétition, mais, en plus, il rallie autour de lui les plus fervents partisans de la responsabilité ministérielle : Côme-Séraphin Cherrier, Charles Mondelet, George-Étienne Cartier et Joseph Bourret. De fait, Neilson livre un combat d'arrière-garde et La Fontaine met déjà en branle le Parti réformiste.

Quelle est la position de Morin face à cette situation ? Au début de janvier 1840, s'il s'intéresse encore à la politique et à l'avenir de son pays, il ne semble pas songer à un retour à la politique active, tout occupé qu'il est à assurer son *primo vivere*. Il s'oriente vers un retour à la pratique du droit. Le 15 janvier, il s'associe avec un collègue[3]. Nul document ne permet d'établir la durée de cette société juridique ; toutefois, le contrat laisse entendre que Morin retire de modestes sommes d'argent en sa qualité de propriétaire de la maison où logent les bureaux de l'étude[4]. Mais une lettre écrite à La Fontaine le 22 février de la même année montre bien que cette association ne lui procure qu'une existence précaire : « La pratique va moyennement en commençant mais je suis loin de perdre courage. Je vis pauvrement et solitairement dans le bas de ma maison. Le haut est à louer[5]. »

L'idéaliste désenchanté…

En proie à d'indéniables difficultés, Morin a accepté de traduire une longue narration de sir Francis B. Head pour accroître ses revenus : il semble nourrir un profond dégoût pour la politique active. Les événements des dernières années, des accusations non fondées et un emprisonnement plus qu'inconfortable qui a ravivé des crises de rhumatisme sont autant de raisons qui expliquent ce sentiment. Il semble même mal à l'aise que ses amis pensent encore à la politique. Ainsi, confie-t-il à La Fontaine :

> Je ne me plains pas de ce que vous ne m'écrivez pas : je m'aperçois que vos lettres à vos autres amis roulent d'un bout à l'autre sur la politique, et je vous dispense volontiers de m'en rien dire. Il devrait pourtant ce me semble y avoir entre nous d'autres idées communes[6].

L'optimisme de Morin, face à la reprise de sa profession, ne peut tout de même pas cacher sa pauvreté. Il souffre indéniablement de la précarité de sa condition. Aussi, même s'il se réjouit de la prochaine remise en liberté de Denis-Benjamin Viger, il demande ironiquement à La Fontaine : « Dites moi quel métier il faut prendre pour faire de l'argent[7]. »

… qui reprend du service

Mais son sentiment patriotique l'amène à son insu vers la politique active. La question de l'Union des deux Canadas ravive son intérêt pour la chose publique. En décembre 1839, sous l'influence de Louis-Hippolyte La Fontaine qui l'avait rencontré à Québec, il avait été enclin à appuyer ce projet qui favoriserait une alliance avec les réformistes hauts-canadiens. Il refuse donc de signer la pétition que Neilson fait circuler dans la région de Québec. À la réunion convoquée par La Fontaine à Québec le 21 février 1840, il est « le seul notable de Québec qui n'avait pas signé la pétition de Neilson[8] ». En avril de la même année, il accepte de faire partie d'un comité spécial du Barreau de Québec « chargé de faire rapport des objections et remarques sur l'ordonnance projetée[9] ». L'adoption finale du projet de loi par la reine Victoria, le 18 août 1840, déçoit profondément Morin. Le projet ne prévoit ni la représentation proportionnelle, ni la responsabilité ministérielle, ni le contrôle des subsides. Il suscite une opposition unanime chez les Canadiens français, mais en même temps il les divise sur les moyens à prendre pour obtenir justice. Le 18 septembre, dans une lettre à La Fontaine, Morin écrit :

> Il va être publiée une espèce de lettre que M. Neilson a rédigée, et à laquelle pour un j'ai donné mon adhésion, parce que je la trouve correcte en principes. Il ne se prononce pas sur la principale question, qu'il laisse ouverte, savoir celle d'essayer l'union ou de la rejeter à la face de ceux qui l'ont faite. Mais je crains qu'il ne donne trop dans cette dernière opinion, que je crois dangereuse[10].

Sans déguisement, il laisse entendre à son grand ami qu'il est disposé à combattre l'Union s'il parvient à atteindre la qualification financière exigée[11], à trouver un comté et à être élu. Mais comment expliquer ce retour en politique chez un homme dont les déboires ont été si profonds durant les années précédentes qu'ils suffiraient à décourager la grande majorité des gens ? C'est que Morin croit fermement aux changements politiques et intellectuels qu'il propose. Ses convictions s'appuient sur des projets concrets et son souci constant de démocratisation et d'adaptation de grandes institutions à la réalité canadienne fait de lui un militant passionné.

Union des réformistes du Bas-Canada...

Comme Neilson accepte de suspendre temporairement le débat public sur l'acceptation de l'Union, Morin et Parent consentent à participer à une assemblée convoquée le 14 octobre à l'École des Glacis, puis remise au 20 octobre à cause du mauvais temps. C'est à cette assemblée que Morin précise la forme que prendra son opposition. Pour lui, il est très important de participer massivement aux élections de façon à ne pas créer un vide électoral et politique qui ne favorisera que les ennemis des Canadiens. L'élection d'un grand nombre de réformistes sera bien meilleure que l'isolement total. Mais, surtout, il « explique ses vues sur notre état politique actuel, recommandant l'union entre les citoyens, le respect envers l'ordre légal mais en même temps une fermeté inébranlable dans nos démarches pour obtenir justice[12] ».

L'assemblée est favorable aux idées émises par Morin. Aussi, elle vote deux motions, dont l'une prévoit la rédaction d'une adresse aux électeurs et l'autre accepte le principe d'un front uni qui appuiera les principes réformistes. Morin et Parent gagnent, mais surtout La Fontaine remporte une première et importante victoire.

... contre le régime d'Union

Durant les mois qui suivent, Morin poursuit son action à Québec. En décembre, il est nommé au sein d'un comité qui doit voir à la sélection des candidats dans le district de Québec et il est chargé de rédiger, conjointement avec quelques autres personnes dont Étienne Parent, une « Lettre des électeurs de Québec qui désapprouvent l'acte pour réunir les deux provinces[13] ». Cette lettre est un véritable manifeste des opposants au régime d'Union. Les auteurs soulignent d'abord les points qui leur paraissent litigieux : l'égalité de la représentation des deux parties de la province malgré une population nettement plus grande dans le Bas-Canada, le rachat par la nouvelle province de la dette publique du Haut-Canada et l'obligation de voter une liste civile. Puis, se souvenant du soulèvement de la population en 1837-1838, ils mettent en garde leurs lecteurs contre toute forme de violence, soulignant qu'il « vaut mieux même endurer les insultes et la violence que de s'en servir contre qui que ce soit[14] ». Cette précaution rend plus crédible leur opposition qui n'en est pas moins énergique : incitation à choisir des candidats farouchement opposés au régime d'Union et à faire voter tous les électeurs pour ces candidats. Enfin, le document se termine par le credo politique des signataires :

> Point d'inégalité établie par une loi, parmi les citoyens du même pays, à cause de leur langue, de leur origine nationale ou de leur localité. Point de taxes et emploi des deniers en provenant, prélevés dans le pays, par le parlement d'Angleterre. Point de taxes ni emploi des deniers en provenant, prélevés dans le pays, imposés par aucune autorité locale quelconque, sans le consentement de ceux qui les payent ou de leurs représentants. Rappel ou changement de toute loi ou ordonnance passée soit en Angleterre, soit dans la Colonie, contraire à ces principes et qui impose des charges sur le peuple, en violation des déclarations de l'acte du parlement Impérial de 1778[15].

À n'en pas douter, la rébellion n'a pas altéré les principes politiques de Morin bien qu'elle l'ait convaincu de modifier sa conduite. Durant les élections de mars, il assiste régulièrement aux réunions du comité anti-unioniste de Québec. Toutes ces activités ne l'empêchent pas de préparer sa candidature dans le comté de Nicolet, grâce à des amis qui acceptent de payer le « dépôt » nécessaire.

1841 : des élections « spéciales »

Mais la lutte électorale dans le comté de Nicolet ne donne pas un juste portrait de ce que sont le climat et les mœurs électorales de la première élection générale du régime d'Union. Quelques jours avant de décréter les élections, le gouverneur donne le signal des hostilités en rendant publiques les nominations au sein du Comité exécutif : aucun francophone sur huit, un seul catholique et une représentation égale entre les deux parties de la province. Il allègue que l'absence de Canadiens est due au refus de La Fontaine : piètre excuse !... Et ce conseil n'a rien de ce que le système britannique appelle un ministère puisqu'il est loin d'être homogène, comprenant quatre tories, trois réformistes et un indépendant. Comble de l'insulte, la nouvelle capitale est Kingston.

Non content de provoquer les réformistes par ces nominations qui ne visent qu'à lui assurer les personnes dont il a besoin pour adopter ses politiques et pour ridiculiser la notion de responsabilité ministérielle, lord Sydenham change les limites territoriales des circonscriptions de Québec et Montréal, treize jours après l'émission des brefs d'élection, soit le 4 mars

1841. Ces changements ont pour effet d'évincer les faubourgs francophones du territoire des villes pour les rattacher au comté de Québec et à celui de Montréal. Cette mesure inqualifiable vise essentiellement à faire élire par chacune de ces villes deux candidats tories. En même temps, le gouverneur exerce un autre droit que lui confère la loi, soit celui de fixer l'endroit où doivent se tenir les bureaux de scrutin. Il profite de ce droit pour changer l'endroit, de façon à compliquer l'exercice du droit du suffrage pour les électeurs anti-unionistes dans plusieurs comtés, et particulièrement dans Rouville, Chambly, Vaudreuil, Beauharnois et Terrebonne. Et il nomme ses hommes de main comme agents électoraux, avec l'hiver comme allié supplémentaire !

En plus de ces irrégularités, la loi électorale de l'époque comporte quelques modalités pour le moins insolites. C'est ainsi que la mise en nomination a lieu le jour même de l'élection et, si plus d'un candidat accepte, l'élection commence immédiatement par scrutin ouvert ou à main levée. Et l'élection dure tant qu'il ne s'écoule pas plus d'une heure sans qu'aucun vote ne soit enregistré. Avec ce système, l'élection peut être longue, très longue même[16], sans compter les manœuvres plus ou moins louches qui peuvent entacher le résultat électoral.

La campagne électorale se déroule du 14 février au 8 avril 1841. Elle est vive, mais généralement non violente. Le gouverneur y prend une part active tandis que les groupes de Neilson et La Fontaine semblent en parfaite harmonie, quoique les buts visés par les deux factions anti-unionistes soient fort différents. De fait, l'ennemi à abattre est le Parti tory. Au Bas-Canada, le résultat est un peu décevant : seulement 27 des 42 comtés élisent un anti-unioniste. Mais que de manœuvres contestables dans plusieurs comtés et en particulier dans Saint-Maurice, Montréal et Terrebonne où la violence physique est omniprésente et change le résultat du vote ! La Fontaine est défait dans Terrebonne et peu de partisans de la responsabilité ministérielle sont élus. Mais qu'importe, puisque l'unité du parti est assurée.

Morin est élu dans Nicolet le 8 avril 1841, mais on ne connaît pas le détail du scrutin. Au moment où il effectue un retour à la vie politique active, il importe de faire le point sur son évolution. On ne sait comment il vit ni s'il a réussi à surmonter ses difficultés financières. Il réside à Québec. Il croit toujours aux droits politiques, linguistiques et culturels des Canadiens. Mais la politique n'absorbe ni toute sa pensée ni toute son action.

Influence de Vattemare sur Morin

Morin poursuit toujours son rêve de canadianiser les institutions, ce qui ne saurait se réaliser sans une sorte de réveil national. Il s'intéresse à la littérature naissante. Il encourage les jeunes auteurs, par des critiques bienveillantes, à publier leurs essais[17]. Il est l'un des rédacteurs du *Journal des Familles*, un périodique paru sous le nom de *L'Institut* (7 mars 1841[18]). L'instruction publique lui paraît la clef de l'avenir, d'où son intérêt pour Alexandre Vattemare, un philosophe français qui propage l'idée d'une éducation publique plus poussée par l'utilisation rationnelle des ressources muséologiques et des bibliothèques. Les échanges sont le moyen qu'il privilégie pour atteindre son but et il met sur pied une « agence européenne des échanges » à compter de 1825. Toutefois, le gouvernement français se montre réticent et il accepte finalement l'invitation de La Fayette d'aller répandre son plan en Amérique. Il conclut une entente avec le Congrès américain qui accepte son projet avec enthousiasme, fait le tour des principales villes américaines qui ne manquent pas de lui fournir du matériel à échange et, finalement, se retrouve à Montréal en octobre 1840.

Sa perspicacité l'aide à saisir le climat politique. Il rencontre d'abord les autorités, tant religieuses que civiles, qu'il convainc d'un projet commun « en insistant sur la nécessité de réunir les gens de croyances et de couleurs politiques différentes[19] ». Il s'agit de réunir sous un même toit la Société d'histoire naturelle, l'Institut des artisans et la Bibliothèque de Montréal pour réaliser une maison de la culture. Bientôt, le projet englobe l'hôtel de ville et le bureau de poste, ce qui amène l'adhésion du Conseil de ville et aussi du Conseil spécial qui permet l'emprunt nécessaire à la construction. Le projet semble en voie de réalisation lorsque Vattemare décide de se rendre à Québec pour y proposer la création d'un autre institut.

Précédé d'une publicité bien orchestrée par Napoléon Aubin dans *Le Fantasque*, Vattemare dépose un projet à peu près semblable à celui de Montréal. Mais la publicité d'Aubin est trop axée sur le rapprochement entre les deux groupes ethniques et fait trop appel à la paix entre hommes publics dans une capitale où la politique constitue une activité de premier plan et où le dénouement de la rébellion laisse des plaies encore vives. L'enthousiasme d'Aubin est loin d'être partagé par tous les Québécois et il annonce la tenue d'une assemblée le 26 février 1841, suivie d'une autre le 2 mars à laquelle assistent le maire René-Édouard Caron, Augustin-

Norbert Morin, John Neilson et Étienne Parent. Ces deux réunions ne réussissent pas à créer l'ardeur communautaire nécessaire pour la réussite d'une telle entreprise et, malgré la formation d'un comité d'organisation de l'Institut, le projet tombe en désuétude quelques mois plus tard.

Obsession pour l'instruction publique

La présence de Morin à cette réunion publique et sa participation au comité d'implantation de l'Institut constituent une suite logique à son intérêt pour l'enseignement. Membre de l'Assemblée lors de la présentation des projets d'instruction publique par Joseph-François Perrault en 1831 et 1832, Morin est depuis ce temps un partisan influent d'un « système d'enseignement public pour toutes les classes, enseignement gratuit bien entendu, comme c'est le cas dans plusieurs villes d'Europe. Il faut que le pauvre ait comme le riche l'occasion de s'instruire[20] ».

Cet engagement de Morin en faveur de l'instruction publique sera, sa vie durant, d'une constance impressionnante. En plus de prononcer des discours pour l'Institut Vattemare à Montréal et à Québec — dans cette ville il les prononce en anglais —, Morin est élu au cours de la même année 1841 au sein de la Société d'éducation du district de Québec. Il contribue à rendre les objectifs de cette société plus précis, particulièrement celui de trouver les moyens d'instruire gratuitement les enfants pauvres de Québec. Il demeurera très attaché aux activités de cette société et à la cause de l'instruction en général. C'est ainsi qu'il prononcera une conférence remarquable sur l'enseignement élémentaire au Bas-Canada devant les membres de l'Institut canadien de Montréal le 18 décembre 1845. Par ailleurs, il jouera un rôle déterminant lors de la fondation de l'Université Laval en 1852 ; il s'intéressera à l'établissement et au développement des écoles normales et il viendra en aide à Mgr Charbonnel, évêque de Toronto, dans la querelle entourant l'existence des écoles séparées dans le Haut-Canada en 1854. Morin ne manque jamais une occasion de rehausser par sa présence la tenue d'examen au Séminaire de Québec et au Séminaire de Saint-Hyacinthe ou de servir d'aide de camp au gouverneur général lors de visites officielles chez les Ursulines ou chez les Frères.

Activités tous azimuts

L'activité intellectuelle et patriotique de Morin sera incessante. Il s'abonne à de nombreuses revues, achète beaucoup de livres et ne manque pas d'encourager toute manifestation littéraire. Peu importe où il habite, à Québec ou à Montréal, il s'intéresse à tout : il se sent à l'aise dans l'une ou l'autre des deux villes et ne s'attache pas à l'une en exclusivité, ce qui explique son adhésion à des organismes tant de Québec que de Montréal. Membre de la Société littéraire et historique de Québec dès 1836, Morin est nommé patron de l'Institut canadien de Montréal en 1844, lors de la fondation de cette institution qui s'inspire de très près de l'Institut Vattemare. Il aide et encourage la publication d'œuvres : après l'*Histoire du Canada* de son regretté ami, le docteur Jacques Labrie, dont il avait soutenu vainement la publication en 1831, il est l'un des signataires d'une lettre d'adhésion et de collaboration au projet d'une *Revue de législation et de jurisprudence*. Il aidera l'abbé Jean-Baptiste-Antoine Ferland à poursuivre ses travaux en histoire du Canada. Enfin, il signe lui-même quelques poésies dans le *Répertoire national de littérature canadienne* et n'hésite pas à soutenir le peintre Théophile Hamel et le cartographe Bouchette par l'octroi de subventions.

Bref, les manifestations de la vie intellectuelle sont toujours pour Morin une occasion de manifester son attachement au fait français, durement touché par l'échec de la rébellion et dont l'existence même est remise en question par le nouveau régime d'Union. D'une part, il sent comme un devoir l'encouragement aux écrivains, artistes et membres d'académies ou de cercles dans leurs démarches pour faire avancer la culture française. D'autre part, il prend ses responsabilités de législateur face au développement de l'instruction, du primaire jusqu'à l'université, en favorisant l'émergence d'une instruction publique et obligatoire.

Morin précise sa pensée politique

Sur le plan politique, les événements récents ont permis à Morin de fixer sa pensée. Au printemps de 1841, dans ses lettres à Hincks et à La Fontaine, il explicite sa position. Il déclare à Hincks, le 8 mai 1841, qu'il est toujours contre l'Union et contre ses modalités présentes. Il ne veut pas cependant brusquer les choses. Il s'oppose aussi à la haine et à la violence et il renonce à embarrasser le gouvernement sur cette question de l'Union. Il entend suivre la voie de la persuasion : convaincre le gouvernement de son erreur et lui donner le temps de la réparer. Enfin, même s'il déclare être opposé au régime, il n'entend pas être systématiquement contre toutes les mesures gouvernementales. Toutefois, il a l'intention de se retirer si la paix, l'union et l'harmonie tardent à venir et il conserve toujours l'espoir d'obtenir le gouvernement responsable. En fait, Morin ne sacrifie aucun des grands principes politiques qui ont inspiré son action au cours des années antérieures.

Vers l'union de tous les réformistes : session de 1841

Pour les réformistes radicaux du Haut-Canada, un problème se pose. Avec qui doit-on conclure une alliance au Bas-Canada ? La Fontaine n'est pas populaire et passe pour un ambitieux ; quant à Neilson, son opposition systématique à l'Union n'en fait pas un partenaire possible pour Hincks. Ce dernier s'adresse alors à Morin et lui demande d'assumer le rôle de chef. Le député de Nicolet déploie alors ses arguments habituels : sa santé chancelante, son manque de connaissance de la langue anglaise et sa mésestime personnelle de ses qualités de chef. Mais il ajoute aussi qu'il craint de ne pouvoir représenter l'opinion des autres car « I did believe that I was alone in my way of thinking and that unless I should modify it, I was not to consider myself as representing the general opinion here[21] ».

À cette humilité légendaire dont Étienne Parent a fait si souvent allusion se greffe aussi une honnêteté intellectuelle à toute épreuve. Morin ne veut pas donner dans le porte-à-faux ; en vrai démocrate, la situation doit être transparente.

La première session s'ouvre le 14 juin 1841. Morin est déjà identifié par le gouverneur Sydenham comme un anticonformiste et un adversaire irréductible de ses politiques administratives[22]. D'ailleurs, le gouverneur avait dressé un tableau des principales factions présentes à l'Assemblée, mais tous ses pronostics s'avèrent faux au fur et à mesure que se déroulent les débats. Le Conseil exécutif, tout dévoué aux intérêts du gouverneur et formé dès le mois de février, subit une désaffection avant le scrutin quand Robert Baldwin, alors solliciteur général pour le Haut-Canada, joint les rangs des réformistes radicaux de cette partie de la nouvelle province. Ce conseil, présidé par Robert B. Sullivan, est formé de Charles Dewey Day, Dominick Daly et Charles Richard Ogden qui représentent le Bas-Canada alors que Hamilton Hartley Killaly, William H. Draper, Samuel Dealey Harrison et J. H. Dunn font partie de la députation élue par le Haut-Canada[23].

Dès la première séance du Parlement dans la nouvelle capitale, Kingston, se pose le problème de la présidence de la Chambre. Morin, qui aspire à ce poste, se laisse persuader par Francis Hincks qu'il vaut mieux appuyer la candidature d'Augustin Cuvillier. Il y concourt, se permettant du coup le pouvoir d'intervenir en toute liberté dans les débats de la Chambre. Ce geste de Morin est aussi justifié par le fait que les partisans du gouvernement responsable sont peu nombreux en Chambre et qu'en l'absence de La Fontaine il doit agir comme négociateur pour amener les députés du Bas-Canada à accepter cet objectif politique et à s'allier aux réformistes du Haut-Canada.

Le premier débat important survient neuf jours après l'ouverture de la législature. Ce débat sur le principe de l'*Acte d'Union*, amorcé par Morin et Neilson, permet de vérifier la confiance qu'ont les élus envers l'administration de Sydenham. Les arguments logiques et juridiques de Morin, puisés à même la législation britannique, ne permettent pas aux réformistes d'entamer le groupe des partisans du nouveau régime. Mais, à défaut d'une victoire, les réformistes font la preuve de leur unité alors que l'adversaire démontrera, dès les premières discussions législatives, que plusieurs groupes aux intérêts divergents ne peuvent pas former un parti politique et encore moins une administration efficace.

Premiers pas vers une démocratie municipale

Ainsi Morin s'engage à fond, dès le début des travaux parlementaires, dans l'étude de la législation concernant les municipalités. Le député de Nicolet croit fermement que la démocratie doit commencer au niveau de gouvernement le plus proche des gens, soit la municipalité. En plus de poursuivre inlassablement son objectif de canadianiser les institutions, le débat sur les conseils de district du Haut-Canada permet à Morin à la fois de démontrer l'importance de la notion de gouvernement responsable comme principe d'administration gouvernementale et de prouver aux représentants du Haut-Canada qu'il est en mesure de les aider.

L'Exécutif, en présentant cette loi, désire étendre au Haut-Canada une mesure mise en application dans le Bas-Canada lors de la sixième et dernière réunion du Conseil spécial, en janvier 1841. C'est l'uniformisation des institutions municipales dans toute la province qui semble le but à atteindre. Mais les objections de Morin se fondent sur les moyens mis pour atteindre cette visée administrative et sur les principes mêmes de l'ordonnance que le Conseil spécial avait docilement votée au Bas-Canada en 1840 et que Thomas Boutillier propose d'étendre au Haut-Canada.

En effet, cette loi prévoit que le gouverneur peut établir autant de districts qu'il le désire, en fixer les limites et les changer selon son bon vouloir. De plus, les pouvoirs du gouvernement font de lui le maître d'un système que Sydenham avait osé qualifier de populaire : il possède un droit de veto sur la législation et il peut décréter la dissolution de tout conseil. Comme corollaire à l'organisation des districts, d'autres articles pourvoient à l'organisation des paroisses et des townships par l'élection et la nomination de certains officiers. Enfin, chaque district comprend un grand nombre de paroisses et englobe parfois plusieurs comtés. Quant à la désignation des chefs-lieux de ces districts, l'arbitraire règne en maître et plusieurs exemples de choix douteux faits par Sydenham ne garantissent pas les meilleurs intérêts des contribuables.

L'opposition à « ce régime municipal frelaté[24] » est féroce. Morin devient virulent face au projet de loi que promeut Thomas Boutillier. Ardent défenseur du gouvernement municipal, il déclare que le projet Boutillier va à l'encontre d'un principe libéral qui lui tient à cœur : les taxes ne peuvent être levées et leur revenu, dépensé, que par des personnes élues par le peuple. Il ajoute que, si des routes provinciales deviennent des routes de district, elles seront alors sous la responsabilité du gouvernement provincial, qui verra alors à imposer les taxes nécessaires à leur entretien. Mais, du même coup, il précise que cette solution est peu satisfaisante, compte tenu que le département des Travaux publics ne possède pas de moyens coercitifs contre les payeurs de taxe délinquants et que les plus vieux centres urbains ont déjà des routes qu'ils ont payées et qui passeront dans cette classification.

Morin exige que les municipalités soient constituées en véritables gouvernements, à leur niveau, et démocratiquement responsables. Ce qu'il n'a pu obtenir, avec les autres membres du Parti patriote, pour la province, il tente maintenant de le faire voter pour les municipalités. Bien que le projet de loi vise d'abord les districts municipaux du Haut-Canada, Morin propose de renvoyer l'ordonnance des conseils de district du Bas-Canada au comité général chargé d'examiner le projet de loi des municipalités ou conseils de districts du Haut-Canada. Il fait adopter une résolution demandant au gouverneur de délimiter les municipalités du Bas-Canada, de fixer le nombre de conseillers à élire et d'officiers à nommer et aussi les modalités d'élection des présidents de ces conseils.

Lors de l'étude du projet de loi, Morin exprime la nécessité de modifier le texte déposé par l'Exécutif. Tout d'abord, il suggère :

> l) Que les diverses clauses des ordonnances du Conseil spécial de la ci-devant province du Bas-Canada qui se rapportai[en]t à l'étendue des districts et à la nomination des syndics et des officiers par le gouverneur devraient être amendées dans la vue de réduire les districts aux limites respectives des comtés et de rendre les différents syndics et officiers électifs par le peuple, de manière à laisser aux autorités municipales à être établies dans chaque district la régie de leurs propres affaires locales sans aucune intervention indue de la part de l'Exécutif, et d'une manière compatible avec l'esprit dans lequel sont créés de pareils corps.
> 2) Que le bill maintenant en progrès pour l'établissement d'autorités municipales dans la ci-devant province du Haut-Canada devrait être reconsidéré dans la vue de le faire harmoniser avec la résolution précédente.
> 3) Que la majorité des syndics nommés sous l'autorité de l'ordonnance mentionnée en dernier lieu dans la ci-devant province du Bas-Canada ne possède[nt] pas la confiance du pays et que leur nomination n'aura tendu qu'à décourager le peuple et à l'indisposer contre les institutions libres que ces ordonnances ont prétendu conférer.
> 4) Que les instructions données aux dits syndics ont une tendance directement opposée aux principes des dites ordonnances, et sont de nature à frustrer ce principe et à détruire la libre action des conseils municipaux, qu'il sera au pouvoir des dits syndics et autres officiers d'entraîner, de gêner et de contrôler.
> 5) Qu'un grand nombre des places fixées pour les assemblées des dits conseils municipaux sont inconvenables et injustes envers la majorité de la population des dits districts municipaux et tendront à les priver des avantages d'institutions locales bien réglées ; et que le choix de ces places tendra, en plusieurs cas, à favoriser des vues partiales ou sectionnaires et à rendre les dits conseils entièrement dépendants des syndics et autres officiers nommés sous l'autorité exécutive[25].

Enfin, Morin endosse le principe du projet de loi mais juge « qu'il était décidément mauvais dans ses détails[26] ». Antoine Gérin-Lajoie, son contemporain, estimait que « les résolutions que proposa M. Morin contenaient en germe les dispositions fondamentales des lois municipales dont nous jouissons actuellement. Elles furent discutées en même temps que le bill, mais aucune d'elles ne fut adoptée[27] ».

Morin décline un poste à l'Exécutif

Le sérieux des critiques de Morin l'impose, dès lors, à l'attention du gouverneur Sydenham, qui le rencontre et lui offre un poste au sein de l'Exécutif. Très rapidement, les rumeurs fusent de partout. Francis Hincks, prudent mais inquiet, écrit à La Fontaine :

> Under other circunstances I would have rejoiced at such an appointment as it is, it greeves me deeply, in short destroys all my hopes if indeed I had any left. I confess, however, I do not allow myself to believe the truth of the rumor nor will I untill it is confirmed but the most authentic information[28].

Les journaux anglophones et francophones lui confient tour à tour le poste de solliciteur général ou de registrateur en chef du Bas-Canada. Les correspondants parlementaires, cependant, sont d'accord pour dire que le député de Nicolet, logiquement, ne peut accepter une telle proposition, car il a déjà conseillé à Baldwin, un de ses amis politiques, de démissionner de son poste de solliciteur général.

Les rumeurs semblent éteintes lorsque *La Gazette de Québec* publie une longue lettre adressée à Morin et signée du pseudonyme Janius. Cet écrit laisse entendre que Morin a accepté un poste à cause de sa situation financière. Le député de Nicolet décide alors, pour la première fois, de répondre aux rumeurs qui circulent depuis déjà un bon moment. Le 12 juillet 1841, il adresse de Kingston, où siège le Parlement, une lettre à la direction de *La Gazette de Québec* :

> Si quelque chose pouvait faire regretter aux hommes les travaux et les sacrifices que leur position leur impose, ce serait assurément les impertinences anonymes sur leur compte auxquelles les gazettes donnent trop souvent publicité. Je regarde comme de cette nature à mon égard une longue lettre à moi adressée et publiée dans votre numéro du 8 de ce mois. L'auteur peut autant qu'il voudra commenter ma conduite publique ou s'il en a le dessein, même ma conduite privée ; je les lui abandonne sans crainte et sans hésitation. L'état de mes affaires pécuniaires ne le regarde pas et je lui demanderais certainement réparation de la lettre dont il s'agit si j'étais sur les lieux. A partir du jour où

> l'anonyme donnera à ses écrits la garantie de son nom, il aura bien des pertes à éprouver pour la cause de son pays avant qu'elles n'aient égalé les miennes et alors il n'aimera probablement pas qu'on l'insulte à cause de sa pauvreté. De pareilles attaques ne sont propres qu'à dégoûter de la vie publique et à nuire à la cause que d'imberbes faiseurs de phrases s'imaginent bonnement servir[29].

L'éditeur de *La Gazette de Québec* assortit la publication de la lettre de Morin du court commentaire suivant:

> Nous remarquons seulement, par rapport à la lettre de M. Morin, que les bruits répétés par tous les journaux depuis Kingston jusqu'à Québec, et qui semblaient corroborés par le silence de ce monsieur, étaient un sujet de pénibles réflexions pour ceux qui avaient mis en lui leur confiance[30].

Inspiré par la passion du libre jeu des institutions démocratiques, Morin s'attaque au simulacre de démocratie que constituent les mœurs électorales. L'occasion lui en est fournie par le projet de loi proposé par Allan MacNab visant à rendre nulles les élections de plusieurs comtés du district de Montréal. L'administration ne s'émeut guère et, malgré les demandes constantes de «l'opposition», le projet de loi reste lettre morte.

Vers un gouvernement responsable?

Fidèle à l'objectif premier du Parti réformiste, à savoir l'obtention du gouvernement responsable, le député de Nicolet ne perd pas une occasion, au cours de cette première année d'existence du nouveau régime, de faire des pressions en ce sens. Morin ne manque pas de souligner que l'administration a été battue deux fois sur la question des requêtes visant à annuler les élections. Puis, lors de l'étude du projet de loi visant à établir un bureau des travaux publics, officine éventuelle de patronage pour l'administration, il déclare ne pas comprendre l'attitude des députés face au gouvernement, car parfois ils agissent comme responsables envers les aviseurs du gouvernement et, d'autres fois, ils considèrent les aviseurs du gouvernement comme responsables envers la Chambre.

À la fin de cette première session sous le régime de l'Union, l'Assemblée doit se prononcer quant à la nomination d'un traducteur de langue française. Le député de Montréal, George Moffatt, demande si on pouvait se dispenser de cette charge: Morin, pour sa part, compare en de cinglants propos le sort des minorités linguistiques en Indes avec celui fait au français dans la province.

Hors de l'enceinte législative, Morin ne rate aucune manifestation publique pour énoncer et faire voter par différents groupes les principes de saine démocratie qu'il soutenait depuis son entrée dans la vie publique. Ainsi, au début d'octobre 1841, au cours d'une assemblée publique, pendant laquelle des électeurs protestent contre un projet d'imposition d'une nouvelle taxe, il reprend à son compte le cheval de bataille des artisans de la révolution américaine: « No taxation without representation. » Sur motion de Morin, appuyé par Thomas Baillargé, écuyer, il est résolu:

> Que les sujets de Sa Majesté, dans le Royaume-Uni, ont un droit strict, inhérent, absolu à leur propriété, qui leur est assuré par une administration de la justice indépendante, et par une libre représentation de la majorité des électeurs qualifiés, dans la chambre des communes, sans le consentement desquels aucune charge ne peut être imposée sur le peuple[31].

L'accès à la propriété terrienne

Pourtant, Morin a d'autres préoccupations, tout aussi importantes que l'avènement du gouvernement responsable. Il est de souche terrienne et la question de l'accès à la propriété lui tient à cœur. La saturation des seigneuries et l'inaccessibilité de territoires voués à l'agriculture lui sont des questions familières. Aussi accepte-t-il, après une séance de la Chambre au cours de laquelle des jugements sévères ont été formulés sur les droits seigneuriaux, de faire partie d'un comité qui doit étudier la question. À des requérants qui demandent l'ouverture de nouvelles terres à la colonisation dans son comté de Nicolet, Morin répond:

> Cependant, plusieurs membres de l'administration me paraissent disposés à s'occuper du sujet avec le désir de vous rendre justice, soit à l'arrivée d'un nouveau gouverneur, soit sous celui-ci, dans quelque temps. Il a été ajouté de nouveaux townships au District de Nicolet pour pallier davantage l'injustice mais cela ne change rien à la position du comté de Nicolet par rapport à Drummondville. Si l'on voulait changer ce centre, les townships ne voudraient peut-être pas aller plus loin que la Baie du Fèvre; cependant le centre de population est Nicolet. Tâchez de bien faire valoir dans votre requête les raisons qui devraient faire préférer votre paroisse pour chef-lieu. Servez-vous à cette fin du secours

du parti opposé. Si par la suite, il était possible de former un nouveau District du comté de Nicolet, ne croiriez-vous pas que la chose serait avantageuse à la population canadienne ? Il est vrai que le centre serait probablement à Bécancour mais vous ne seriez pas exposés à des difficultés avec les habitants des townships qui iraient à Drummondville ainsi que le comté de Yamaska[32].

Accession à la magistrature

Dès les premiers jours de 1842, le député de Nicolet démissionne pour accepter un poste de juge de district pour Rimouski, Kamouraska et Saint-Thomas[33]. Cette accession à la magistrature peut être interprétée de diverses manières. D'aucuns croient que l'administration se débarrasse d'un adversaire encombrant, excellent procédurier aux idées avant-gardistes et, par surcroît, auréolé du martyre par un emprisonnement injustifié lors de la rébellion. Certains pensent que Morin apporte une réponse à ses problèmes financiers grâce à un salaire régulier. On prétend encore que la santé délicate de Morin ne peut plus subir la trépidante vie de député, surtout avec les déménagements constants imposés par le changement du siège du gouvernement. Enfin, on allègue que le nouveau juge sera plus utile aux siens sur le banc par son bon jugement et sa très vaste expérience de législateur ; c'est cette hypothèse qui paraît la plus plausible au journal *Le Canadien*, donc à Étienne Parent, grand ami de Morin :

> En choisissant MM. Huot et Morin, on a assuré au public deux serviteurs capables et intègres [...]. On aurait de la peine à trouver deux hommes qui ont rendu à leur pays d'aussi longs et constants services, et cela sans rémunération quelconque, si ce n'est la reconnaissance de leurs concitoyens. M. Morin, porté par la nature de son esprit à la méditation et aux études profondes, a été depuis qu'il est entré dans la vie publique la plume des conseils populaires[34].

Mais une lettre de Morin à La Fontaine, quelques mois après son élection à la magistrature, laisse croire que Morin a enfin pensé à régler ses problèmes financiers en acceptant un emploi qui lui garantisse des revenus décents et stables :

> Je vous écrirai donc au long, et vous déciderez : j'incline à demeurer où je suis si la position que vous y substituez doit être moins assurée, et cela me paraît être le cas[35].

Morin disparaît presque instantanément de la vie politique pour se consacrer à la judicature, comme en témoigne un article de *La Gazette de Québec*, publié à la mi-septembre de 1842[36]. Homme de réflexion, capable de comprendre la pensée du législateur qu'il avait déjà été, le juge Morin écrit mieux qu'il ne parle et ses jugements approfondis et basés sur une jurisprudence qu'il connaît bien vont lui apporter une solide réputation de juriste.

Forte influence de Morin sur ses compatriotes

De cette courte mais importante période de la vie mouvementée de Morin ressort un autre aspect intéressant de cette personnalité : il fait école. Son insatiable curiosité intellectuelle, sa vaste culture et une érudition certaine sont les qualités les plus importantes qui lui permettent d'être un chef de file incomparable. La politique, le journalisme, la traduction, l'encouragement à l'édition d'œuvres nouvelles, l'éducation, les institutions municipales et l'agriculture sont les secteurs de la vie bas-canadienne qui ont droit aux efforts d'un homme dont le labeur soutenu n'a d'autre but que d'améliorer le sort de ses compatriotes. Son esprit avant-gardiste plaît à la jeunesse qui a besoin et soif d'idéal après la dure épreuve de 1837-1838 et l'imposition du régime d'Union.

À n'en pas douter, cette série d'actions posées par Morin n'est pas unique. La Fontaine, Denis-Benjamin Viger, mais surtout Étienne Parent imitent la conduite de Morin. Ils s'inspirent de lui, mais les gestes positifs de Morin et Parent les propulsent à l'avant-scène publique. Un contemporain, Pierre-Joseph-Olivier Chauveau, décrit bien la portée des actions de Morin et Parent :

> Parent et Morin étaient, pour bien dire, les pères de ce mouvement intellectuel au profit du patriotisme. Tous deux avaient passé par la rude école du malheur, tous deux avaient souffert pour la grande cause, le premier un emprisonnement assez long et assez dur, l'autre une sorte de proscription qui l'avait fait errer de réduit en réduit jusqu'au fond des bois. Tous deux étaient tout à fait dépourvus de moyens pécuniaires, et bien éloignés de rêver aux grandes charges qu'un changement complet dans les affaires du pays devait bientôt leur donner. Ils encourageaient les talents naissants, ils poussaient les jeunes par leurs écrits, leurs exemples et leurs conseils dans les voies de la science, de la littérature et du patriotisme ; en un mot, ils faisaient école[37].

Le départ de Papineau avait créé un vide à la direction de la députation canadienne-française. Morin n'a pas voulu remplacer Papineau, ce qui ne l'empêche pas d'exercer une influence de premier ordre auprès de ses collègues, mais il a encouragé son ami Louis-Hippolyte La Fontaine à prendre la direction du parti, tout en l'assurant en même temps de son appui total. Pour le nouveau chef, c'est une assurance responsabilité incomparable ! Désormais, le sort politique de Morin est intimement lié à celui de La Fontaine.

Chapitre quatrième

LE COMMISSAIRE DES TERRES

Le décès du gouverneur Sydenham, que la presse francophone au cours des derniers mois n'a pas hésité à qualifier ironiquement de « dictateur », survient trois jours avant l'élection de La Fontaine dans un comté du Haut-Canada laissé vacant par Robert Baldwin en faveur de son ami. Au moment où le nouveau député savoure sa première victoire électorale sous le régime d'Union, on porte en terre celui qui l'a empêché d'être élu dans Terrebonne six mois plus tôt par des manœuvres inqualifiables. En ces derniers jours de septembre 1841, la vie politique de la province connaît une accalmie bienfaisante après plusieurs mois d'une rare intensité. La nomination du nouveau représentant de la reine Victoria se fera rapidement, mais son arrivée au pays prendra plusieurs mois en raison des difficultés de navigation, occasionnées par l'équinoxe d'automne, qui obligeront sir Charles Bagot à accoster à New York et à faire le voyage en traîneau jusqu'à Kingston, où il arrivera le 10 janvier 1842.

Le gouverneur Charles Bagot

Neveu du duc de Wellington, vainqueur de Waterloo, sir Charles Bagot a soixante ans lors de sa nomination ; de grande taille et possédant une démarche altière, il est un homme intelligent et cultivé qui parle couramment et de façon élégante la langue française. Il a peu d'expérience à titre de représentant dans les colonies, ayant davantage servi comme diplomate, et on ne peut pas dire qu'il a des idées bien définies en matière constitutionnelle. Mais le tact qu'il a toujours démontré lors de ses missions antérieures va sans doute combler une certaine tendance familiale vers le conservatisme et la pensée tory.

Les instructions données au nouveau gouverneur sont essentiellement les mêmes que celles à son prédécesseur. Entre autres choses, le gouvernement anglais lui demande de choisir ses conseillers[1] parmi les meilleurs hommes, sans distinction de parti politique, d'obliger la législature à discuter et à résoudre des points d'ordre pratique et de voir à ce que la partie britannique de la population s'affirme sans pour autant négliger les Canadiens. De fait, le Parlement anglais, peu importe le parti politique au pouvoir, n'est pas encore prêt à troquer l'autorité impériale dont est investi le gouverneur contre toute demande coloniale pour l'octroi du gouvernement responsable.

Si la nomination du nouveau gouverneur suscitait des craintes dans tous les milieux, Bagot contribue rapidement à rehausser son prestige auprès des Canadiens. D'abord, ses manières courtoises et son tact de diplomate sont très appréciés lors des premières rencontres. Ensuite, il approuve les nominations faites par l'administrateur pour compléter la réorganisation gouvernementale. Étienne Parent, par exemple, ne cache pas sa joie de l'accession à la magistrature de son ami Morin :

> Les Canadiens français accoutumés jusqu'à présent à ne recevoir que les miettes qui tombaient de la table des enfants favoris ont été cette fois conviés au festin en nombre remarquable [...]. Les nominations de MM. Huot et Morin surtout en feront pardonner beaucoup d'autres[2].

Bagot se concilie les Canadiens

Puis, le gouverneur entreprend deux actions capitales qui vont, plus que les nominations, convaincre les Canadiens de sa sincérité. Dans un premier temps, il nomme un surintendant de l'instruction publique pour chaque partie de la province, assurant ainsi aux Canadiens l'organisation et la gérance de leurs écoles. « Par ce seul geste, il [rend] à jamais impossible la réalisation d'un des principaux objectifs de l'union[3]. » Dans un deuxième temps, il ne met pas en œuvre une ordonnance du Conseil spécial visant à remplacer l'ancienne coutume du régime français par la « common law » : cette attitude raffermit l'existence du régime juridique des Canadiens.

Enfin, le nouveau gouverneur décide d'inclure des Canadiens parmi ses « conseillers ». Il suit en cela la politique de son prédécesseur si honni et les ordres de Londres. Mais, jouissant de la confiance des Canadiens, il peut faire ces offres sans mettre en danger la carrière politique de ceux qui sont ainsi pressentis[4]. C'est lors de cette réorganisation du Conseil exécutif qu'il confie à La Fontaine son désir d'engager Morin ou Étienne Parent à titre de greffier du Conseil. Dans une lettre envoyée à La Fontaine le 13 septembre 1842, il écrit :

> I have further determined to offer the confidential post of Clerck of The Council to same Gentlemen of your recommandation and I would suggest that the reputation enjoyed by Mr Morin or Mr Parent, would designate them as perhaps among the fittest persons for your recommandation[5].

L'offre de Bagot à La Fontaine, soit la nomination d'un greffier du Conseil au goût d'un nouveau chef du ministère, n'étonne pas : il s'agit d'amadouer les gens en nommant une personne qui jouit de leur confiance. Mais que les noms de Morin et de Parent soient suggérés par le gouverneur lui-même, alors que Morin est juge, constitue une surprise ou plutôt, peut-être, un désaveu de l'ancienne administration, comme le pensera plus tard l'historien Thomas Chapais :

> La lecture attentive des documents publics et de la correspondance officielle de lord Sydenham à Sir Charles Bagot convainquit bientôt que celui-ci avait fait fausse route dans l'organisation du nouveau régime. Il comprit que les succès tant vantés de son prédécesseur n'étaient qu'apparents ; que l'administration créée et dirigée par lui ne correspondait vraiment pas au sentiment de la majorité haut-canadienne, et que, par conséquent, un changement d'orientation et de personnel allait devenir inévitable[6].

Morin, greffier du Conseil ?

La première réaction de Morin est négative. Peu rétabli de sa santé, loin de la vie publique trépidante, le juge Morin écrit à La Fontaine :

> À la manière dont, ainsi que plusieurs de nos amis, j'envisage la position que vous m'offrez, elle paraît présenter plusieurs inconvéniens par rapport à mes intérêts privés, car si sous le rapport public il y a aussi quelques inconvéniens, ils seraient bien vite levés par mon désir d'être utile à notre commune patrie et par l'assurance que vous et d'autres amis seriez là pour apprécier mes travaux.
>
> Je vous écrirai donc au long et vous déciderez : j'incline à demeurer où je suis si la position que vous y substituez doit être moins assurée et cela me paraît être le cas[7].

En pratique, La Fontaine agit comme un premier ministre. Mais pour Bagot, il n'est qu'un des plus habiles conseillers qu'il puisse trouver pour siéger au Conseil exécutif et à qui il confie un poste très important. L'un et l'autre se méprennent sur le sens de ces nominations, quoique le vote du 19 septembre 1842 sur l'adresse en réponse au discours du Trône constitue une motion de confiance qui donne le pouvoir au « nouveau ministère », mais surtout consacre la victoire de La Fontaine dans le débat sur l'Union.

Enhardi par ce vote du 19 septembre, La Fontaine recommande son ami au poste de commissaire des Terres auprès du gouverneur. La réponse de Morin laisse bien voir que le fonctionnarisme, même à haut salaire, ne l'intéresse pas : il préfère demeurer juge plutôt que de devenir greffier car, dit-il, « je serais à la fois trop près et trop loin de la vie publique[8] ». Mais il ne lui répugne pas d'envisager un retour à la vie publique, advenant que son ami Girouard maintienne son refus de devenir membre de l'Exécutif :

> S'il l'était et que le désir de son Excellence comme celui de la Représentation m'appellassent à être l'un de vos collègues, mon cher ami, quoique je sente mon incapacité sous bien des rapports, je ne vous dénierai pas mon aide. Je ne refuse pas le travail et même si la question de places et de salaire est un embarras, qu'à cela ne tienne ; je suis préparé à de nouveaux mais peut-être moins inutiles sacrifices. Je vivrai de l'exercice de la profession d'avocat, en attendant que la Providence ait autrement pourvu à mes besoins[9].

Souffrant d'arthrite déformante, résultat de ses mauvaises conditions de vie pendant la rébellion, qui rendait son écriture presque couchée et difficile à lire, doté d'une santé assez précaire et assuré d'une stabilité financière jusqu'alors inconnue, Morin n'hésite pas à offrir ses services pour reprendre une vie publique qui n'a pas été de tout repos pour lui. Ce n'est pas de l'opportunisme politique, mais un désir profond de pouvoir mettre enfin en application quelques-unes de ses théories les plus ancrées et aussi d'être utile à ses concitoyens. C'est faire preuve d'audace, voire de témérité, que de revenir ainsi à la vie publique.

Commissaire des Terres de la Couronne et député de Saguenay

Avant de recevoir la réponse finale de Morin, La Fontaine lui écrit de Kingston pour lui demander de devenir commissaire des Terres et membre du Conseil exécutif à la condition expresse[10] d'obtenir un siège. Cette offre du gouverneur général, par personne interposée, est due au refus du notaire Girouard, qui décline l'offre à cause de sa santé chancelante. Morin accepte aussitôt, ce qui laisse à penser que son idée est faite et sa décision est déjà prise. Aussi, il est officiellement nommé le 15 octobre 1842 à ce poste détenu auparavant par John Davidson[11].

Le refus de Morin d'accepter le poste de greffier du Conseil exécutif permet à son ami d'enfance, Étienne Parent, d'accéder à cette fonction très importante. Député de Saguenay, Parent doit démissionner pour occuper ses nouvelles fonctions et Morin accepte de se porter candidat à l'élection complémentaire. La Fontaine, qui a déjà subi les affres d'une défaite électorale, veut s'assurer que son ami ne subira pas le même affront. Aussi, il multiplie la correspondance pour vérifier la solidité des appuis de Morin dans Saguenay. L'un de ses correspondants, Pierre de Sales Laterrière, tout en rassurant La Fontaine, ne fait pas défaut de reconnaître que le titre de commissaire des Terres attirera bien des votes :

> Je dois vous dire, en réponse à votre lettre du 18 de ce mois, que je partage en tout vos sentiments sur ce que le pays doit à Mr Morin pour ses longs et utiles services publics. Je crois que les électeurs du comté, sans même excepter ceux de la Malbaie (ce que m'a dit Mr Morin que j'ai eu le plaisir de voir ces jours derniers) seront unanimes pour soutenir son élection, et, par ce choix, vous appuier dans la charge honorable mais pénible que vous venez d'accepter. L'intérêt de la chose publique, mais encore plus, l'intérêt de ceux qui réclament depuis 20 ans l'ouverture des terres sur le Saguenay, est un arguement, dans le moment actuel, plus fort que tous les autres en faveur de Mr le commissaire des Terres, aussi je crois que vous pouvez compter sur son élection[12].

Le scrutin est fixé au 28 novembre 1842 et les journaux proclament l'élection de Morin à l'unanimité dans les premiers jours de décembre. Le nouveau député de Saguenay, dans la lettre de remerciement à ses électeurs, fait preuve d'un sens pratique compatible avec ses grands principes :

> Vous avez appuyé de votre sanction les changements récents ; soyez sûrs qu'aucun effort ne sera épargné de ma part pour rendre efficaces les intentions éclairées qui ont présidé à cet acte de justice et que je travaillerai, autant qu'il dépendra de moi, au bien général du pays, au soutien de vos libertés et de tout ce qui vous est cher.
>
> Les intérêts locaux de votre comté m'imposent aussi des devoirs au sujet desquels je vous prie de correspondre avec moi lorsque je serai à même de vous être utile.

> Je saisis également cette occasion de vous annoncer que les mesures nécessaires pour l'arpentage des terres du Saguenay et pour tracer une voie de communication entre ces terres et les anciens établissements ne tarderont pas à être complétées et que les travaux seront commencés immédiatement après[13].

Responsabilités et pouvoirs du commissaire des Terres

De ce département des Terres de la Couronne dont Morin devient le responsable, il est assez difficile de faire un historique convenable[14]. Toutefois, Durham consacre une partie de son rapport aux méthodes de concessions des terres et écrit, comme remarque liminaire à ce chapitre :

> L'administration des terres publiques, au lieu de toujours rapporter un revenu, coûta pendant longtemps plus qu'elle ne rapportait. Mais c'est là, j'ose le penser, un aspect négligeable en comparaison des autres[15].

Conséquemment, Sydenham avait réorganisé l'administration des terres publiques en nommant un commissaire des Terres de la Couronne dans chaque partie de la province et en concentrant dans ce département toutes les activités jadis éparpillées entre plusieurs départements. Le poste de commissaire des Terres de la Couronne devient alors extrêmement important et prestigieux au sein du Conseil exécutif. Son titulaire jouit d'une autorité absolue : il a même le pouvoir d'aller à l'encontre d'ordres du Conseil exécutif et il peut rouvrir les dossiers de cession de terres datant de plus de vingt ans.

Le commissaire possède une latitude d'action tout aussi grande, ce qui peut dégénérer en patronage, que ce soit pour la distribution des emplois ou les concessions de terres. De fait, ses responsabilités sont énormes, car il agit comme protecteur de l'intérêt public par l'instauration d'une politique d'exploitation et de conservation des ressources naturelles. Mais les pressions administratives sont une contrainte que nul commissaire ne peut éviter : la province compte de plus en plus sur les revenus provenant de la vente de terres publiques pour financer ses dépenses. De cette nécessité financière découleront tous les problèmes issus de deux philosophies : doit-on vendre ou louer les terres publiques et à qui la priorité doit-elle être accordée ?

Le nouveau commissaire est devant une alternative qui met en jeu une philosophie et une politique. Louer signifie l'élaboration d'un mode de perception et surtout semble être une approbation du système seigneurial, déjà fortement décrié. Vendre impose d'autres choix : le prix de vente est fonction de l'acheteur potentiel et les revenus provenant des ventes influencent le budget de la province.

Morin choisira de vendre les terres publiques en lots de petites dimensions aux colons, à des conditions qui permettent le libre accès à la propriété, plutôt que de vendre à meilleur prix de grandes quantités de terre à ceux qui possèdent un bon pouvoir d'achat et qui pourront en tirer un profit considérable par la vente au détail. Il avouera que la vente à un prix nominal, accessible à tous, augmente le risque de spéculation. Mais, du même coup, il dira que cette politique peut aider la paix sociale dans un pays qui reçoit une immigration soutenue et qui n'a pas encore de développement industriel[16].

Mais il est bien évident que ce département oscillera continuellement entre les deux systèmes. Morin, de fait, est conscient du problème de surpeuplement des terres agricoles. Sa prise de position ne doit pas surprendre : ses efforts visant à donner accès à la propriété complète des terres par l'abolition du régime seigneurial passent par cette étape intermédiaire et s'inscrivent dans la fidélité de son engagement politique qui vise essentiellement à canadianiser toutes les institutions.

Sus au « patronage » !

Dans ce poste dont on dit qu'il est un nid de « patronage », Morin établit des politiques qui vont à l'encontre de cet état de fait. Deux mois après son accession au Conseil exécutif, il répond ainsi à une pétition des marchands :

> Les pétitions du 2 septembre de marchands et autres engagés dans le commerce des bois, demandant une réduction dans les droits imposés par la Couronne sur les bois, et dans la mesure établie par la loi, ont été soumises à la considération de Son Excellence le Gouverneur général en conseil et j'ai à vous informer que l'honorable Conseil exécutif, après beaucoup de considération, en est venu à cette conclusion qu'il n'est pas convenable de faire aucun changement dans les droits, soit par une mesure permanente ou temporaire, et qu'aucun changement ne peut avoir lieu dans le calcul fait de la mesure du bois[17].

Les précautions littéraires ne cachent pas la prise de position de Morin. Le nouveau titulaire du commissariat des Terres de la Couronne, malgré les pressions exercées par ses collègues désireux de partager « l'assiette au beurre[18] », réussit à imposer ses vues. Il implante même le système d'avis publics, parus dans les journaux, qui renseignent la population au sujet des permis pour la coupe du bois sur les terres publiques.

La route du Saguenay

Le député de Saguenay tient la promesse électorale faite à ses électeurs au sujet de la voie de communication entre les terres du Saguenay et le reste du pays. Dès les premiers jours de janvier 1843, on commence l'exploration du tracé de la route qui doit mettre un terme à l'isolement de ce comté. Ce n'est pourtant que vers 1848 que le chemin de Sainte-Agnès et le chemin de Saint-Urbain sont commencés[19] ; le premier sera complété treize ans plus tard alors que l'achèvement du second fera l'objet d'une promesse électorale de Marc-Pascal de Sales Laterrière en 1864[20].

Des terres aux miliciens

La réorganisation de la milice, dont Durham disait qu'elle « est maintenant anéantie » et même impropre à servir de police municipale, est une priorité que Sydenham avait fixée et que Bagot mit en œuvre. Pour encourager l'engagement dans la milice, le Conseil exécutif promet l'octroi de terres. Morin se montre favorable à cette politique qui permet à des citoyens de devenir propriétaires. Aussi, il s'intéresse aux membres de la milice qui tardent à réclamer leur terre et fait imprimer des avis officiels dans les principaux journaux.

Réforme de l'agriculture et de la tenure des terres

Durant la même période, il espère toujours que l'Angleterre changera le mode de concession et de tenure des terres. *Le Canadien* du 10 novembre 1843 cite l'intervention du commissaire des Terres de la Couronne au sein du comité de colonisation :

> M. Morin dit qu'il avait une vive satisfaction à espérer et à croire que l'Angleterre introduisait dans ses vues de politique coloniale une bien

> grande amélioration sur le passé. Au lieu de chercher à imposer forcément à ses sujets d'origines diverses des institutions et des habitudes auxquelles ils n'étaient pas accoutumés ou même qui leur répugnaient, la Métropole par une heureuse réaction de l'opinion publique, commençait à croire que c'était en favorisant toute l'énergie et la capacité d'une population plutôt qu'en la froissant qu'on pouvait le faire contribuer au bien général de l'Empire et en même temps travailler à la perpétuité de son bonheur[21].

La probité naturelle de Morin le met à l'abri de tout soupçon et de tout reproche dans l'exercice de ses fonctions de commissaire des Terres de la Couronne. Même ses plus farouches adversaires reconnaissent sa bonne gestion de ce secteur important de l'administration.

Mais cette fonction administrative, toute prestigieuse qu'elle puisse être et tout importante qu'elle soit pour aider Morin à atteindre une partie de ses objectifs politiques, n'est qu'un maillon de la redéfinition de la société globale entreprise au lendemain de la rébellion. Morin a contribué à une nouvelle définition de la société dans l'imaginaire ; son poste de ministre lui permet maintenant de participer à la construction du pays réel, société formée de petits agriculteurs. Il lui fournit aussi une tribune pour diffuser ses idées sur la réforme de l'agriculture, l'une des grandes préoccupations qui l'habite depuis 1830 et le poursuivra toute sa vie.

Morin possède déjà une vaste culture agricole. Il lit beaucoup et, après la religion et le droit, l'agriculture est l'un de ses sujets favoris. Il ne néglige pas la connaissance des sciences susceptibles d'aider l'agriculture : c'est ainsi qu'il commande le *Catalogue des principaux instruments de physique, chimie, optique, mathématiques et autres à l'usage des Sciences*. Il reçoit, à compter de 1844, le *Private Catalogue of Gardens Seeds* édité par Hovey & Co. de Boston ; du même éditeur, il reçoit *The Magazine of Horticulture*. De France, Morin fait venir le *Journal d'Agriculture pratique* et la *Réforme agricole*. D'ailleurs, les 520 titres de sa bibliothèque personnelle se rapportant à l'agriculture et à l'horticulture constituent une preuve impressionnante de son inaltérable soif de connaître. Et il n'hésite jamais à visiter des fermes modèles pour compléter son information.

Connaissances théoriques en agriculture

Les lectures que fait Morin l'incitent à répandre le goût de l'agriculture et des expériences nouvelles par des écrits et par des conférences. Son activité en ce domaine est très intense et soutenue. Ainsi, dans la seule année 1851, Morin traduit un article portant sur la maladie des pommes de terre édité dans le *New Brunswick Transactions* et paru dans *La Minerve* du 8 novembre 1851 ; également, il fait la traduction d'une lettre de Charles P. Treadwell adressée à *La Minerve* le 7 mai 1851 et parue dans le numéro du 19 mai 1851 de ce journal. De plus, Morin rédige un article intitulé « Revue critique du Code Badgley » paru dans *La Minerve* du 26 mai 1851. Malheureusement, il nous est impossible de retracer avec certitude toutes les activités littéraires de Morin reliées à l'agriculture, bien que les coupures de journaux et de revues trouvées dans ses papiers personnels puissent être considérées comme étant des textes traduits ou rédigés par lui-même. Toutefois, un index fait par Morin en 1859 permet d'affirmer qu'il a rédigé des textes au sujet de la culture des haricots blancs, du sarrasin noir et du sarrasin jaune, de la construction et de la ventilation des caveaux à pommes de terre, de l'utilisation de la litière terreuse, de la construction d'aqueduc, de l'organisation des fourrages et des prairies.

Le rayonnement de Morin est considérable et il ne soupçonne pas complètement toute la valeur de son influence. Il conseillera aussi bien Pierre-Augustin Labrie, le fils de son excellent ami le docteur Jacques Labrie et l'un de ses disciples les plus fervents, qu'un inconnu comme Jean-Louis Beauchamp, de Varennes, qui lui fait une description de la culture du grain et de l'utilisation des charrues et qui demande la venue d'artisans en plus grand nombre dans les campagnes. Auprès des sociétés d'agriculture qu'il visite régulièrement, il est un conférencier recherché et il fait souvent des dons importants de catalogues, de livres et de revues. Auprès de ses collègues de l'Assemblée, Morin est l'instigateur de tous les comités chargés d'étudier l'une ou l'autre des facettes de l'agriculture. À n'en pas douter, Morin est, pendant une génération, l'homme politique le plus influent auprès des agriculteurs lorsqu'il les entretient d'agriculture ou d'horticulture.

En agriculture, ses lectures portent sur la botanique et la géologie comme en font foi les réflexions suivantes :

> J'occupe dans mon pays une position administrative qui me laisse peu de loisirs. De ceux que j'ai eus, j'ai employé une bonne partie à l'étude de l'agriculture et à en propager le goût. J'ai même en projet, à réaliser par moi ou par d'autres, des leçons publiques sur cette science. La géologie élémentaire et appliquée entre de droit dans un pareil cadre [...].
>
> Le Canada, je veux dire la partie inférieure qu'habitent mes compatriotes d'origine française est un pays assez primitif. Des plaines

alluviales étendues où les sables et l'argile, surtout celle-ci, font alternance, le calcaire des montagnes, puis au Nord les grès et des zones métamorphiques, puis au-delà des cultures des contrées primitives, voilà ce qu'il présente comme élémens à l'agriculteur-géologue. Ajoutez-y des marais étendus vers le Nord surtout, où la décomposition reste inactive à cause de l'humidité. Les couches du système carbonifère ne s'y trouvent pas. Je vous ai dit ceci malgré mon peu de savoir afin qu'en indiquant ou en formant si le cas arrive, une collection de géologie agricole pour le Bas-Canada, vous donniez moins d'étendue aux sols que nous n'avons pas. Le fer de marais est abondant et exploité dans quelques endroits. L'or qu'on a trouvé depuis peu au sud dans des formations travaillées et spéciales n'est pas de mon ressort. Nous avons, comme je vous l'ai dit, des plaines de toute espèce depuis la glaise jusqu'au sable; celui-ci est rarement assez pur pour former des champs arides. Dans une partie du pays, la chaux abonde; ailleurs le sol est formé de gravier et de détritus silicieux[22].

Connaissance pratique de l'agriculture et expérimentations

À la vérité, peu d'hommes publics de son temps peuvent se vanter d'une telle connaissance de son pays. Non seulement il a une vaste connaissance théorique de l'agriculture, mais il possède un laboratoire incomparable: ses terres. De fait, il acquiert des terres sises près de la rivière du Nord à compter de 1830, au moment même où il fait son entrée à l'Assemblée.

Avec l'achat, en octobre 1840, d'une autre terre de Pierre Boucher de Boucherville, Morin agrandit son patrimoine. Aussi, quand, en 1851, il fera l'inventaire de ses biens, il dénombrera:

1) Six lots de terre dans la continuation de la Seigneurie des Milles Isles, paroisse de Saint-Jérôme, comté de Terrebonne, étant les numéros 60, 61, 62, 63, 64, 65 à l'Ouest de la rivière du Nord, formant 788 arpens en superficie.
2) Un arpent de terre, avec un pont de péage, et un chemin de chaque côté de la dite Rivière, au lieu appelé la Grande Pointe, même Paroisse.
3) Le lot n° 26 dans le 11ième rang du Township de Kilkenny, comté de Leinster, formant 128 acres en superficie.
4) La moitié indivise du lot n° 44 dans le second rang du Township de Wexford, comté de Leinster, le dit lot contenant environ 75 acres en superficie.
5) Les lots nos 2, 6, 7 du second rang et 2, 3, 4, 5 et 6 du troisième rang du même township de Wexford contenant environ 684 acres en superficie.

> 6) Les lots nos 182 du 7ᵉ rang, 9 et 12 du 9ᵉ rang, 4, 5, 6, 7, 8, 9, 14, 15, 16, 17, 22, 23, 24 du 10ᵉ rang. La partie sud des lots nos 7 et 8 du 11ᵉ rang (au sud d'un lac), la huitième partie en profondeur des lots nos 11 et 12 du même rang, et le lot no 20 du même rang, dans le township d'Abercrombie, dans le comté de Terrebonne, formant environ 1985 acres en superficie[23].

Les terres achetées, Morin établit ses priorités d'exploitation. Son plan quinquennal est systématique : les opérations sont prévues dans un ordre logique, soit l'abattage de la forêt, la construction de la maison et de l'étable, le défrichement et le labour, le sciage du bois, la construction d'une grange et des clôtures et la mise en terre des premiers grains. Même les achats sont planifiés et il prévoit aller aux États-Unis où il pourra se procurer, outre des graines de semence « qu'on pourrait rapporter à bon marché », ce qu'il considère comme des instruments ordinaires d'agriculture :

> 1) semoir pour toutes sortes de grain et d'emplacement
> 2) javelier
> 3) moulin à battre le grain
> 4) moulin à écosser le blé d'inde
> 5) moulin à farine portatif, à eau ou à chevaux
> 6) charrues à rechausser pour les cultures vertes
> 7) filtre pour les eaux de la rivière du Nord.

Pour Morin, il importe au plus haut point de pourvoir à l'exploitation de ses terres. Ses occupations professionnelles et la distance qui le sépare de ses terres le contraignent à s'en remettre à un gérant imaginatif, actif et responsable. Dans un factum conservé aux Archives du Séminaire de Saint-Hyacinthe, il précise que son choix doit tenir compte :

> que les habitans de l'endroit sont peu propres à la production parce qu'ils sont trompeurs et ivrognes et à la consommation parce qu'ils sont pauvres et peu nombreux[24].

Avec lucidité, Morin conclut :

> Il me faudrait surtout pour les terres du Nord, un bon fermier en chef actif, probe, intelligent, sobre, capable de commander et de conduire, économe, comprenant et exécutant bien les directives et assolemens, et pouvant travailler de la charpente et du charronnage et même un peu mécanicien[25].

Il est prêt à payer le gros prix pour cet employé modèle : un salaire annuel de £50, outre la nourriture et le logement. Et il pense déjà à l'associer avec lui après quelques années de travail.

Organisation de la vie agricole

Ce souci de la perfection de Morin et son sérieux dans l'exploitation de ses terres s'étendent jusqu'à la réglementation des heures de travail des employés. De façon générale, il prévoit que le personnel doit se lever au moins deux heures avant le départ pour les champs, de manière à alimenter les chevaux avant de les atteler, et que la journée de travail prend fin avec le coucher du soleil. En compensation, toutefois, il élabore une politique de gratification pour les heures supplémentaires durant le temps des récoltes et il conçoit un adoucissement de la charge de travail, de novembre à mars.

Quant au choix du personnel, Morin préfère les émigrés d'Europe plutôt que les Canadiens pour l'exploitation des nouvelles terres. Mais il explique que ce n'est pas à cause de leur façon de cultiver la terre, mais « à cause de leurs habitudes de frugalité et de pauvreté ». L'approvisionnement en nourriture étant plus difficile dans les régions nouvelles, il est bien évident que le Canadien connaît plus de difficultés à s'adapter à ce nouveau mode de vie. Aussi,

> c'est pour lui un exil pénible et il lui faut des avances pour ouvrir une terre tandis que l'Irlandais économise quelque chose dès la troisième année[26].

L'alimentation non seulement est une question de coût, mais compte aussi pour la diversification de la production agricole. Les réflexions suivantes de Morin tiennent compte de ces deux aspects et renseignent sur la façon dont se nourrissent ses contemporains ruraux :

> Nos cultivateurs ayant peu de moyens feroint bien de ménager et d'épargner autant qu'ils le pourroient sur leur dépense. On remarque que les étrangers qui arrivent ici vivent toute l'année avec la nourriture d'un mois d'une famille canadienne. Nos habitans mangent trop de pain et ne ménagent pas assez le produit de leurs vaches. Le pays quoique favorable à la culture des légumes et des foins est trop froid pour le bled, surtout dans le district de Québec. S'il y avait quelque encouragement pour les cultivateurs à élever des animaux, seule source de prospérité d'un pays comme le nôtre, ils feroient mieux de mettre leurs terres en

> menus grains et légumes d'après un bon plan de culture, et de ne semer de bled qu'autant qu'il leur en faut, même en épargnant sur la consommation de leurs familles. D'ordinaire, les habitans mangent trop de pain. Le matin, du lait avec du pain; le midi, un petit morceau de viande, puis du pain et du lait à force; le soir et à la collation, du pain à foison dans du lait. Ce lait n'est pas nourrissant et c'est l'abondance du pain qui nourrit; si c'est du lait avec de la crème, la dépense est encore plus forte. Ils feroient mieux de faire plus de légumes, d'engraisser des animaux avec, de manger de la viande avec des légumes à tous les repas, et peu de pain, il leur en faudrait bien moins pour se sustenter, et le lait leur servirait à faire plus de beurre et à engraisser des cochons[27].

Quant aux dépenses de « l'habitant », Morin constate qu'il a tendance « à faire des achats peu réfléchis » qui ont pour effet de lui faire perdre une partie de sa terre en cas de saisie pour dettes. De plus, Morin ne peut accepter la mauvaise utilisation des épargnes qui mène « les fruits de son travail et de ses ménagements à augmenter l'influence du commerce et des étrangers ». Cette politique autarcique du milieu rural est tenace chez Morin, même si elle n'exclut pas l'aide extérieure: c'est, pour lui, la meilleure protection à lui donner.

Amendement et assolement des terres

Possédant une vaste culture agricole et ayant mis au point un système d'exploitation de son domaine, Morin procède alors à des expériences et en vient à une conception globale de l'agriculture au Bas-Canada. En juin 1830, au moment où il vient de se donner des terres, il réfléchit sur les mesures propres à en promouvoir le rendement. Deux méthodes sollicitent son initiative: l'amendement et l'assolement[28].

Au moment où Morin assume la charge de commissaires des Terres de la Couronne, non seulement il a réfléchi sur les modes de rentabilisation de ses propres terres, mais encore a-t-il déployé des mesures visant à y concourir: assolement, cultures céréalières[29], légumières, voire floricoles[30] et rentabilisation des érablières. Parce que sa démarche novatrice nous paraît significative de son esprit d'initiative, arrêtons-nous à quelques volets de ses expériences agricoles et horticoles.

Maladie des pommes de terre. —
Dans le Canadien du 7 Décembre 1845 est un
article tiré de la Gazette de Guernesey, qui
rapporte, d'après des expériences, que le
goudron de gaz (Coal tar ?) est un
excellent préservatif contre la
maladie des pommes de terre, versé
dans les sillons avant la plantation.
On ne dit pas en quelle quantité.
La production est en outre plus
considérable. La raison donnée
est que la dégénérescence de
la plante vient des engrais pu-
-trides et azotés au moyen desquels
on la cultive depuis longtems, et que
les engrais charboneux doivent la
guérir. — La bonne qualité des patates
venues en terres nouvelles mais non
fumées s'accorde avec cette théorie.
— On dit que les patates fumées avec
du goudron de gaz n'en contractent aucun mauvais goût.
Le

Notes d'Augustin-Norbert Morin sur la pomme de terre (Archives du séminaire de Saint-Hyacinthe).

Importance de la pomme de terre

La consommation de la pomme de terre se répand dans les années 1830 à la faveur de l'immigration irlandaise. On sait ici peu de chose de ce légume et il n'est pas étonnant que Morin procède à des expériences avec dix-huit espèces de pommes de terre cultivées, entre 1837 et 1840. Non seulement il veut connaître les espèces les plus adaptées à notre climat (les grosses jaunes et les rouges sont peut-être les deux meilleures espèces du pays pour une culture générale et pour la cuisine), mais il expérimente de six manières la profondeur à laquelle il faut semer la pomme de terre pour en faire une meilleure récolte. Le récit détaillé de ces expériences couvre plusieurs feuillets et fait la démonstration parfaite de son intérêt évident pour une telle opération et aussi de son souci pour une rigueur scientifique qui n'est pas monnaie courante en agriculture à cette époque. La manière de récolter la pomme de terre est aussi l'objet d'étude tout comme la fabrication de la farine qui « fait d'excellente sauce au beurre pour le poisson, beaucoup plus légère que celle qu'on fait avec la farine de bled » et la fabrication d'un vin muscat. Cet intérêt pour ce légume s'explique par son souci de changer l'alimentation traditionnelle afin d'y introduire variété et diminution de coût sans modifier la valeur nutritive de la nourriture consommée. Il poursuivra ces expériences jusqu'en 1858.

L'élevage comme complément à la culture

Le souci de Morin pour la pratique d'un élevage rationnel découle, d'une part, de son plan d'ensemble pour le renouvellement de l'agriculture bas-canadienne et, d'autre part, du souci d'augmenter les revenus de la gent agricole. Pour ses terres du Nord, il suggère l'élevage des moutons et des cochons comme étant les plus avantageux. Les premiers, grâce à leur toison annuelle, pourront éventuellement alimenter « une manufacture de draps et d'étoffe ». Quant aux seconds, ils sont faciles et rapides à engraisser et il n'y a pas de perte à l'abattage.

Mais le mouton et le cochon ne remplacent pas les bovins dont il entrevoit le renouvellement par un plan à la fois simple et logique, mais dont l'application nécessite des connaissances acquises dans les écoles d'agriculture que devraient fréquenter tous les cultivateurs. Ce projet de renouvellement, audacieux pour l'époque, constitue un tout avec le reste de la problématique générale de Morin au sujet de l'agriculture. Les premières lignes en donnent une bonne illustration.

> Je suppose une exploitation où les patates soient d'un grand débit, où par conséquent il faille beaucoup de fumier, beaucoup d'animaux, où on cultive peu de bled et beaucoup de menus grains, et même où l'on nourrisse une partie des animaux en verdure l'été si cela est praticable. Je suppose aussi une bonne race d'animaux qu'on veut conserver pure et dont on ne veut vendre par exemple que les génisses et non les taureaux entiers.

Quant aux chevaux, Morin ne semble pas vouloir en faire l'élevage uniquement pour les utiliser comme bêtes de trait, mais aussi afin d'en faire l'objet d'un commerce peut-être lucratif. En plus de citer le cas des éleveurs de la région de Québec qui font de grands profits en vendant des chevaux de bonne qualité pour le halage des carrosses et des diligences, il n'hésite pas à mentionner que l'élevage de chevaux de course constitue un débouché intéressant, confirmant ainsi l'invitation faite, dans *Le Canadien* du 5 août 1840, « aux habitants canadiens de prendre part aux courses de chevaux ».

Enfin, Morin prévoit que l'élevage des chèvres fournirait des robes de carrioles et que l'utilisation de petits moutons et même de chats noirs pourrait être un bon substitut, à condition de suivre une manière spéciale de les élever !

Mise en valeur des érablières

Originale, étonnante même nous semble l'exploitation que Morin entend faire des érablières. D'abord, il en préconise le défrichement pour les convertir en une prairie à utilisation restreinte : il s'agit simplement d'enlever les arbres inutiles à la production et d'essoucher aussi. Ce travail fait avec un minimum d'attention permettra ainsi un deuxième emploi à un terrain alors utilisé seulement quelques semaines par année. Puis, dans la prairie ainsi constituée et labourée avec soin, il prévoit semer et récolter du foin, entouré d'avoine ou d'orge, qui servirait de fourrage. Enfin, dernières précautions utiles pour protéger l'intégrité de l'érablière, il recommande que les animaux ne puissent y paître à cause du danger d'endommager les arbres et que les chemins y soient tracés en tenant compte des cultures qu'on veut incorporer. Concernant le produit premier des érablières, Morin est fort préoccupé par la fermentation des eaux d'érables et il croit que l'utilisation du bisulfite de chaux la prévient. Toute cette théorie concernant l'organisation d'une érablière est mise en application sur ses terres du Nord. Malheureusement, aucun rapport n'en confirme les résultats.

Chemins agricoles, serres, roues, clôtures et moulins

Pour Morin, même l'orientation à donner aux chemins en territoire agricole est importante. L'ouverture doit être faite plus grande du côté où le soleil pénètre le moins, et ce principe de base doit toujours primer, peu importe la direction du chemin. De cette façon, on s'assure que le dégel et le dessèchement, deux causes importantes de la détérioration des chemins, sont égaux de chaque côté : l'entretien se trouve dès lors facilité.

Conscient du climat qui retarde la période de pousse dans le Nord, Morin conseille l'utilisation de serres. Ses recommandations précises écartent toutefois les risques coûteux si elles sont bien suivies :

> Pour organiser un établissement, essayer de faire, par exemple : huit petites serres de même longueur, toutes tournées vers le midi, à inclinaisons équidistantes et comprenant un même volume d'air. Noter les températures durant un an avant de s'en servir. Arrangement à quelques-unes des plus chaudes pour les rendre humides. Les arrangements intérieurs à faire après, suivant l'appropriation. Faire aussi trois de ces serres à double vitrage, choisissant diverses inclinaisons. Je pense qu'on aurait assez de denrées alors pour construire bâches et serres à autres orientations.

L'utilisation des roues ne le laisse pas indifférent car son sens profond de l'observation repère cette difficulté. Il suggère donc d'avoir « des roues à rez d'une épaisseur très grande et ferrées en feuillard » : ainsi, elles peuvent s'adapter à toutes les charrettes et voitures servant aux différents besoins agricoles et elles ne sont pas susceptibles de laisser des traces trop profondes et de gâter le terrain comme peuvent le faire les roues ordinaires.

Quant aux clôtures, Morin suggère dès 1831 la fabrication de clôtures en cèdre, avec deux chevilles qui préviennent le pourrissement et permettent aussi de mieux tenir.

Mais la distance qui sépare ses terres du Nord des villages importants est telle qu'il lui faut songer à l'érection de moulins. Lorsqu'il acquiert ses terres, Morin écrit qu'il se construirait un moulin à farine et un moulin à scier s'il avait plus d'argent. Ses expériences agricoles le convainquant du peu de rendement du blé, il renonce à son projet de moulin à farine et met tous ses efforts pour bâtir un moulin à scier. On retrouve deux plans de moulin à scier qu'il devait faire ériger sur la rivière du Nord, l'un de 36 pieds sur 30, l'autre de 24 pieds sur 40. Sans doute à cause de ses difficultés financières, le moulin à scier tarde à être érigé et Morin correspondra même avec George Page, de Baltimore, qui émet l'idée de se servir de la vapeur comme force motrice d'un moulin à scier. L'utilisation de cette nouvelle force séduit Morin, mais il dit renoncer au projet, faute de fonds.

Instruction des agriculteurs et école d'agriculture

Après quelques années d'expériences agricoles, Morin se rend compte qu'il faut instruire la classe agricole et s'assurer du développement de la science agricole. Ayant assisté à l'Assemblée aux efforts de Joseph-François Perrault en faveur de l'instruction élémentaire et de l'instruction en milieu rural, Morin devient à la fois un disciple et un continuateur de l'œuvre de Perrault.

Tout d'abord, Morin nourrit le dessein d'écrire un grand ouvrage sur l'agriculture, projet qu'il ne réalisera jamais malgré une ébauche connue de l'œuvre. Ce projet se distingue nettement du *Traité d'agriculture pratique* de Perrault qui traite, d'une part, « de jardinage d'agriculture, d'élevage et de médecine vétérinaire[31] » et, d'autre part, des moyens pédagogiques à employer dans les établissements d'éducation à la campagne.

Ce projet d'ouvrage général sur l'agriculture n'est toutefois qu'un volet de son projet d'enseignement agricole. Alors que Perrault et Girod, avant lui, ont eu l'idée d'une école normale d'agriculture, Morin en fait une priorité. Il définit même les cadres généraux. Il exige du futur professeur qu'il soit âgé de 21 à 35 ans et bilingue, qu'il ait de solides connaissances générales, qu'il ait vécu à la campagne et possède des notions pratiques en agriculture et aussi quelque talent en administration. Morin entend choisir des personnes qui ont déjà enseigné et qui ont connu des succès ; et, en disciple de Perrault, il entend « choisir sur la liste de tous les instituteurs ayant une éducation libérale ». Il ne voit pas d'objection à ce que les maîtres puissent prendre des élèves internes ou externes avec la restriction que les derniers « assisteraient seulement aux cours sans participer aux discussions ».

La durée du cours est de deux ans et l'année scolaire va du 1er septembre au 1er juillet avec une vacance intermédiaire. Le régime pédagogique comporte quelques innovations comme vingt jours de leçon par mois et les samedis sont des congés. Morin tient à son projet et connaît tellement bien la politique de la province en matière d'éducation que, pour des jours de pratique, il prévoit « un jardin et une petite ferme annexés, à mon compte, à l'école ». Enfin, le programme des études[32] est sûrement difficile pour des étudiants dont le niveau d'étude ne dépasse que rarement les premières classes du cours primaire.

Établissement de fermes modèles

Comme Perrault, Morin favorise l'établissement de fermes modèles. Mais contrairement à Perrault, qui ne pensait qu'à une ferme modèle pour tout le Bas-Canada, Morin est convaincu qu'il faut une ferme modèle par district pour tenir compte des particularités climatiques et du sol de chaque région. De plus, ces fermes modèles seraient à la tête de fermes secondaires destinées, d'une part, à reprendre les expériences des fermes modèles au bénéfice des cultivateurs des paroisses et, d'autre part, à donner des leçons le dimanche après les offices religieux sur des matières comme la chimie agricole, l'économie domestique et l'application de nouvelles méthodes en agriculture.

Ce projet reflète une idée bien claire : il faut réformer l'agriculture au Bas-Canada et il faut changer les méthodes d'agriculture tout en assurant une formation continue aux agriculteurs. Les réformes préconisées sont nettement avant-gardistes, tant pour l'instruction que pour l'approche scientifique de l'agriculture. Elles visent à rendre la pratique agricole plus conforme aux besoins du pays et elles témoignent d'un souci louable de sortir le monde agricole d'une stagnation et d'un marasme où il s'embourbe depuis quelques décennies : les expériences pratiques de Morin sur ses terres vont confirmer plusieurs de ses théories. Mais c'est pour estimer le conservatisme redoutable du monde rural que de croire que de tels projets puissent être réalisés en un court laps de temps.

Le régime seigneurial, un obstacle

Cette réforme de l'instruction agricole s'inspire sans aucun doute de l'Institut Vattemare dont Morin adapte les objectifs pour les rendre conformes aux besoins bas-canadiens. Mais ces changements sont-ils compatibles avec le régime seigneurial ? Après de nombreuses recherches sur le régime de concession de terres dans les pays européens, le commissaire des Terres trouve une comparaison valable avec le Danemark.

> Danemark : ce pays représente aux études agricoles applicables au Canada des termes de comparaison que l'on ne rencontre pas ailleurs, non seulement en ce qui concerne le sol et le climat, mais par rapport aux institutions sociales et politiques. Là aussi le titre imparfait à la propriété, les aubaines accidentelles et onéreuses prélevées sur le peuple nuisent aux améliorations comme fait le système seigneurial au Canada, avec

cette différence qu'en Danemark les colons sont des serfs attachés à la glèbe des propriétés royales ou seigneuriales.

Cette opinion est le fruit d'une étude et d'une réflexion poussées. Lorsqu'il en fait part à La Fontaine, celui-ci ne répond pas. L'acquisition du gouvernement responsable accapare toutes les énergies, mais le commissaire des Terres, sensible aux problèmes de concessions de terres depuis son entrée en politique, opte alors pour l'abolition du régime seigneurial. Ce sera un autre point dominant de son credo politique, outre l'élection du Conseil législatif et l'obtention du gouvernement responsable.

Chapitre cinquième

L'HOMME DE PRINCIPES
1843-1847

LE NOUVEAU DÉPUTÉ DE SAGUENAY et commissaire des Terres commence l'année 1843 par une action personnelle importante qui ne manque pas de surprendre ses amis : il se marie ! Âgé de 40 ans, Morin est considéré comme un célibataire endurci ; il n'est pas misogyne, mais sa piété et ses longues heures passées à l'église lui valent, dans l'intimité, le surnom de « révérend[1] ».

Mariage avec Adèle Raymond

Son épouse, Albine-Adèle Raymond, née le 21 septembre 1818, est de quinze ans plus jeune que lui ; elle est fille de Joseph Raimond[2], marchand de Saint-Hyacinthe, et de Louise Cartier, et elle est la sœur de l'abbé Joseph-Sabin Raymond, professeur au Séminaire de Saint-Hyacinthe, grand vicaire de ce diocèse, un des participants actifs de la restauration de l'enseignement de la philosophie de saint Thomas d'Aquin et adversaire avoué de « l'anticléricalisme de l'Institut canadien de Saint-Hyacinthe et de son porte-parole, Louis-Antoine Dessaulles ». L'ecclésiastique ne bénit pas cependant l'union de sa sœur avec Morin puisqu'il voyage en Europe à ce moment.

Le mariage a lieu le 28 février 1843 à la chapelle Saint-Louis de l'église paroissiale de Notre-Dame de Québec. Fidèle à la ligne de conduite qu'il s'est tracée depuis son entrée dans la vie publique, Morin maintient une séparation très nette entre sa vie privée et ses activités politiques : aussi, il n'invite aucun de ses collègues à la cérémonie. Cette manière de faire irrite La Fontaine au plus haut point et, dans une lettre privée adressée à Jacques

Viger, le chef des réformistes bas-canadiens se moque méchamment du nouveau marié et écrit, de Kingston :

> Morin n'a pas été trop fatigué pour se marier mardi dernier. Il paraît qu'il a amené à ses noces une légion de cousins et de cousines. Il n'y a pas invité ses trois anciens amis de Québec. Caron écrit que Morin devait ce soir-là même aller consommer le sacrifice chez son frère le curé de d'Eschambault. Quand arrivera-t-il donc ici[3] ?

Le couple Morin arrive à Montréal le 4 mars et, après quelques heures de repos, c'est le départ vers la capitale, Kingston, où le Parlement siège. Ainsi donc, dès le début de sa vie conjugale, madame Morin apprend à connaître les impérieux devoirs d'État de son mari.

Un couple complémentaire

Mais, en même temps qu'elle fait connaissance avec le milieu politique, Albine-Adèle Raymond prend conscience de la précarité de la situation financière de l'homme public. Fille de marchand, madame Morin sait compter et surtout connaît l'importance de faire la perception des comptes. C'est elle qui gérera les finances familiales, évitant ainsi à son époux une tâche pour laquelle il n'a aucun talent. Les anecdotes nombreuses et savoureuses mentionnent que Morin, ému par la pauvreté des gens ou poussé par une charité excessive, avait souvent remis leur dette à ses débiteurs et, même plus, avait fait des dons à ces mêmes personnes, tout en s'excusant de leur avoir demandé son dû ! Désormais, le couple Morin, sans être riche, va vivre dans une aisance relative que lui permettent sa profession et les revenus du nouveau commissaire des Terres.

De santé délicate, madame Morin est peu mondaine, mais elle jouit d'une grande force de caractère. Et durant les périodes difficiles de la carrière de Morin se profilera l'influence positive de son épouse. La vie du couple sera harmonieuse. La pratique religieuse est stricte, les relations avec les familles Morin et Raymond sont cordiales et l'intérêt pour les choses de l'esprit est grand ; seule déception de cette vie à deux, l'absence d'enfant[4]. Mais chacun puise chez l'autre le réconfort physique ou moral, un amour sans arrière-pensée et une espérance sans borne en des jours meilleurs.

Période d'effervescence

Plus que jamais, au moment de son mariage, Morin est un rouage important du « ministère » La Fontaine-Baldwin. Bon procédurier et connaissant bien les dossiers qui sont de sa compétence, le commissaire des Terres jouit de l'estime non seulement de ses collègues mais aussi du gouverneur. Dès lors, il n'est pas surprenant de savoir que des rumeurs persistantes émanant de journaux du Haut-Canada le propulsent à la présidence du Conseil exécutif. De fait, ces nouvelles répandues dans un public avide de connaître le climat politique masquent un calme presque ennuyeux dans la capitale puisque les nouveaux membres du Comité exécutif, à cause des règles constitutionnelles de l'époque, ont dû démissionner à titre de député et se faire réélire. Leur absence avait ralenti le travail législatif de cette seconde session, au point que la législation votée est peu importante en quantité et de qualité insignifiante.

Par ailleurs, à travers toute la province, on assiste à une période de grande effervescence. Au Bas-Canada, l'opposition au régime d'Union s'apaise depuis, selon le titre du *Canadien*, le « remodellement du ministère » : l'apparition de ce qui est un gouvernement responsable calme les revendications, au point que *L'Aurore*, le jour même du mariage de Morin, annonce qu'il va cesser « d'exiger l'abrogation de l'Union afin de permettre à la nouvelle administration de démontrer jusqu'à quel point le gouvernement responsable pourrait servir les ambitions du Canada français[5] ». Mais déjà, aussi, la santé du gouverneur inquiète la population ; miné par la tension, le travail et les longs déplacements, Bagot est très malade. Les prières publiques pour le rétablissement du gouverneur embarrassent l'Église qui ne réussit pas à concilier, d'une part, les exigences du droit canonique qui défend de célébrer en public une messe à l'intention d'un non-catholique, et, d'autre part, la libre expression de reconnaissance de ses ouailles envers une autorité enfin bienveillante envers les Canadiens[6]. Cependant, le gouverneur a demandé d'être remplacé et trois jours avant le mariage de Morin, le 25 février 1843, *Le Canadien* annonce la nomination de sir Charles Theophilus Metcalfe comme gouverneur. Le rôle politique des Canadiens est remis en question par l'arrivée de ce nouveau dirigeant. La mort de Bagot, le 19 mai 1843, met fin à ce que d'aucuns qualifient de rêves et, d'autres, de saine perception de la situation politique canadienne.

Un nouveau gouverneur, sir Charles Metcalfe

Le nouveau gouverneur arrive à Kingston le 29 mars 1843. Né à Calcutta en Inde, Metcalfe a 58 ans : élevé dans un collège huppé d'Angleterre, il a travaillé dans son pays de naissance jusqu'à sa retraite au sein de la fonction publique en 1838. Puis, il a accepté de servir comme gouverneur de la Jamaïque où il a connu de remarquables succès[7]. Corpulent et chauve, possédant une figure joviale et avenante malgré une tumeur cancéreuse à une joue, il ressemble un peu à Benjamin Franklin et il est précédé d'une solide réputation qui vient de tous les milieux et qui est méritée, si on prend la peine d'évaluer le travail qu'il a accompli en Jamaïque. L'unanimité des éloges à son endroit crée un climat propice à son arrivée et les Canadiens ne ménagent pas leurs acclamations à l'endroit du nouveau dirigeant colonial lorsqu'il visite les principales villes du pays. En quelques semaines, Metcalfe gagne l'admiration de la population par des déclarations appropriées et une générosité peu commune.

Tensions entre le Conseil exécutif et le nouveau gouverneur

L'euphorie populaire qui marque l'arrivée du nouveau gouverneur ne se transporte pas au sein du Conseil exécutif. Durant les premières semaines du nouveau régime, la transition entre l'administration des deux Charles semble s'effectuer sans heurt, le gouverneur et les conseillers s'observant mutuellement. Mais la mission même confiée à Metcalfe, de même que son tempérament, sa formation et son expérience ne sont pas de nature à continuer les bonnes relations et la réforme amorcée sous Bagot. Dans une lettre envoyée à Metcalfe trois mois après son entrée en fonction, lord Stanley précise que, bien que Metcalfe consulte les membres du Conseil et qu'il consente à témoigner de la considération pour leurs avis, il est le chef de l'administration et n'est pas obligé de les suivre, même s'il est toujours prêt à les recevoir. Cette explicitation constitue un désaveu de l'œuvre de Bagot et l'impossibilité d'appliquer à une colonie le principe d'un gouvernement responsable a déjà été prévue par des personnalités coloniales et anglaises, car « cela équivaudrait à une déclaration de séparation de la mère-patrie[8] ». Ce rôle de neutralité face aux intérêts partisans du parti majoritaire à l'Assemblée est tout à fait conforme à la vision de l'administration publique de Metcalfe et à l'expérience qu'il a vécue en

Inde et en Jamaïque ; pour lui, l'efficacité passe par la compétence et non par les relations avec certains hommes politiques. Son aversion pour le contrôle de l'administration gouvernementale par un parti politique est presque viscérale ; d'ailleurs, comme Sydenham, il ne comprend pas que tous les partis ne puissent pas envoyer des représentants au sein du Conseil exécutif. Ses principales qualités, comme sa générosité prudente, sa modestie, son courage et son bon caractère, et ses défauts les plus remarqués, comme sa rigidité d'esprit et son entêtement, jouent moins contre le succès de sa mission que son inexpérience dans les colonies occidentales. À 58 ans, ses qualités d'adaptation lui font défaut et il aura beaucoup de difficultés à saisir les nuances et les subtilités non seulement du personnel politique, mais aussi de la société du Canada-Uni. Il sera un fidèle exécutant des volontés de la mère patrie et, comme il le prévoit à son arrivée[9], sa mission sera un échec personnel.

Au principe du gouvernement responsable qui répugne à Metcalfe et que répudient les autorités gouvernementales anglaises s'ajoute une aversion rapide pour les membres du Conseil exécutif. Les conseillers, convaincus de pouvoir continuer l'expérience vécue sous Bagot, modifient le vocabulaire au point que le gouverneur se demande s'il est seulement un outil du Conseil[10] ; de là naît une réaction violente qui porte Metcalfe à considérer les anciens rebelles et les réformistes comme des républicains. Mais, à cette guerre de mots succède très vite une bataille pour le pouvoir réel : le patronage. Corollaire du pouvoir politique, le patronage est avant tout un signe tangible de la prise du pouvoir administratif et une assise très efficace de tout parti qui aspire à diriger la colonie. C'est sur cette question que l'affrontement a lieu : alors que Metcalfe reçoit des ordres de garder le patronage sous son contrôle, les réformistes du Haut et du Bas-Canada tentent de se l'approprier. À la mi-avril 1843, c'est la nomination d'un officier de la marine à Québec qui cause le premier choc et, durant l'été 1843, c'est l'impasse.

Reprise de la session parlementaire, 1843

Lorsque la session reprend à la fin de septembre, malgré les divergences entre Metcalfe et le conseil exécutif, le programme législatif proposé aux parlementaires est substantiel. Les élections partielles, tenues depuis la dernière session, ont peu modifié les forces en présence[11]. Morin agit comme « leader » du « gouvernement » à l'Assemblée et, comme il l'a fait sous Papineau précédemment, il est l'âme dirigeante du parti lors des débats.

Tout d'abord, il réagit avec vigueur à la requête visant à permettre au candidat élu dans le comté de Hastings, M. Murney, de siéger temporairement. Morin s'oppose alors à sir Allan MacNab, favorable à cette mesure, et défend avec succès un de ses grands principes politiques, soit la pureté de la consultation populaire. Pour lui, la violence a empêché la tenue du scrutin pour une bonne partie des électeurs et alors on ne peut admettre la motion « car ce serait tout d'abord reconnaître qu'il y a eu élection lorsqu'il est évident et qu'il est prouvé qu'il n'y en a pas eu ». Murney en sera quitte pour attendre.

Puis, le député de Saguenay commence son action en vue de dédommager les victimes des troubles de 1837-1838. Il dépose une pétition des habitants de Saint-Eustache qui demandent une aide pour la reconstruction de l'église et du couvent brûlés pendant la rébellion. Il profite même de l'occasion pour appuyer la motion d'Elmes Yelverton Steele priant Sa Majesté d'accorder une amnistie aux exilés et aux condamnés politiques. Pour l'instant, la Chambre n'est pas encore prête à adopter ces mesures, mais Morin prépare le terrain pour l'avenir.

Lors des délibérations entourant le projet de loi des municipalités du Haut-Canada, sir Allan MacNab reprend à son compte l'argument de Morin de 1841 et demande que ce projet de loi soit applicable au Bas-Canada aussi bien qu'au Haut-Canada. Morin connaît bien ce dossier ; il répond que le gouvernement va présenter pour le Bas-Canada un autre projet de loi, semblable dans ses principes généraux, mais différent de celui qui est à l'étude dans ses détails et ses mécanismes à cause de la dissemblance des institutions civiles, sociales et politiques dans les deux parties de la province.

Morin est toujours soucieux de protéger les plus pauvres contre des abus ; c'est ainsi qu'il propose des amendements au projet de loi des pêches de Gaspé et qu'il combat férocement un projet qui aurait aboli les lois contre l'usure. Dans ce dernier cas, son discours a certes influencé les députés puisqu'il a été le dernier à parler avant le vote qui s'est soldé par une mince majorité de quatre voix pour le rejet du projet.

Projet de loi sur l'éducation au Bas-Canada

Puis, survient l'étude d'un projet de loi qui tient particulièrement à cœur au député de Saguenay, celui de l'éducation. Dès son introduction en Chambre, le projet « n'a pas manqué de faire sensation », comme le souligne à juste titre le journaliste du *Canadien*. L'édition du 1er décembre 1843 de ce journal contient un bon résumé de la législation proposée :

> Sommaire du bill proposé par l'honorable M. Morin pour pourvoir d'une manière plus efficace à l'instruction élémentaire dans le Bas-Canada.
>
> Article I. On établira des écoles communes sous la régie de Commissaires d'écoles.
> Article II. On élira tous les ans dans chaque paroisse cinq commissaires sachant lire et écrire.
> Article V. Devoirs des commissaires d'écoles : chercher à acquérir tout terrain ou maison d'école convenable dans chaque arondissement ; engager des maîtres ou maîtresses suffisamment qualifiés ; veiller à l'administration des biens de leur département ; visiter les écoles au moins une fois par mois ; recevoir de qui de droit tout argent destiné aux écoles, le repartir avec équité entre toutes celles qui seront sous leur contrôle.
> Article VII. Il sera loisible d'unir les écoles dites de fabrique et les écoles communes.
> Article IX. Dix personnes au moins d'une dénomination religieuse différente de celle de la majorité de la paroisse pourront avoir une école séparée si la demande de séparation est fondée sur une différence de croyances religieuses.
> Article X. Il pourra être établi une école de filles par paroisse.
> Article XI. Devoirs de chaque trésorier et greffier de comté : tenir bureau séparé et conserver tous documents qui lui parviendraient ; tenir un tableau statistique de son comté ; recevoir des collecteurs le montant entre leurs mains et, en cas de non-paiement au premier décembre, poursuivre les contribuables retardataires et les collecteurs négligents.
> Article XIII. Les écoles seront visitées annuellement dans chaque comté par au moins cinq des visiteurs.
> Article XIV. Il y aura un bureau d'examinateurs pour les instituteurs ; bureau installé à Québec, Montréal, Trois-Rivières et Sherbrooke.
> Article XV. Devoirs du surintendant : se mettre au fait de tout ce qui concerne les écoles dans le Bas-Canada ; tenir une liste de tout le personnel agissant et des écoles tenues sous l'autorité de cet acte ; indiquer aux commissaires le cours d'études à suivre.

Article XVI. Chaque paroisse devra contribuer annuellement pour un montant égal à l'allocation fournie à la localité pour le fonds des écoles.
Article XVII. Pour cette année, les conseils municipaux pourront imposer des cotisations additionnelles sur les meubles pour la bâtisse d'écoles.
Article XIX. Québec et Montréal sont considérés comme un comté.
Article XXIV. Clause se rapportant aux pénalités[12].

Les dispositions que renferme ce projet de loi constituent un exposé clair de la pensée de Morin en matière de législation scolaire. Favorable au développement de l'éducation primaire, il connaît bien les contraintes de tous ordres qui en limitent l'extension, en milieu rural particulièrement. Tout en veillant à propager l'éducation par l'imposition de taxes, le projet de loi définit bien les responsabilités exercées par les nouvelles autorités scolaires tant administrativement que pédagogiquement, limite l'accès aux charges à une certaine élite fort restreinte à cette époque, ceux qui savent lire et écrire, et prévoit même la scolarisation des filles et l'organisation d'écoles séparées pour les pratiquants d'une croyance religieuse minoritaire à une époque où l'éducation des filles est peu souhaitée et où l'intransigeance religieuse fait toujours des ravages. À n'en pas douter, Morin innove et adapte pour sa patrie, aux prises avec un important taux d'analphabétisme, un système qui tient compte de l'immensité du territoire, des faibles ressources financières disponibles et de l'urgence du problème à régler.

Accueil du projet de loi de Morin

Le projet est reçu de façon mitigée. Les journaux en font un grand éloge ; à titre d'exemple, l'édition du 28 novembre 1843 du *Journal de Québec* paraît significative :

> On a eu la complaisance de nous envoyer de Kingston plusieurs documents dont le plus important est le bill des écoles, bill qui ne contient pas moins de 60 pages. Nous pouvons dire avec certitude que si toutes les mesures législatives de ce pays avaient été mûries et digérées avec le même soin et la même prévoyance, nous n'aurions pas tous les ans, à défaire et à refaire des lois nouvelles qui ne font que jeter de l'incertitude dans la communauté canadienne. Nous ne nous trompions pas quand nous disions que personne ne pouvait offrir au pays plus de garanties, de capacité et de bon vouloir que M. Morin. Nous avons là son œuvre pour le prouver.

Les parlementaires sont toutefois moins enthousiastes. C'est que l'imposition d'une taxe pour l'éducation suscite une certaine crainte et des objections de principe :

> M. Hamilton a objecté au bill qu'il taxait les propriétés mobilières. M. Neilson a déclaré qu'il avait toujours été et serait toujours opposé au principe de taxation forcée pour l'éducation, introduit dans le bill. M. Harrison admirait le courage moral dont M. Morin avait fait preuve en proposant d'investir le gouvernement du pouvoir de taxer pour l'éducation ceux qui ne voudraient pas se taxer eux-mêmes mais il ne pouvait consentir à lui accorder ce pouvoir.

Mais Morin est tenace et réfute avec vigueur les arguments de ses adversaires. À ceux qui prétendent que la taxe est inconstitutionnelle puisqu'il s'agit de taxer sans représentation, Morin répond que cette taxe n'est pas destinée à grossir les revenus de la province, mais doit être appliquée aux seules dépenses d'éducation. À ceux qui protestent contre l'imposition forcée, Morin rappelle que le gouvernement n'agira que dans le cas où une municipalité refuserait systématiquement d'organiser des écoles. Quant à l'imposition de biens meubles, le député précise que la municipalité sera maître d'œuvre de cette taxe et que le gouverneur agira comme dernière limite à tout excès. Enfin, il déclare :

> La taxe qu'on veut établir n'est pas laissée d'abord à la conduite du gouvernement mais autant que possible à celle du peuple lui-même. Ce sera à lui d'en profiter.

Néanmoins, le projet de loi est déféré à un comité spécial composé de Morin, Armstrong, Berthelot, Boulton, Hincks, Christie, Jones, Taché et Viger. Ce renvoi lui est fatal : le changement de « ministère » et la peur de l'innovation vont avoir raison de ce projet de loi controversé.

Fortes tensions à la législature

Comme membre du Conseil exécutif, Morin a peu d'occasions d'intervenir personnellement. D'abord, il s'oppose à une motion du député de Brockville, George Sherwood, qui propose la formation d'un comité devant étudier les moyens à prendre pour faire publier les discours prononcés à la Chambre ; il croit que les journaux font un travail convenable à ce sujet et que l'engagement d'employés aux frais de la province tendrait à favoriser une certaine presse, qui ne délègue pas de courriéristes parlementaires.

Enfin, Morin croit inutile de présenter une clause visant à empêcher le gouvernement de dépenser l'argent sans la sanction de la Chambre puisqu'il s'agit maintenant d'un principe reconnu. Dans les deux cas, l'influence morale de Morin est telle que les auteurs ont retiré leur motion sans la soumettre aux voix.

Les travaux parlementaires, qui débutent à la fin de septembre 1843, ne permettent pas le rétablissement d'un meilleur climat entre le gouverneur et son conseil exécutif. La loi pour la création des écoles communes dans la partie ouest de la province est rapidement adoptée, contrairement à celle que Morin propose pour la partie est, de même qu'une réforme du système judiciaire du Canada-Est. Mais la tension monte d'un cran lorsque les réformistes font voter une mesure visant à faire de Montréal le siège du gouvernement : la démission fracassante du député de Kingston et membre du Conseil exécutif, Samuel Bealey Harrison, est l'occasion d'une prise de conscience des députés de la partie ouest de la province. Leurs revendications contre la députation canadienne-française et ses alliés s'accentuent lors de la présentation d'un projet de loi visant à rendre illégales toutes les sociétés secrètes, sauf la franc-maçonnerie. Le projet de loi, qui vise particulièrement l'Ordre d'Orange reconnu pour sa francophobie militante et son anti-papisme zélé, est facilement adopté avec l'aide d'une grande majorité de députés protestants. À la suite d'une recommandation du gouverneur, il sera toutefois désavoué par Londres.

Fin chaotique du premier ministère La Fontaine-Baldwin

Sûr de ne pouvoir s'entendre avec La Fontaine et Baldwin, Metcalfe négocie déjà une certaine forme de détente avec la famille Papineau et s'entretient assez régulièrement avec Denis-Benjamin Viger et Dominick Daly, un membre du Conseil exécutif fréquemment en désaccord avec le « ministère » réformiste. Les manœuvres du gouverneur Metcalfe mettent rudement à l'épreuve la patience des chefs réformistes. Déjà, le pardon accordé à deux rebelles du Haut-Canada, en juillet, alors que la même mesure est refusée aux rebelles bas-canadiens, dont Louis-Joseph Papineau, constitue un premier irritant. Au début de novembre, la découverte par La Fontaine des négociations secrètes menées par le gouverneur pour nommer un président du Conseil législatif, sans consultation du Conseil exécutif, augmente l'irritation ; pis encore, les objections de La Fontaine ne s'appliquent pas dans le cas d'une des personnes pressenties, René-Édouard Caron, puisque ce dernier possède toutes les qualités pour occuper le poste en plus d'être un réformiste reconnu comme « un des nôtres ». C'est finalement la nomination d'un tory à un poste de greffier dans un district du Haut-Canada à la fin de novembre, alors que Baldwin veut y nommer l'un de ses partisans, qui va consommer la rupture. Baldwin et La Fontaine demandent alors fermement à Metcalfe de s'abstenir de procéder à des nominations sans leur assentiment ; le refus net du gouverneur exprimé deux jours consécutifs lors de rencontres avec son conseil exécutif laisse peu de choix aux membres conseillers. Ils démissionnent tous, sauf Dominik Daly, le 25 novembre et ainsi prend fin le premier « ministère » La Fontaine-Baldwin.

La consternation de la presse est grande car peu de gens connaissent les tensions entre le gouverneur et ses conseillers. Pressé par son ami Étienne Parent de commenter les derniers événements, Morin lui écrit le 9 décembre 1843 :

> Ma retraite est un fait accompli et plus j'y réfléchis, plus l'on me presse, plus je me convains qu'il y a une impossibilité absolue pour moi de changer ma position dans les circonstances actuelles, et cela non d'après des considérations personnelles, mais pour des motifs majeurs d'intérêt public tel que je le comprends[13].

Soulagé par le départ de La Fontaine et de Baldwin qu'il considère comme intolérables, Metcalfe racontera plus tard :

> Je les laissai partir sans chercher à les retenir car il n'y en avait qu'un parmi eux, M. Morin, que j'aurais pu désirer garder et dont l'adhésion aurait pu être de quelque service au gouvernement[14].

Enjeu de taille : le gouvernement responsable

Mais Morin, comme ses collègues, reste à son siège jusqu'à la fin de la session qui dure une bonne douzaine de jours après la démission du Conseil exécutif. D'une part, les explications fournies par les deux chefs démissionnaires rapportent que les réformistes ont agi selon les règles d'un gouvernement responsable, telles qu'elles sont définies et acceptées par les résolutions Harrison du 3 septembre 1841. Selon eux, le gouverneur est libre de nommer quiconque comme aviseur du Conseil exécutif à la condition que ces nominations reçoivent l'assentiment du même conseil ; or, le gouverneur ne tient pas compte des avis répétés du Conseil en nommant des personnes qui ne sont pas agréées par la majorité de la Chambre, ce qui provoque la démission des conseillers qui ne se sentent plus en confiance. D'autre part, les partisans du gouverneur ont une version fort différente. S'appuyant lui aussi sur les résolutions Harrison, leur porte-parole Daly déclare que le gouverneur est favorable aux principes qu'elles contiennent, mais que, dans la situation actuelle, aucun principe n'est en jeu, si ce n'est que le patronage de la Couronne devrait être abandonné à la majorité. Visiblement appuyés par leur majorité parlementaire, les réformistes font accepter leur vision des événements et leur interprétation des ententes Harrison. Metcalfe tente de former un autre Conseil exécutif avec Daly, Viger, Draper et MacNab et proroge la législature le 9 décembre 1843 lorsqu'il s'aperçoit que la majorité est hostile aux projets du nouveau conseil.

Prorogation de la session de 1843

Une nouvelle phase de l'évolution politique vient de prendre fin. Alors que le premier ministère ayant la confiance des Canadiens français gouverne avec, comme principe d'union, la participation des deux groupes ethniques au lieu de l'assimilation, on assiste à l'émergence d'un parti qu'on ne peut pas qualifier de parti du gouverneur. Le rejet du ministère par le gouverneur va permettre à celui-ci et aux éléments conservateurs de vérifier s'ils peuvent diriger la province sans majorité en Chambre. Mission difficile, voire irréalisable, si l'on se fie à deux observateurs intéressés de la scène politique comme Peter et George Brown.

> They were soon to find that a detached non-partisan course was impossible for anyone of strong convictions in the Canada of 1843. Political tempers simply were to high[15].

La querelle constitutionnelle autour de la prérogative du gouverneur et des pouvoirs du Conseil exécutif ne se résorbe pas avec la fin précipitée de la session. Dès leur retour à Montréal, La Fontaine, Morin et Aylwin rencontrent la presse et leurs amis politiques pour expliquer leur démission. Ils en profitent pour créer un courant d'opinion favorable à leur théorie du gouvernement responsable, d'autant plus que Viger est occupé, à Kingston, à la mise en place d'un nouveau ministère. D'ailleurs, cette participation de Viger à la défense de la théorie de Metcalfe apparaîtra à une large majorité de Canadiens français comme « une inexplicable apostasie ».

La Fontaine précise ses positions

La situation politique confuse contribue à répandre des rumeurs qui ne sont pas totalement dénuées de fondement. Dès le début de 1844, les journaux font écho à ces potins et les commentent. Ainsi, le 3 janvier, *Le Canadien* écrit:

> Nous croyons qu'il n'y a aucun fondement aux bruits qu'on fait courir depuis quelques jours, que M. Vallières de St. Réal se retirant pour cause d'infirmité, M. La Fontaine serait nommé juge en chef à Montréal et M. Morin juge à Gaspé. Nous ne croyons pas non plus à l'histoire de la vente faite au gouvernement par M. Viger d'un terrain près de l'Évêché à Montréal pour le prix et somme de £40,000.

Les jours suivants, plusieurs journaux accréditent le remplacement de Morin par un inconnu du nom d'Atchison, qu'on ne retrouve sur aucune liste de députés[16]. Lorsqu'il devient évident que Morin n'acceptera pas, par principe, de collaborer avec le gouverneur, plusieurs journaux en font un éloge qui met en relief son désintéressement et son encouragement à la classe agricole et qui magnifie son influence harmonieuse dans les relations entre les deux ethnies au sein du gouvernement.

Rapidement, les deux camps fournissent une définition du gouvernement responsable. Pour La Fontaine, il s'agit d'un gouvernement formé par les députés de la majorité: à ce titre, ils doivent être consultés et ils peuvent donner leur avis et le gouverneur ne peut aller contre leurs intérêts. Pour Viger, il s'agit d'un gouvernement qui permet aux Canadiens français de participer à l'administration selon le bon vouloir du gouverneur qui n'a pas à se soucier d'une majorité parlementaire. « Le Vénérable[17] » écrit même une brochure[18] pour expliquer davantage sa position, mais le ton trop théorique du texte de même que l'absence d'explication du gouvernement responsable minimisent finalement la portée de cette œuvre au style touffu.

Élection sur le thème du gouvernement responsable

Mais La Fontaine et Morin ont besoin d'un appui tangible de la population. Les stratèges du parti considèrent qu'une victoire électorale, d'une part, prouvera que l'électorat canadien-français n'entend pas tergiverser sur la question du gouvernement responsable et, d'autre part, à toutes fins utiles, enlèvera toute crédibilité à Viger. Les organisateurs de La Fontaine s'entendent rapidement avec Benjamin Holmes, dont les affaires déclinent depuis qu'il doit siéger à Kingston, pour qu'il démissionne à titre de représentant de l'une des circonscriptions de Montréal. Cet homme, ancien tory fort actif et maintenant reconnu comme un adversaire acharné du gouverneur, a été recruté par La Fontaine lors des élections municipales de 1843 : son départ, que des partisans qualifient de sacrifice à la cause réformiste, est connu le 5 février et l'élection doit avoir lieu le 11 avril.

Dès lors, les événements se précipitent. Les réformistes publient un manifeste électoral pour le moins audacieux et choisissent dès le 12 février Lewis Thomas Drummond comme candidat pour s'opposer à William Molson, candidat du gouverneur. Drummond ne perd pas de temps à convaincre Francis Hincks, « qui était le meilleur et peut-être le plus habile organisateur électoral dans le pays[19] », à venir diriger sa campagne. Pris de court, Viger tente de diviser l'opposition : il propose à Morin de conserver son poste de commissaire des Terres et il lui promet, en guise de récompense, de le faire nommer juge de district à Gaspé plus tard. Mais le manque de ressources financières ne constitue pas une raison suffisante à Morin pour renier ses engagements ; il refuse net l'offre de son ancien maître. Finalement, le choix de William Molson comme candidat tory le 23 février n'est pas très bien accueilli par la Société canadienne de tempérance, qui réprouve ses activités commerciales, et même par les membres du nouveau ministère. Dominick Daly a du mal à croire que Molson puisse gagner et Viger hésite à soutenir un tory aussi enraciné.

Le clergé tente de s'immiscer dans la campagne électorale

La campagne électorale prend une tournure spéciale pour Morin lorsque Viger convainc une partie du clergé que les réformistes ne sont en réalité qu'un groupe de républicains. C'est ainsi que les *Mélanges religieux*, sous le couvert d'une pseudo-neutralité, publient une série d'articles favorables à Viger et dont les auteurs sont assurément des prêtres du Séminaire de Saint-Hyacinthe. L'abbé Joseph-Sabin Raymond, beau-frère de Morin, collabore alors à ce journal et l'ancien ministre ne peut accepter cette ingérence de l'Église car, en plus d'être un gallican convaincu, il a également pour principe la séparation Église-État. De plus, il se souvient encore des événements de 1837. Aussi, à la demande de Ludger Duvernay, il rédige des articles très sévères à l'endroit du clergé, qui vont paraître dans les numéros du 21 mars et du 1er avril de *La Minerve*. Ces mises au point, si elles ne semblent pas avoir altéré les bonnes relations de Morin avec son beau-frère et avec les autorités religieuses, vont diminuer considérablement la participation du clergé à cette campagne électorale plus que mouvementée.

La violence physique, omniprésente durant la campagne électorale, fait aussi son apparition lors du vote. L'élection doit être ajournée après l'épisode houleux du 11 avril, mais à la reprise ce n'est guère mieux malgré la présence de soldats dans les bureaux de scrutin. Finalement, Drummond est élu par une forte majorité le 17 avril. Mais c'est une victoire à la Pyrrhus où l'intégrité et les principes doivent céder le pas à l'efficacité électorale; les avantages qu'en retirent les réformistes sont plus minces que prévus et Viger ne se compte pas pour battu.

Retrait forcé de la vie politique

La participation de Morin à l'élection partielle s'est limitée à sa réplique aux articles des *Mélanges religieux*. Ce n'est pas par manque de conviction qu'il agit ainsi ou par une quelconque stratégie, mais les besoins matériels du couple Morin exigent une action concrète et rapide par suite de la perte des revenus attachés aux fonctions de membre du Conseil exécutif. Morin fait paraître deux annonces dans les journaux, l'une informant la population de l'ouverture de son bureau d'avocat à Montréal, « rue St-Gabriel, dans la maison occupée par M. Lappare, notaire, près de la pension de madame St-Julien », l'autre décrivant la clientèle qu'il entend privilégier au départ:

> Le soussigné se chargera, moyennant une modique rétribution, d'aider les miliciens à obtenir la gratuité à laquelle ils ont droit. Il n'achète pas ces droits et engage les Miliciens à ne pas les vendre, du moins jusqu'à ce qu'ils aient obtenu leur scrip qu'ils pourront alors vendre ou appliquer sur des terres. Il agira gratuitement pour les Miliciens des comtés de Saguenay, Bellechasse et Nicolet. Pour éviter une correspondance longue et souvent insuffisante, il sera mieux de s'adresser en personne à son Bureau, rue St-Gabriel à Montréal, munis de leurs congés. Il ne recevra pas les lettres non affranchies[20].

La proclamation de lord Durham en 1838, qui décrétait à nouveau l'octroi de terres aux miliciens de 1812 pour les services rendus lors de cette guerre anglo-américaine, n'a pas atteint les buts fixés. La rébellion et la mise en place du régime d'Union ne sont guère propices au règlement de cette récompense; rien d'étonnant qu'en 1844 plusieurs avocats s'affairent à régler de nombreux dossiers encore en suspens. Puisque l'administration coloniale ne voit pas à faire observer rigoureusement les conditions de cession des terres, des gens financièrement à l'aise, comme l'avocat Édouard-Louis Pacaud de Trois-Rivières, deviennent de grands spéculateurs fonciers, car

> bon nombre de miliciens ne désirant pas ou ne pouvant pas, pour diverses raisons, prendre possession des terres auxquelles ils avaient droit, Pacaud se chargea alors d'acheter leurs " réclamations " à des prix vraiment dérisoires[21].

Toujours soucieux de l'amélioration de l'agriculture et conscient de la pénurie de terres arables dans la vallée du Saint-Laurent, Morin veut contrer spécifiquement l'influence de spéculateurs comme Pacaud. Tout en démontrant sa préoccupation de servir le public avant tout, son annonce dénote à la fois un sens pratique, sans doute inspiré par madame Morin, par la clientèle recherchée et le type particulier de causes que l'ancien commissaire des Terres connaît très bien, et aussi un flair politique, par l'offre de gratuité pour les citoyens des comtés qu'il a déjà représentés ou représente encore.

Dans les jours qui suivent, *La Minerve, Le Canadien* et *Le Journal de Québec* commentent favorablement l'ouverture du bureau de Morin et le recommandent à leurs lecteurs. La nomination de Morin à titre de conseiller de la Reine, moins d'une semaine avant la tenue du vote lors de l'élection complémentaire, rehausse son prestige et ne crée pas de remous car, comme l'explique un journaliste, « nous croyons que M. Morin fut nommé conseiller de la reine lorsqu'il fut appelé à faire partie de la dernière administration ».

Un Conseil exécutif boiteux

Pendant que Viger, Joseph-Guillaume Barthe et *L'Aurore* préparent un accueil triomphal à Metcalfe dans l'intention d'accroître leur popularité, malmenée par le dernier résultat électoral, et de pouvoir compléter la formation du Conseil exécutif, les rumeurs continuent de se répandre au sujet de Morin. La mort de l'un des protonotaires de la cour du Banc de la Reine à Montréal, à la mi-juin, oblige cette cour à un arrêt de ses travaux. Aussitôt, le nom de Morin apparaît comme un éventuel successeur du juge Morrogh, décédé : cette nomination ne sera jamais faite. Quelques jours plus tard, Morin refuse encore une offre de Viger pour faire partie de la nouvelle administration. En août, un correspondant du *Montreal Times* propose un cabinet où Morin occuperait le poste de procureur général pour l'est de la province. C'est finalement le 26 août, lorsque la composition du Conseil exécutif est complétée, que l'on se rend compte des difficultés de Viger : un illustre inconnu du nom de James Smith remplace La Fontaine à titre de procureur général pour l'est du Canada et Denis-Benjamin Papineau, 55 ans, sans expérience politique, affligé d'une surdité précoce et frère du grand tribun qui a refusé de mettre fin à son exil pour occuper un poste au sein de l'administration, devient commissaire des Terres de la Couronne à la place de Morin. Les remplaçants sont faibles, mais les postes sont comblés, à la grande joie de Metcalfe.

Le gouverneur n'attend même pas l'assermentation des nouveaux conseillers pour tenter de justifier son attitude face aux démissionnaires. Le 30 août, au cours d'une réception offerte à sa résidence officielle de Monklands à une délégation du comté de Drummond dirigée par Joseph-Guillaume Barthe, il fait écrire dans une adresse, qui lui est alors présentée, que les « anciens ministres » avaient entrepris des démarches qui auraient eu « the terrible result of separation from british connexion and rule », c'est-à-dire la conséquence désastreuse de rompre le lien avec la Grande-Bretagne. La réponse de Metcalfe à ce passage constitue une apologie de son action :

> Ayant des nombreuses raisons de savoir que vous avez décrit avec justesse les plans de l'ancien Conseil exécutif, et de connaître les conséquences naturelles de ces plans s'ils avaient été mis à exécution, il était de mon plus grand devoir d'y résister[22].

Morin et La Fontaine se sentent placés sous le poids d'une accusation venant de haut. Ils ne perdent pas un instant et démissionnent de leurs fonctions de conseillers de la Reine, le 2 septembre. Leur lettre envoyée au secrétaire provincial, Dominick Daly, dénonce

> le renouvellement d'un système qui tend à révoquer en doute la loyauté et l'attachement des habitants du pays envers le gouvernement anglais [...]. Nous protestons avec toutes nos forces, et en notre nom, et au nom de ceux qui ont placé confiance en nous, contre toute imputation de la

> part des Conseillers de Son Excellence, de la nature de celle que comporte l'accusation que nous repoussons aujourd'hui[23].

Le lendemain, 3 septembre, Daly note, dans une lettre adressée aux deux démissionnaires, « qu'il y a eu mauvaise interprétation de la pensée de Son Excellence ». L'échange épistolaire prend fin le 4 septembre lorsque Morin et La Fontaine répliquent à Daly : « Nous demeurons convaincus que nous sommes encore sous le poids de l'accusation qui a nécessité notre première lettre. » Mais les journaux, durant des semaines, commentent cette correspondance, détournant ainsi leur attention du nouveau conseil pendant que Morin et La Fontaine prouvent leur désintéressement et leur loyauté à la cause du gouvernement responsable en plaçant leur fierté bien au-dessus des récompenses et des honneurs auxquels ils ont droit.

Élections générales pour le 13 novembre 1844

L'épisode des robes de soie[24] permet donc aux réformistes d'occuper l'avant-scène politique aux dépens du nouveau Conseil exécutif. L'opération charme orchestrée par Metcalfe et Viger est irrémédiablement perdue, tout comme l'épreuve de force qu'avait constituée l'élection partielle de Montréal. Mais le gouverneur et son docile conseil ont espoir de se reprendre. Aussi, le 23 septembre, ils annoncent la dissolution de l'Assemblée et une élection générale pour le 13 novembre 1844.

La campagne électorale se met en branle immédiatement. Morin y joue un rôle considérable dans la partie bas-canadienne de la province. Ses talents d'orateur sont toujours aussi faibles, mais l'expérience et le pouvoir qu'il a exercé avec tant de succès font de lui un homme respecté, écouté et dont l'appui est recherché par les candidats réformistes. Dès le 24 septembre, il est un des signataires d'une adresse invitant le docteur Pierre Beaubien et Lewis Thomas Drummond, les deux députés sortant de la ville de Montréal, à se représenter. Deux jours plus tard, il est à Québec où il adresse la parole au cours de l'assemblée tenue chez l'encanteur J.-D. Bernard par la mise en nomination des deux candidats réformistes de cette ville.

Morin, candidat dans Saguenay…

Le 1er octobre, Morin annonce sa candidature dans le comté de Saguenay qu'il représentait à la dernière législature. Il profite de l'occasion pour donner son point de vue sur les derniers événements aux électeurs de ce comté :

> La couronne ayant exercé sa prérogative indubitable de dissoudre le Parlement provincial et d'ordonner de nouvelles élections, il ne reste qu'à regretter que sous les circonstances actuelles elle n'ait pas été avisée de le faire plus tôt afin de mettre un terme par l'action efficace de notre constitution à un état de choses qui menace vos libertés à un point dont on ne croyait plus avoir d'exemple.
>
> Croyant de mon devoir de vous offrir de nouveau mes services pour vous représenter au Parlement, je vous prie dans le cas où ils seraient acceptés de ne point être offensés si l'éloignement ou l'incertitude où je suis du temps de votre élection m'empêchaient d'être alors présent parmi vous. Mon voyage récent dans votre comté, je l'espère du moins, aura suppléé en partie à cet inconvénient, en me faisant connaître vos opinions et vos besoins dont je suis disposé à m'occuper attentivement.
>
> Des événemens trop connus pour être ici un sujet de discussion vous ont fait déjà présager que mon devoir serait de me placer dans une franche et constante opposition à la soi-disant administration du jour, comme à toute autre qui dénierait de faits et de paroles l'application pratique et sans équivoque de la constitution anglaise à l'administration des affaires du pays, telle que résumée sous l'appellation de Gouvernement responsable, le seul destiné à vous maintenir dans l'état d'hommes libres, moraux et éclairés, et à obtenir le redressement de ce qui reste des maux du passé et de ceux qui surgiront à l'avenir.
>
> Vos affaires locales, d'une si haute importance sous tous les rapports et pour vous et pour le reste du pays, m'imposeront des obligations que je m'efforcerai de m'acquitter[25].

Ce manifeste électoral montre bien le choix que les électeurs auront à faire : approuver les principes des réformistes ou accepter la conduite du gouverneur. Morin, à qui d'ailleurs on confie déjà la présidence de la Chambre en cas de défaite électorale de l'actuel président, Augustin Cuvillier, recommande aux électeurs « l'union entre les citoyens », appuyant ainsi un plaidoyer en faveur de l'unité préconisée par les réformistes. Cette stratégie électorale de La Fontaine et de Morin se fonde, de fait, sur les résultats électoraux des deux générations précédentes de Canadiens français, qui ont toujours voté en bloc.

… et dans Bellechasse

Bientôt, des rumeurs circulent que Morin va accepter d'être candidat dans Bellechasse, son comté natal, représenté par Abraham Turgeon au dernier Parlement. Il refuse d'abord, « à cause de malentendus », puis se ravise par suite du désistement d'Achille Chiniquy, frère de l'abbé Charles Chiniquy, curé de Kamouraska et fameux apôtre de la tempérance. L'absence d'adversaire dans Saguenay aide Morin dans sa décision de faire la lutte à son vieil ennemi Turgeon. En fait, Morin est élu « par acclamation » député de Saguenay le 22 octobre 1844 ; trois autres réformistes bénéficient aussi de cette marque de confiance, soit David M. Armstrong dans Berthier, Pierre-Elzéar Taschereau dans Dorchester et J.-P. Lanthier dans Vaudreuil.

Lors du vote, Morin l'emporte par 131 voix dans Bellechasse contre le député sortant Abraham Turgeon et il est proclamé élu le 28 octobre. Cette double élection l'oblige à faire un choix et il optera pour son comté natal, ce qui pénalisera les électeurs de Saguenay puisqu'ils seront sans voix lors des grands débats qui marqueront l'ouverture de la session, car « le membre élu ne pourra résigner son siège qu'après les quinze premiers jours de la session ». Mais la stratégie est bonne pour les réformistes puisque le résultat des élections est très serré dans l'ensemble de la province, Metcalfe pouvant disposer d'une mince majorité de trois voix dans la nouvelle législature. Toutefois, chaque portion de la province a polarisé les votes en faveur de l'un ou l'autre des groupes en présence pour des motifs qui sont fort différents.

Victoire de La Fontaine et des réformistes au Bas-Canada…

Au Canada-Est, La Fontaine et ses réformistes remportent une grande victoire. Non seulement les réformistes augmentent en nombre, mais ils infligent des défaites significatives à Viger, John Neilson, Augustin Cuvillier, Joseph-Guillaume Barthe, Jean-Baptiste Noël et Joseph-Édouard Turcotte, tous partisans de Metcalfe. Seul Denis-Benjamin Papineau échappe à la vague réformiste dans les comtés peuplés majoritairement de Canadiens français. Il n'y a pas émergence d'un groupe canadien-français favorable à Metcalfe et, pis encore, on ne peut pas parler, en milieu rural francophone, d'un second point de vue politique tant est unanime l'appui donné à La Fontaine et Morin. Le rejet de la politique de Viger s'accompagne d'un choix très important : l'électorat canadien-français préfère l'acquisition d'un gouvernement responsable à la collaboration d'un gouverneur généreux, il pense plus à l'avenir qu'au présent et il se rallie ainsi à la doctrine d'Étienne Parent pour qui la survivance passe obligatoirement par l'acquisition de l'autonomie politique, en collaboration avec les « libéraux » du Haut-Canada, et par le maintien des institutions britanniques.

… mais échec de Baldwin au Haut-Canada

La fougue des réformistes du Canada-Ouest avait été tout aussi grande que celle de leurs collègues de l'Est lorsqu'avait débuté la campagne électorale. Ils ont attaqué les politiques conservatrices du gouverneur, le surnommant même Charles le Simple. En retour, Baldwin a été qualifié de républicain et Hincks, d'agitateur. La violence verbale a dégénéré en manifestations virulentes qui ont frisé l'émeute et qui ont obligé l'appel aux soldats pour maintenir l'ordre dans les bureaux de scrutin. Mais les efforts de Baldwin et de ses associés sont peu récompensés lors du vote : Metcalfe augmente de 17 le nombre de députés qui lui sont favorables et Hincks est battu dans son comté. À défaut de malaises économiques et sociaux d'importance, c'est une série de mesures désagréables pour cette partie de la province, attribuées aux réformistes, qui provoque cette déconfiture. Le déménagement de la capitale de Kingston à Montréal, la loi sur les sociétés secrètes, qui indigne les Orangistes et qui apparaît comme une véritable proscription politique à d'autres, et la loi d'évaluation du Haut-Canada, qui permet aux municipalités nouvellement créées de lever des taxes locales, sont autant d'irritants qui expliquent le résultat électoral.

MacNab l'emporte sur Morin à la présidence de la Chambre

Les réformistes sont déçus des résultats de l'élection, ce qui ne les empêche pas de se mettre à l'ouvrage rapidement. Leur première préoccupation est de faire élire un des leurs à la présidence de la Chambre pour remplacer Augustin Cuvillier, défait dans sa circonscription. À cette époque où les règles de procédure sont peu codifiées, « la force d'un parti dépend de la nomination de l'orateur en Chambre ». Le choix de Morin est bien vu de plusieurs députés du Canada-Ouest dont le colonel Prince et Baldwin qui écrit à La Fontaine, le 7 novembre, que « the placing one of the Ex-Minis-

Le marché Sainte-Anne transformé en Hôtel du Parlement à Montréal (*Montréal Daily Star,* janv.-fév. 1887).

ters in the Chair would be a triumph for us but it would losse us a vote in the House[26] ». Plusieurs journaux sont favorables à Morin, voyant en son bilinguisme, en sa connaissance des procédures de la Chambre et en son expérience parlementaire des atouts essentiels pour occuper cette fonction. Mais le gouverneur ne désire pas donner un poste qui puisse l'embarrasser à un adversaire aussi bon procédurier que Morin et qui a déjà refusé à deux reprises de faire partie de son conseil exécutif : il fait élire sir Allan MacNab, député unilingue anglais de Hamilton, avec une faible majorité de trois voix. La défaite de Morin, déplorable en soi, est habilement exploitée par La Fontaine et les réformistes canadiens-français qui choisissent la question de la langue comme symbole de survivance et comme moyen de discréditer les membres francophones du nouveau Conseil exécutif.

Fidèle à la stratégie de son parti, Morin exige dès les premières séances du nouveau Parlement que toutes les motions soient traduites en français et pas seulement celles « d'une importance suffisante » comme le mentionne le procureur général, qui prétexte alors une perte de temps. Lorsque le député de Bellechasse réclame une impression de 500 exemplaires dans les deux langues de tout projet de loi ou de toute motion, des objections se font entendre du côté des ministériels. Alors, il

Allan Napier MacNab, leader tory (Coll. ANC, C-117075).

combattit, avec son talent ordinaire, les objections qu'on venait de faire. Il fit sentir qu'il serait injuste de restreindre la traduction des bills, qu'ils s'appliquassent seulement au Haut-Canada ou à toute la province en général; qu'on devait sentir qu'il serait absurbe d'imposer aux membres du Bas-Canada l'obligation de voter sans connaissance de cause, et il exposa qu'ils avaient au moins autant de droit à une égalité d'impressions, et conséquemment de dépenses, que les députés du Haut-Canada[27].

Morin, procureur des Jésuites

Faire partie de l'opposition ne condamne pas Morin à l'inaction, bien au contraire. Tout d'abord, il accepte de représenter l'Église catholique dans la question des biens des Jésuites; c'est une tâche ardue qui requerra ses énergies pendant plusieurs mois. Mais il ne se fait pas d'illusions sur les résultats ainsi qu'en témoigne cette lettre adressée à l'abbé Charles-Félix Cazeau:

> J'ai été chargé de la part de Nos Seigneurs d'ici de m'occuper et de soutenir les réclamations du Clergé aux biens des Jésuites; je les ferai valoir de mon mieux et j'en suis bien sûr qu'en cela j'agirai nationalement. S'il est difficile avec les juges protestans d'obtenir une admission pure et simple, l'on pourra peut-être obtenir tout autant au moyen d'un arrangement dont j'ai déjà conféré avec vous. Mais j'oubliais que je ne suis plus dans le gouvernement.

Au début de 1845, il fait imprimer une étude particulièrement bien approfondie qui fait état de la provenance des biens des Jésuites, de leur légitimité, de leur cession à la législature canadienne en 1832 à la condition qu'ils servent à l'éducation et, enfin, de leur appropriation à l'éducation catholique. Il s'écoulera plus d'un an avant que cette question revienne au feuilleton de la Chambre. Entre-temps, il continuera d'étudier la question à la recherche de l'argument susceptible de faire triompher la cause qu'il défend.

Le développement de l'agriculture, une obsession

Durant l'année 1845, Morin est de tous les débats, tant à la Chambre qu'à l'extérieur. Il mène de front un grand nombre de dossiers et ses interventions sont reçues avec intérêt, sinon avec bienveillance. Comme à l'accoutumée, les questions agricoles retiennent particulièrement son attention. Morin appuie fermement la proposition faite par William Henry Boulton, député de Toronto, d'établir une ferme industrielle dans cette ville. Puis, le député de Bellechasse s'en prend au gouvernement qu'il accuse de ne pas assez aider William Evans qui connaît quelques difficultés financières dans la publication et la diffusion du *Canadian Agricultural Journal* fondé en 1843. À l'appui du périodique, il déclare

> qu'il ne connaît pas de meilleur moyen pour disséminer les connaissances dont nos cultivateurs ont besoin qu'une publication périodique consacrée à la science de l'agronomie. C'est en vulgarisant la science qu'elle devient réellement utile, et cela est vrai surtout par rapport à l'agriculture[28].

Morin fait partie d'un comité de la Chambre chargé d'amender les lois relatives à l'encouragement de l'agriculture dans le Bas-Canada. Il ne manque pas l'occasion, lors du dépôt du rapport de William Hamilton Merritt sur l'administration des terres publiques, de souligner le favoritisme et le gaspillage des terres publiques du Haut-Canada avant l'Union.

À titre privé, Morin est élu vice-président de la Société d'agriculture du comté de Montréal. Enfin, son honnêteté envers les miliciens de 1812 au sujet des terres octroyées en récompense lui suscite assez d'inconvénients financiers qu'il écrit à Denis-Benjamin Papineau pour se plaindre des agissements de certaines personnes peu scrupuleuses :

> Plusieurs spéculateurs qui font métier d'acheter des réclamations qui se trouvent entre mes mains, au su des spéculateurs eux-mêmes dans

presque tous les cas, et ont obtenu de nouvelles procurations dont l'effet serait de me frustrer entièrement de ce qui m'est dû. Je vous prie donc de faire tout ce qui vous sera possible pour que ce qui précède n'opère pas à mon préjudice[29].

Procureur dans l'incorporation de congrégations religieuses

Profitant sans doute de l'expérience que lui confère l'affaire des biens des Jésuites, Morin mène à terme des projets d'incorporation de congrégations religieuses ou maisons d'enseignement. C'est ainsi que la Canada Baptist Missionary Society, les Dames de la Congrégation de Montréal, le Petit Séminaire de Sainte-Thérèse et les Pères Oblats de Marie-Immaculée bénéficient des services éclairés du député de Bellechasse. Toutefois, son travail de procureur du clergé ne l'empêche pas de se prononcer sur la question du droit de vote des membres du clergé. Son intervention, lors de l'étude du projet de loi présenté par le député de Lotbinière, Joseph Laurin, tendant à permettre au clergé de voter, fait preuve de sagesse et incite à la réflexion :

> M. Morin était d'opinion qu'on ne devait pas confondre l'ordre religieux avec l'ordre judiciaire, avec les juges par exemple, que des raisons d'État voulaient éloigner de la vie politique. Qu'il serait sans doute préférable que les ministres des cultes s'en abstinssent, à cause du caractère spécial de leur mission, mais que comme ils ne demandaient pas eux-mêmes d'être exclus de la franchise électorale, on ne devait pas les en priver malgré eux ; on devait les laisser en liberté, persuadé qu'ils sentiraient eux-mêmes la convenance d'en user avec discrétion[30].

Intérêt pour les chemins de fer

À la Chambre, les interventions de Morin étonnent parfois ses collègues. Il appuie, par exemple, la pétition de David Lewis MacPherson visant à « s'enquérir des meilleurs moyens de protéger les oiseaux sur la côte du Labrador et leurs œufs et de les conserver pour les habitans de cette province ». Il démontre alors une connaissance ornithologique peu commune. Son intérêt constant pour le développement de la bibliothèque du Parlement en fait un membre presque permanent du comité qui assiste « l'orateur » à ce sujet. Enfin, il fait preuve d'un sain réalisme financier lorsqu'il appuie la demande du député de Gaspé, Robert Christie, de réduire le salaire de l'orateur à £500, « vu les moyens si peu considérables du pays ».

C'est au cours de cette même année 1845 que Morin commence à s'intéresser aux chemins de fer. Il saisit immédiatement toute l'importance de ce moyen de transport révolutionnaire. Comme procureur, il fait incorporer la compagnie de chemin de fer de Montréal à Stanstead. Il est un des premiers actionnaires de la compagnie de chemin de fer de Montréal à l'Atlantique, siégeant au comité intérimaire de gérance, et il se rend à Portland à la recherche d'actionnaires américains intéressés au projet et aussi pour constater l'état des travaux dans la république voisine.

Parallèlement à son ouverture au monde des affaires et du transport, le député de Bellechasse commence une série de conférences publiques sur des sujets variés. Ainsi, à la Mercantile Library Association de Montréal, il prononce le 17 avril une conférence sur « l'importance pour les habitans des villes d'encourager dans les campagnes la production d'articles exportables». Cette «lecture» est, en fait, un résumé des connaissances et des expériences de Morin au point de vue agricole; toutefois, le journaliste prend bien soin de noter que l'intérêt est venu du contenu... Mais l'éducation est le plus important sujet que traite Morin durant la session mais aussi en dehors de l'Assemblée.

Viger et la théorie de la «double majorité»

Toutes les activités de Morin ne l'empêchent pas de prendre une part très active à l'élaboration de la ligne de conduite du Parti réformiste, car les adversaires sont vigoureux. Les ministériels répliquent à la guerre de prestige qui leur est faite depuis l'élection générale. Ils tirent d'abord profit de l'accession de Metcalfe à la Chambre des lords, à la fin de décembre 1844, bien que ce dernier soit de plus en plus malade et incapable de jouir pleinement des avantages rattachés à cette nomination. À ce nouveau prestige vient s'ajouter, à la mi-janvier 1845, le crédit de la libération des patriotes du Bas-Canada qui avaient été exilés et qui commencent à rentrer au pays. La propagande de Barthe aidant, Viger et Papineau commencent à rétablir leur crédibilité auprès des électeurs du Bas-Canada.

Convaincu que le résultat électoral ne doit pas empêcher ni une partie de la province d'être représentée au Conseil exécutif ni les meilleurs hommes d'y être présents, Viger avance une théorie séduisante, sans être tout à fait nouvelle, qui peut créer une scission chez des réformistes trop impatients d'exercer le pouvoir. La «double majorité» se veut une application démocratique de la volonté exprimée par le peuple lors des élections générales : les membres du Conseil exécutif devraient être choisis obligatoirement parmi les membres du parti politique qui détient la majorité des sièges dans *chacune* des deux sections de la province. D'abord exprimée dans *Le Canadien*, la nouvelle règle du pouvoir gagne rapidement des adeptes. Un à un, les journaux canadiens-français y adhèrent durant l'année 1845, même *La Minerve* et Ludger Duvernay. C'est que l'isolement, auquel la prise de position de La Fontaine et Morin confine la majorité de la députation bas-canadienne, pèse lourd dans le climat politique de l'époque, car on craint d'être exclus des grandes décisions et même des affaires courantes de la colonie.

Le plan de Viger exige des Canadiens français de renoncer à leurs conditions pour entrer au sein du Conseil exécutif, écarte le concept même de gouvernement responsable, empêche la formation de véritables partis politiques, conserve au gouverneur général toutes ses prérogatives, y compris le patronage, et fait de la question nationale la plus importante des préoccupations des élus. Mais il ne semble pas avoir prévu toutes les applications de sa théorie, comme sa propre exclusion du pouvoir et l'isolement auquel seraient voués les représentants canadiens-français dans un tel conseil.

Discrédit momentané de La Fontaine et Morin

La Fontaine et Morin connaissent alors des difficultés, même au sein de leur parti. Ils sont perçus comme étant trop liés au groupe de Baldwin et, aussi, comme trop attachés à leur propre théorie. Pourtant, ils fondent leur conception du pouvoir sur des notions fort simples. Pour eux, les problèmes des Canadiens français sont plus politiques que nationaux et l'exercice du pouvoir doit se faire conjointement entre le gouverneur et les membres du Conseil exécutif. Comme ils ont déjà démissionné à cause d'un manque de consultation du gouverneur et que la double majorité n'est pas le gouvernement responsable, ils ne peuvent souscrire à l'idée du jour, mais ils sont vilipendés par les journalistes, même pro-réformistes, pour leur entêtement. Décidément, Viger obtient des succès inespérés.

Retour d'un projet de loi de Morin sur l'éducation

Pendant que la querelle sur la théorie de la « double majorité » occupe journalistes et hommes politiques, Denis-Benjamin Papineau présente une mesure législative susceptible de donner à l'équipe Draper-Viger une popularité considérable, dont elle a terriblement besoin d'ailleurs, au Bas-Canada. Il s'agit d'une refonte du projet de loi scolaire présenté peu avant la crise ministérielle de 1843. Morin, aidé par Jean-Baptiste Meilleur, a été le rédacteur du projet de loi original. Papineau ne se gêne pas pour lui en attribuer en grande partie le mérite, aidé en cela par les discours enflammés de La Fontaine, Étienne-Paschal Taché et Eden Colville qui accusent le ministre de copier une œuvre d'importance pour mieux s'en attribuer les avantages.

Morin agit comme principal porte-parole de l'opposition mais il ne critique ni le fond ni la mise en application du projet de loi, au grand dam du journaliste chauvin de *La Minerve* qui n'y voit que des défauts. Il faut dire que le texte nouveau expurge de l'édition originale toutes les clauses qui ont soulevé de violentes querelles lors du premier débat et remet le contrôle des écoles à des commissaires élus selon une base confessionnelle alors que les « visiteurs » ecclésiastiques vérifient l'orthodoxie religieuse. Tout au plus, Morin ne demande que des éclaircissements sans jamais exprimer d'objection. Fidèle à ses principes, il ne peut voter contre un bon projet de loi, sous prétexte qu'il émane des adversaires ; aussi, la nouvelle loi est rapidement adoptée. L'importance de cette nouvelle loi scolaire est grande car elle assure la survie des Canadiens français selon un système conforme à leurs besoins et à leurs traditions, et met fin, en pratique, aux menaces contre l'existence de la langue française, telle que prévue par le régime d'Union.

Recul des réformistes au Bas-Canada

Les conséquences politiques de la loi scolaire se font rapidement sentir. En plus de faire perdre aux réformistes de La Fontaine un argument important dans sa lutte contre le ministère Draper-Viger, la loi fait ressortir les avantages de la « double majorité ». L'astucieux Viger commence à ébranler le solide bloc formé autour de La Fontaine et Morin. Il remporte au cours de l'été 1845 deux victoires électorales qui confirment une remontée importante de l'opinion publique en faveur de ses opinions et prises de position. D'abord, en juin, il est élu député du comté de Trois-Rivières aux dépens d'un jeune avocat peu connu. Victoire peu convaincante à la vérité, car le comté de Trois-Rivières a la réputation de toujours voter pour le parti au pouvoir lors d'élections partielles. Mais la victoire dans Dorchester, où l'élection a été rendue nécessaire par le décès du député et partisan de La Fontaine, Pierre-Elzéar Taschereau, ne manque pas d'inquiéter les réformistes, d'autant plus que le nouvel élu est le frère du défunt, qu'il est immédiatement nommé procureur général et que le vote a porté essentiellement sur la théorie de la « double majorité ».

Dans les semaines qui suivent la victoire dans Dorchester, des tractations ont lieu entre William Draper et René-Édouard Caron pour rendre plus forte l'administration du pays[31]. C'est que Draper, un conservateur modéré revenu à la politique à la demande de Metcalfe en 1843, veut atteindre l'équilibre des forces dans la formation du Conseil exécutif, car il ne croit pas aux partis politiques. Pour y arriver, il lui faut entamer le bloc francophone et il « s'attaque habilement à l'élément le plus faible des partisans de La Fontaine: le groupe de la ville de Québec qui avait l'impression que Montréal l'abandonnait[32] ». En s'adressant à Caron, principal porte-parole de cette faction, Draper atteint la personne la plus sensible à cette rivalité Québec-Montréal. Il offre de remplacer Viger et Papineau par Morin et Caron ; officiellement, cette offre est conforme à la théorie de la « double majorité », mais, en pratique, elle vise à isoler La Fontaine et à l'affaiblir. Les conseils de modération de Morin à La Fontaine à l'endroit de Caron empêchent l'éclatement des réformistes bas-canadiens ; Morin et Caron refusent l'offre de Draper mais la graine de discorde semée par Draper refera surface au cours des prochaines années.

Le calme avant la tempête

Après avoir connu des mois agités, la vie politique devient plus calme à l'automne de 1845. Trois événements seulement vont briser la routine quotidienne. D'abord, la querelle anglo-américaine pour la possession du lointain territoire de l'Oregon alimente l'actualité on ne sait trop pourquoi : ce litige n'a aucun lien avec l'administration de la colonie et les hommes politiques ne savent quoi penser de la question. Ensuite, le retour de Louis-Joseph Papineau fait perdre de la popularité à Viger. Le dernier exilé se confine dans un mutisme politique qui écorche l'administration en place, puisqu'elle s'est constamment réclamée de lui. Enfin, le départ du gouverneur Metcalfe, miné par les souffrances de son implacable maladie, met fin à une époque. Mais ces activités ne sont pas suffisantes pour occuper tout le temps dont dispose Augustin-Norbert Morin.

L'éducation et son importance : conférence à l'Institut canadien

Conscient que la loi scolaire assure à ses compatriotes le droit de recevoir l'instruction dans leur langue, le député de Bellechasse décide de compléter son projet en matière d'éducation. Il accepte l'invitation de l'Institut canadien de Montréal et prononce devant les membres de cet organisme une conférence mémorable. Limitant son sujet à l'école primaire, Morin décrit ce que devraient être les études à ce niveau, réfute les arguments de ceux qui s'opposent à la levée d'une taxe pour l'instruction et émet des suggestions qui ne manquent pas d'étonner ses auditeurs.

Ainsi, il suggère dès le primaire la cohabitation de francophones et d'anglophones « dans un pays comme celui-ci où deux langues sont d'une égale nécessité ». Il propose une méthode synthétique pour apprendre à lire, semblable à celle des sourds-muets, et souligne que « l'autre remède, celui de changer la langue en écrivant comme on parle, contredirait tant de données, que l'essai qu'on en a fait en France a de suite couvert son auteur d'un ridicule que l'idée du moins ne méritait pas ».

Puis, parlant de problèmes concrets, Morin croit que « l'introduction de livres uniformes, dans chaque même école, deviendra indispensable aussitôt que les ressources publiques et privées de ces écoles le permettront ». Il est d'avis que la méthode éducative des Frères des écoles chrétiennes est le modèle à imiter, mais il note que les membres de cette communauté ne pourront œuvrer dans les écoles communes à cause de leur mode de vie et de règles particulières d'association. Et au sujet des types d'écoles que devrait posséder le Bas-Canada dans les campagnes, Morin mentionne les écoles communales, les écoles modèles de paroisse et les écoles supérieures de comté. Abordant le fameux débat de la taxation, le député de Bellechasse fait l'historique des modestes débuts de l'éducation primaire et du financement de ce réseau d'école :

« Les moyens pécuniaires du trésor public n'étaient plus les mêmes et ne pouvaient suffire en totalité à répandre l'instruction dans les masses ; la générosité individuelle était une source trop incertaine et trop souvent en faute. Il a donc fallu appeler la population à contribuer, pour une partie des ressources qui n'étaient créées que pour elle. C'est la position des écoles aujourd'hui. »

Le conférencier dénonce alors ceux qui contestent la taxation scolaire :

> L'on se convaincra avant peu que la contribution voulue par la loi, en même tems qu'elle est la plus naturelle et la plus juste, est la seule sur laquelle il faille compter. À ceux qu'a effrayés le mot de taxes, on doit poser la question nettement s'ils veulent l'instruction pour leurs enfans, ou s'ils n'en veulent pas. S'ils sont pour la négative, qu'on leur fasse voir, si l'on peut, qu'ils consentent à devenir des êtres abjects et malheureux, esclaves des populations instruites qui les environnent ; s'ils sont pour l'instruction, qu'on leur fasse comprendre que les ressources publiques qui y subvenaient autrefois ont cessé d'être les mêmes, et que la moitié que fournit le gouvernement est tout ce qu'on en peut attendre ; que le reste ne peut se prendre que chez ceux qui doivent profiter de l'instruction et du milieu desquels il s'agit de la répandre ; que le corps social ne peut vivre sans nourriture, pas plus que le corps matériel ; enfin qu'on ne peut appeler taxe ce qui, fourni par eux, est tout d'abord doublé par le gouvernement et ensuite dépensé pour eux et par eux.

Enfin, parlant du cadre pédagogique dans lequel évolueraient ces écoles primaires, Morin définit les matières qui devraient être étudiées et considère que les écoles communes devraient avoir un cours limité à trois ans. Il fixe à deux années les études dans les écoles de paroisse et à trois années, celles des écoles de comté. Terminant sa conférence par quelques observations très personnelles, Morin fait d'abord référence à sa propre condition, dans sa jeunesse :

> Je voudrais que ceux qui ont la direction des écoles quelconques et qui suivent les progrès avec intérêt, fissent choix tous les ans d'une couple d'enfans pauvres, mais faisant preuve d'heureuses dispositions et de talent, pour les porter aux écoles d'un degré supérieur.

Le conférencier désire non seulement que l'instruction fleurisse, mais que l'acquisition de connaissances soit à la portée de tous. Fidèle à la pensée propagée par Alexandre Vattemare, il déclare : « Je voudrais qu'on formât des bibliothèques instructives et amusantes dans chaque paroisse, et plusieurs de celles du Bas-Canada ont commencé cette bonne œuvre . » Finalement, conscient de la difficulté de professer et de l'ostracisme social qui entoure l'enseignant, il exprime un souhait :

> Je voudrais qu'on encourageât l'association des instituteurs, comme il en existe une dans le district de Québec et dans celui de Montréal, et qu'on s'assurât dans leur zèle et leur expérience des moyens d'établir l'uniformité, de connaître et de réformer les abus. Je voudrais enfin qu'après avoir choisi des instituteurs qualifiés, on leur donnât pour le moins les mêmes moyens de vivre que possèdent les populations parmi lesquelles ils se trouvent, et qu'on les entourât de reconnaissance et d'égards.

Il met fin à son discours par un long et rigoureux plaidoyer en faveur de la liberté religieuse, un principe qu'il défend avec ardeur malgré son accointance avec le clergé :

> Mais si ma voix pouvait être entendue partout où règnent la charité et la bienveillance chrétienne, je conseillerais de ne pas paralyser l'efficacité des écoles en les divisant inutilement [...]. À tous je ferai remarquer que ceux qui sont en majorité dans un endroit, sont en minorité quelque part ; que, quant à l'oppression par le bras de la loi, elle est inutile et dangereuse [...]. L'homme sans religion serait un monstre ; l'homme persécuteur ne serait guère mieux [...]. Unissons avec un esprit chrétien toute notre énergie et notre charité pour instruire, relever et nourrir, au moral comme au matériel, la société telle que Dieu l'a constituée et dont il a voulu que nous formions utilement partie[33].

Les journaux accordent une large couverture à l'événement en annonçant la conférence de Morin puis en la résumant. Tous soulignent le grand nombre de personnes présentes et le journaliste de *La Minerve* ajoute ces commentaires flatteurs mais réalistes : « Ce fut partout la même érudition, les mêmes vues larges et lucides ; partout cette profondeur de raison que ce savant monsieur répand sur tous les sujets qu'il traite. »

Adapter les institutions aux besoins de ses concitoyens

C'est que l'éducation, sujet brûlant d'actualité, vit des moments difficiles ; la loi adoptée lors de la session précédente ne règle rien, car elle ne satisfait ni le clergé catholique ni les éventuels payeurs de taxes. Morin veut alors élever le débat qui gravite essentiellement autour des deux pôles bien définis : l'aspect religieux de l'éducation et le problème des taxes. Pour lui, l'avenir de la nation canadienne-française est en jeu et il veut alors un système d'éducation qui tienne compte de toutes les particularités du Bas-Canada. Ce souci de singulariser l'éducation bas-canadienne, déjà observé dans son projet d'agriculture, va devenir une constante de son action politique. À la session de 1846, il sera le chef de file des parlementaires qui feront des pressions auprès de Denis-Benjamin Papineau pour obtenir des amendements qui permettent au clergé de contrôler le recrutement des maîtres et la sélection des manuels scolaires. Par ces actions, il récupère au profit des réformistes un élément important d'un projet de société que le ministère Draper-Viger est venu bien près de leur ravir. Mais la « guerre des éteignoirs » suscitera des problèmes à Morin et à ses projets d'une éducation répandue et adaptée aux besoins des siens.

Metcalfe remplacé par Cathcart

Pour remplacer Metcalfe, les autorités britanniques nomment Charles Murray Cathcart comme administrateur intérimaire de la colonie. Cette nomination reflète bien l'état tendu des relations entre les États-Unis et l'Angleterre au sujet de l'Oregon, dont la possession fait l'objet d'une controverse suffisamment importante pour laisser croire à une troisième guerre entre ces deux pays en moins d'un siècle. En effet, lord Cathcart est déjà le commandant en chef des forces britanniques lors de sa nomination qui se veut un avertissement aux Américains.

Militaire de carrière, il gagne ses galons dans l'armée anglaise au temps des guerres napoléoniennes. Après cinq mois dans ses fonctions d'administrateur, lord Cathcart est nommé officiellement gouverneur en avril 1846. Cette nomination ne change rien à la politique canadienne, car cet homme simple et poli s'intéresse peu à la politique et n'entend pas apporter de modifications à l'administration coloniale en vigueur au Canada-Uni. D'ailleurs, sitôt le danger de conflit écarté en Oregon, il sera rappelé.

Session parlementaire de 1846

Mais la présence d'un gouverneur à la conduite politique plus neutre n'empêche pas la virulence des débats au début de la session, en mars 1846. La réorganisation de la milice, à cause des événements en Oregon, a fourni à Ludger Duvernay et aux réformistes des arguments à saveur nationaliste bien avant la rentrée parlementaire[34] qui s'annonce mouvementée avec les discussions entourant un projet d'indemnisation pour les victimes de l'insurrection de 1837-1838 au Bas-Canada.

Dans ces conditions, le rôle d'Augustin-Norbert Morin à l'Assemblée devient primordial. Toujours calme, bien au fait de la situation politique générale de la colonie et possédant bien les dossiers qu'il défend, le député de Bellechasse est de tous les comités : il fait partie du comité des bills privés, du comité pour aider l'orateur dans la direction de la bibliothèque, du comité spécial chargé d'enquêter pour s'enquérir des causes d'incendies occasionnées par les machines à vapeur sur terre et sur eau, du comité des privilèges et élections et du comité du département des postes. Il est même prévu qu'il remplacera temporairement l'orateur, sir Allan McNab, qui devra se rendre au chevet de son épouse dont la santé est dans un état alarmant.

Le 27 mars 1846, Morin appuie la proposition du nouveau député de Cornwall, John Hillyard Cameron, qui demande à lord Cathcart de communiquer à la Chambre toute la correspondance et les documents relatifs aux tentatives qui ont été faites pour reconstruire le ministère. Il rabroue le député de Québec, Thomas Cushing Aylwin, qui demande à être exempté de voter sur cette question à cause de sa conduite équivoque dans cette affaire, et il donne une leçon sur les institutions britanniques au solliciteur général du Canada-Ouest et député de Toronto, Henry Sherwood :

> L'honorable membre a dit qu'il croyait qu'une correspondance avait eu lieu. Si tel était le cas, le peuple du Canada avait droit de le savoir. Si une motion telle que celle-ci avait été faite en Angleterre, et qu'elle eût été reçue comme la nôtre, c'auraient été les membres du gouvernement et non l'opposition qui aurai[en]t insisté sur l'enquête, et le ministère qui s'y serait refusé n'aurait pas été toléré un instant.

Indemnisation des Canadiens pour l'insurrection de 1837-1838

La commission d'enquête chargée en 1845 par le ministère Draper-Viger d'évaluer le coût des dommages et des indemnités à payer aux Canadiens français victimes de l'insurrection de 1837-1838 dépose son rapport ; le montant total des réclamations estimées à £241,000 provoque des remous. Au lieu de voter les sommes demandées, l'Assemblée se plonge dans un inutile et douloureux débat qui ne sert qu'à raviver les passions. Le député de Bellechasse, personnellement marqué par ces événements, commente ainsi le rapport :

> M. Morin dit qu'il semblait que le Bas-Canada n'avait pas été suffisamment calomnié. Il semblait que ce n'était pas assez pour lui d'avoir été soumis à des cours illégales, mais on voulait encore lui faire son procès devant les commissaires. Si l'on voulait suivre cette marche, il demandait ce que signifiaient ces mots d'oubli, de pardon, qu'on avait si souvent entendu retentir dans cette chambre[35].

Élections municipales à Montréal, 1846

Le harcèlement du gouvernement par les réformistes prend toutes les formes imaginables. Après un vif mécontentement au sujet des nominations de la milice, la tumultueuse élection à la mairie de Montréal, en mars 1846, démontrera que les réformistes possèdent une organisation efficace et bien rodée. Le maire sortant, James Ferrier, élu par les Canadiens français en 1844, fait maintenant partie du groupe des marchands tories et son opposant est John Mills, riche américain de naissance, ami de La Fontaine et des réformistes. Contre toute attente, la campagne électorale n'aborde pas des thèmes municipaux, mais elle est plutôt la répétition presque intégrale de l'élection de Lewis Thomas Drummond, deux ans plus tôt : même organisateur en chef pour le candidat réformiste, Francis Hincks, même violence démontrée par les travailleurs d'élection. Mais cette action ne parvient pas à ébranler la confiance publique envers le gouvernement, car l'intimidation, en plus d'être peu nouvelle dans les mœurs politiques de l'époque, ne constitue pas une aune permettant de connaître la capacité de gouverner. C'est à l'Assemblée qu'on distingue, parmi les élus, ceux qui sont capables de diriger la colonie. Le reste de la session 1846 fournit à Morin, qui n'a pas pris part à l'élection municipale, l'occasion de faire l'étalage de tous ses talents.

Les biens des Jésuites

Après ses prises de position fermes au sujet de la publication de l'échange de correspondance qui a marqué la tentative de replâtrage du ministère l'année précédente et le projet d'indemnisation des victimes de la rébellion de 1837-1838 au Bas-Canada, le député de Bellechasse est appelé à présider les débats du 13 avril au 19 mai 1846. Il occupe ce poste avec grand succès, démontrant aisément que les talents que ses partisans lui ont prêtés, lors de l'élection au titre d'orateur, sont réels.

Sitôt revenu à son siège de député, Morin s'engage dans le fameux débat sur les biens des Jésuites. Cyclique depuis 1792, le débat arrive maintenant à une phase cruciale comme le souligne Mgr Bourget à Morin :

> Ayant vu sur les journaux du 25 courant l'avis donné par l'Honorable M. Cayley d'une motion que ce monsieur se proposait de faire pour que le revenu provenant des biens des Jésuites fut appliqué aux fins de l'éducation générale dans le Bas-Canada, je pense que ce sera alors probablement que la requête présentée au nom des Evêques sera prise en considération. Les Evêques n'ayant aucun autre moyen officiel de se faire entendre que par leur Requête et le mémoire qui l'accompagne, dans le cas où le résultat de leur demande ne répondait pas à leur attente, je vous prie de vouloir m'indiquer la marche qu'il y aura à suivre pour réclamer[36].

Comme procureur du clergé catholique, Morin mène une lutte acharnée au projet gouvernemental piloté par le député de Huron et inspecteur général des Comptes, William Cayley. Il reçoit l'aide de La Fontaine, Drummond, Berthelot, Taché et Chauveau, ce qui n'empêche pas son premier amendement, qui stipule « que ces biens fussent rendus au clergé catholique », d'être rejeté par 36 voix contre 23. Il ne se compte pas pour battu et il entreprend, à la reprise de la séance, de démontrer que la motion de Cayley oublie « qu'une partie considérable des terres des Jésuites n'avait pas été donnée par le gouvernement mais par des individus », ce qui modifie la théorie des ministériels qui prétendent pouvoir disposer de ce qui a été concédé par le gouvernement de la France avant la Conquête. Il fait une ouverture susceptible de rallier des protestants, déclarant que « quoique l'on désirât que la portion catholique de la population eût le contrôle de ces propriétés, cependant il n'existait aucune raison quelconque pour croire que les protestants seraient privés totalement de participer aux avantages qui découleraient du bon emploi de ce revenu ». Il termine son intervention en faisant un nouvel amendement, proposant que les biens des Jésuites

> « maintenant en dépôt pour des fins d'éducation, suivant un acte de la législature provinciale du Bas-Canada, devraient être remis à l'Église catholique du Bas-Canada, pour les dites fins d'éducation, sous tels règlements qui pourront être adoptés ci-après, comme étant le meilleur moyen de se conformer à la nature et à la destination primitive de ces dits biens ».

Mais cette nouvelle proposition est aussi rejetée, au grand désarroi du clergé qui se heurte de front aux idées libérales de Denis-Benjamin Viger et aussi au précédent créé par la loi de 1832 au sujet des allocations prises à même le revenu des biens des Jésuites et attribuées à diverses institutions, sans distinction de religion. Dans un commentaire sur cette affaire, *Le Canadien* minimise le rôle des réformistes en déclarant que « M. Morin est le seul ex-ministre qui ait protesté jusqu'au bout contre la spoliation de l'Église catholique » et, du même souffle, il reproche à Morin et La Fontaine d'avoir voté pour la loi de 1832, ce qui suscite une vive réaction de *La Minerve* qui met en contradiction avec lui-même le journal québécois :

> Mais que *Le Canadien* se rappelle donc ce qu'était le Canada à cette époque, qu'il se rappelle que nous étions comme l'a dit M. Morin, engagés dans une grande lutte politique et qu'il fallait faire des concessions pour obtenir justice d'un gouvernement qui allait même alors jusqu'à prétendre à la possession absolue des propriétés des Jésuites. Dans un temps d'agitation comme l'était pour le Canada l'époque de 1832, si la Chambre d'Assemblée eût tenté de mettre entre les mains des catholiques seuls le revenu des biens des Jésuites, alors l'éditeur du *Canadien* aurait été le premier à crier au fanatisme à l'extravagance, à dire que les patriotes tombaient dans l'excès, qu'ils voulaient la ruine, le malheur du Canada.

Ultramontains contre libéraux

La question des biens des Jésuites va avoir des conséquences plus grandes que ne le laisse voir la prise de position des députés. D'abord, les évêques constatent que les idées libérales font du progrès puisque leur protestation auprès du gouverneur, à la suite du vote tenu à la Chambre, constitue le départ d'une violente polémique journalistique mettant en cause la pensée ultramontaine et la pensée libérale. Ensuite, les réformistes, déjà défenseurs de la langue, se rendent compte que la défense de la foi peut être un atout électoral important, d'autant plus que « la nouvelle thèse de [Joseph-Édouard] Cauchon à propos de la langue gardienne de la foi[37] » connaît du succès auprès du clergé. Enfin, à la suite des expériences éprouvantes vécues avec le ministère lors de cette session de 1846, le clergé retire son appui à Viger et ses amis ; cette décision, visible quoique non officielle, est sûrement un facteur qui incite Viger à remettre sa démission du Conseil exécutif à lord Cathcart le 17 juin 1846.

Les discussions sur l'éducation et les biens des Jésuites marquent le début de l'émergence de l'Église comme partenaire social et d'une idéologie ultramontaine qui deviendra, rapidement, dominante. Mais de là à prétendre que c'est à ce moment précis que date l'alliance entre l'Église et le Parti réformiste, il y a une marge qu'on ne peut aisément franchir. Disons plutôt que débute alors une période de probation entre l'Église et les réformistes. D'une part, la hiérarchie est fortement déçue de cette première accointance avec les politiciens élus : Viger, cousin de Mgr Lartigue, n'est-il pas une caution incomparable, meilleure que Morin qui a répondu sans ménagement aux articles des *Mélanges religieux* lors de l'élection partielle de 1844 à Montréal ? D'autre part, La Fontaine a bâti son parti sans l'appui du clergé et il entend conserver une certaine indépendance. Il faudra attendre une autre élection générale et les grands projets en matière d'éducation, comme la fondation de l'Université Laval et des écoles normales de même que l'aide aux écoles séparées du Haut-Canada, pour parler d'une alliance entre l'Église et les réformistes.

Morin, partenaire recherché

Morin n'agit pas seulement à titre de procureur du clergé dans l'affaire des biens des Jésuites. Il en vient à être reconnu comme arbitre de querelles paroissiales et, de partout, on fait appel à ses services, car son bon jugement et ses vastes connaissances de droit font l'unanimité. Ses services sont aussi recherchés par les actionnaires de la compagnie de chemin de fer de Montréal à Portland qui l'élisent comme directeur, et les directeurs, comme vice-président. Son nationalisme constant a fait de lui un membre de la première heure de l'Association Saint-Jean-Baptiste de Montréal, fondée par son ami Ludger Duvernay ; il accède à la présidence en juin 1846 et voit à l'organisation de la fête patronale du 24 juin.

Querelles entre réformistes de Québec et de Montréal

Alors que l'été est habituellement la saison de l'année où la vie politique connaît un net ralentissement, le départ de Denis-Benjamin Viger provoque la naissance de rumeurs concernant le remaniement du Comité exécutif. Avant même ce départ, les journalistes, observateurs obligés de la politique, constatent que Morin a fait bonne impression comme orateur temporaire, si l'on en juge par le montant qui lui est voté à ce poste, et que le député de Bellechasse pourrait être nommé orateur, si la rumeur qui nomme sir Allan MacNab comme adjudant général de milice se concrétise. C'est autour de Morin que se concentrent les efforts de replâtrage du Comité exécutif ; il est à la fois l'enjeu et le moyen dont on se sert pour obtenir un certain prestige, pour écarter un adversaire et pour humilier un chef trop orgueilleux. C'est que la discorde entre les réformistes bas-canadiens prend de l'ampleur et que l'habile politicien William Draper a décidé de se servir de cette arme, malgré la tentative infructueuse de l'année précédente ; cette fois, il pense avoir tous les atouts en main.

La « réaction » prend de l'ampleur. Cette contestation du rôle trop important des Montréalais au sein du Parti réformiste aux dépens des Québécois s'intensifie lorsque René-Édouard Caron, maire de Québec depuis 1834, démissionne de son poste le 2 février 1846 pour prendre la défense des intérêts québécois. Les Montréalais répandent alors toutes sortes de rumeurs au sujet des intentions de Caron. Lorsque Viger démissionne, Caron passe à l'attaque et désire éloigner Morin de La Fontaine. Pour les Québécois, Morin est l'un des leurs même s'il réside à Montréal et il se montre sensible à leurs revendications. Plusieurs réformistes, dont Hincks, craignent cette éventualité[38]. C'est alors que Draper tente de récupérer la situation à l'avantage des tories en faisant une offre alléchante à Morin :

> I am commanded by the Governor General to express to you his lordship's desire to obtain both your services and those of the Hon. Mr Caron, as members of Executive Council, and also in either of the following offices, viry : Chairman of the Committee of Council, Provincial Secretary or Receiver General, as his Lordship will be prepared to effect the necessary arrangement for your respective appointment.
>
> His Lordship directs me to express his desire to obtain your assistance, not only on account of your personal character and ability, but from a strong expectation that your appointment will give additional confidence in the administration among that portion of Her Majesty's subjets in this Province with whom you are more immediate by connected[39].

Morin est indécis. La Fontaine est déterminé à le laisser prendre seul sa décision et ne veut pas l'influencer. En bon démocrate, Morin consulte alors tout l'état-major du parti. Mais les tiraillements continuent et ne l'aident guère. Influencé par Hincks, il refuse l'offre le 19 août 1846 :

> I regret, however, to inform you, that notwithstanding my sincere desire to be of service at all times to my sovereign and my Country, it is not in my power to accede to the proposal contained in your letter.

L'unité du Parti réformiste a été ébranlée et Draper peut se vanter d'avoir au moins semé le doute parmi les membres du parti. Mais la « réaction » sort grande perdante de l'aventure puisque son chef, Caron, n'a pas accepté l'offre qui lui est faite et a préféré réintégrer les rangs du parti. Et, lorsque la presse s'empare de l'affaire, Morin s'empresse de rédiger une lettre qui paraît dans *Le Canadien* et *La Minerve* du 31 août. Il apporte ses explications au sujet de dernières négociations, protégeant la conduite de Caron et confirmant le rôle de chef reconnu à La Fontaine. Il s'en prend particulièrement au *Canadien*, contredisant certains énoncés parus précédemment, et il le rend responsable de l'état d'esprit qui règne chez les réformistes :

> Je ne dois pas terminer sans exprimer mon regret que le même journal de Québec, en discutant les mêmes circonstances, l'ait fait d'une manière propre à diviser en sections rivales les districts de Québec et Montréal, à fomanter la jalousie et la haine entre eux et à rendre ainsi impossible dans sa pratique, s'il doit plus tard exister, le système que ce journal a en vue. Une autre tendance des mêmes articles est de dénigrer M. La Fontaine contre qui les efforts du même journal semblent depuis longtemps être uniquement dirigés. Ce n'est pas là cette union, que mon rêve a toujours été de créer, de maintenir, de rétablir au besoin entre mes compatriotes.

Nomination d'un nouveau gouverneur, lord Elgin

Quelques jours après cette vaine tentative de Draper, on apprend la nomination d'un nouveau gouverneur général, James Bruce, comte d'Elgin. Ainsi prend fin le mandat de lord Cathcart qui, contrairement à ses prédécesseurs, n'a pas exercé une influence réelle sur la vie politique canadienne. Mais la venue de son successeur laisse présager des changements importants dans la politique coloniale anglaise et, conséquemment, dans le gouvernement interne des colonies.

Ce ne sont pas les revendications des réformistes canadiens qui ont forcé le gouvernement impérial à réviser sa politique coloniale, mais plutôt des événements de nature interne. La famine irlandaise de 1845 oblige le retrait des « Corn Laws », la clef du système protectionniste anglais, et il faut alors prévoir que la vieille structure mercantiliste vit ses derniers moments. Les luttes politiques qui suivent le rappel des « Corn Laws » amènent finalement au pouvoir lord John Russell. Depuis son départ du Colonial Office en 1841, Russell s'est laissé « fortement influencer par les idées de laisser-faire des radicaux et des partisans d'une réforme du régime colonial, tels Wakefield et Buller[40] ». La nomination au Colonial Office du comte Grey, grand ami et disciple de Buller, ne fait que confirmer ce changement d'orientation. Si les effets économiques de l'organisation d'un système de libre-échange paraissent inquiétants pour le Canada qui vient de connaître des années de prospérité économique grâce au développement des canaux et des chemins de fer et grâce aussi à l'augmentation de ses exportations de bois aux États-Unis, il faut penser que les changements politiques proposés sont tout aussi importants. Tout observateur averti de la scène politique coloniale trouvera invraisemblable que la vertu seule du libre-échange puisse rendre acceptable la reconnaissance du gouvernement responsable dans les colonies d'Amérique du Nord.

C'est avec scepticisme et sans enthousiasme que la nomination d'Elgin est accueillie par les chefs réformistes. L'alternance des gouverneurs favorables et défavorables à leur idéologie les incite à la prudence ; les références obtenues d'Angleterre lors des nominations précédentes au poste de gouverneur s'étant révélées fausses, La Fontaine et Baldwin préfèrent attendre pour ne pas se bercer d'illusions. Mais Elgin n'est pas le dernier venu.

Le nouveau gouverneur est âgé de 35 ans et a fait de solides études à Oxford malgré une santé délicate. Il tente une percée sur la scène politique anglaise qu'il doit quitter à regret à la mort de son frère aîné et de son père ; il hérite alors de titres qui mettent fin à ses chances d'avancement à la Chambre des communes[41]. En 1842, il accepte sa nomination comme gouverneur de la Jamaïque où il succède à Metcalfe. Cette première expérience lui permet de se préparer très adéquatement pour son futur mandat canadien, car il trouve à la Jamaïque un problème racial et une constitution coloniale semblables à ce que le Canada-Uni vit : sa diplomatie naturelle et sa modération l'aident à faire un succès de cette première mission. Après la mort de son épouse, il revient en Angleterre à cause de sa santé et de celle de sa fille. Lord Grey, titulaire du Colonial Office dans le ministère Russell, est impressionné par les réalisations d'Elgin, mais ne réussit pas à le convaincre de retourner à la Jamaïque. Il lui offre alors le poste de gouverneur au Canada.

L'acceptation par Elgin d'une nomination faite par un whig et la nomination d'un tory par Grey préfigurent le rôle impartial qu'Elgin devait jouer dans ses nouvelles fonctions. Par pure coïncidence, cette nouvelle physionomie politique d'Elgin fut soulignée par son mariage avec lady Mary Louisa Lambton, fille de lord Durham et nièce de lord Grey. Ainsi, publiquement et privément, il avait tous les atouts de son côté pour remplir la mission que lui avait confié Grey, celle d'élaborer et d'assurer la mise en place du gouvernement responsable dans les provinces de l'Amérique du Nord britannique[42].

Morin chahuté à Nicolet

De la nomination d'Elgin à son arrivée au Canada, plus de quatre longs mois s'écoulent où la vie politique est figée. Les hommes politiques supputent leurs chances de succès auprès du gouverneur. Pendant cette pause, Morin travaille avec méthode aux causes qui lui sont confiées ; il accepte aussi de défendre ses principes au sujet de l'éducation et se rend à Saint-Grégoire, paroisse voisine de Nicolet qu'il a déjà représentée à la Chambre, où il n'obtient pas le succès désiré. Le maire de Nicolet, Luc-Michel Cressé, adresse à l'éditeur de *La Gazette de Québec* un compte rendu peu flatteur pour le député de Bellechasse :

> Après un tapage considérable, l'ordre fut rétabli et M. Morin commença un discours entortillé sur les scrip, les titres, les collèges, etc. durant lequel sa répugnance à en venir au grand point était si évidente que les auditeurs furent naturellement provoqués à l'interrompre et il fut enfin jeté à bas au milieu des outrages de la multitude.

Mais *La Minerve*, dans la même page où elle reproduit la lettre de Cressé, fait connaître sa version des faits. Accompagné de Jean-Baptiste Meilleur et John Neilson, Morin s'est rendu à Saint-Grégoire pour donner des explications au sujet de la loi de l'éducation et pour démentir aussi certaines rumeurs répandues contre ces personnes. C'est que « la loi de 1846, sanctionnée le 9 juin 1846, avait rétabli la cotisation obligatoire, mais suscita en plusieurs endroits de la province une véritable levée de boucliers contre les taxes. Le souvenir en est resté dans l'Histoire sous le nom de guerre des éteignoirs[43] ».

Effectivement, Morin n'a pas la partie facile :

> Qui croirait que les Canadiens de Saint-Grégoire ont non seulement refusé de l'entendre mais qu'ils lui ont même lancé publiquement les

insultes les plus grossières, et cela, parce qu'il voulait leur prouver que l'instruction de leurs enfans était nécessaire.

Le journaliste est d'accord avec Cressé lorsqu'il mentionne que le peuple empêcha Morin de s'expliquer et il conclut : « On craignait sans doute de se voir contraint de revenir de ses erreurs. » La manifestation, toutefois, ne modifie en rien les principes de Morin sur l'éducation.

Administrateur de compagnies de chemin de fer

L'année 1847 débute à peine que Morin se voit confier des postes importants au sein de deux compagnies ferroviaires. Le 20 janvier, lors de l'assemblée générale annuelle du Chemin de fer de Montréal à Portland, il est élu directeur de la compagnie en même temps que George Moffatt et William Dow. Puis, le 1er février, on annonce son élection à « la présidence du directoire de la compagnie de chemin de fer du Saint-Laurent à l'Atlantique (Montréal à Boston) ». Fidèle à ses principes de faire avancer les conditions économiques des siens, il s'intéresse à ce moyen de transport nouveau, comme en font foi ces élections, et tente de propager le goût des affaires parmi les Canadiens français.

La nomination et l'arrivée du nouveau gouverneur intéressent Morin, car il est impatient, comme tous les Montréalais, de faire connaissance avec le nouveau dirigeant nommé par l'Angleterre. Il compose une adresse de bienvenue, à la demande de Francis Hincks, et il participe à la parade qui accueille officiellement le nouveau gouverneur en étant à la tête de la délégation de l'Association Saint-Jean-Baptiste.

Vice-président de la Société d'horticulture de Montréal

Le renouveau observé dans la vie publique par l'arrivée de lord Elgin n'empêche pas Morin de participer à l'assemblée de fondation de la Société d'horticulture du comté de Montréal. Il y prononce un discours remarquable sur les buts et les objectifs d'une telle société et il en est élu vice-président. Pour lui, l'amélioration de l'agriculture doit se faire par l'éducation et la propagation de méthodes nouvelles et ces sociétés constituent le moyen idéal pour atteindre ce but. Il ne craint pas de prononcer des conférences pour encourager les ruraux à se regrouper, leur faisant voir tous les avantages qu'ils peuvent retirer de ces organismes : ses connaissances personnelles et son prestige d'homme politique influencent fortement les personnes qui assistent à ces réunions du Conseil.

Positions du nouveau gouverneur

Le nouveau gouverneur, conscient de la longue interruption de la vie politique dans la colonie et doté d'un mandat clair, passe immédiatement à l'action. D'une part, il entend agir avec neutralité et il ne veut pas devenir chef de parti comme son prédécesseur l'a fait. Il gouverne déjà avec les mêmes procédures qu'avec un gouvernement responsable : il ne proroge pas la Chambre, car il y a un parti majoritaire capable de diriger, même s'il dispose d'une mince majorité. D'autre part, il désire se concilier les Canadiens français. Il reçoit d'abord Louis-Joseph Papineau, puis refuse la destitution de René-Édouard Caron comme président du Conseil législatif que lui propose Draper et favorise l'accès de Canadiens français au sein du Comité exécutif. Mais, comme ses prédécesseurs, il privilégie des demandes individuelles, car il associe les partis en présence aux questions raciales.

Il envoie une note confidentielle à Morin dès le 23 février 1847 :

> The Governor General is sincerely desirous that in the Administration of the Affairs of the Province, the interests and feelings of that important section of the inhabitants which is French origin, should meet with the fullest attention and consideration.
>
> It would be very satisfactory to him therefore, to have the means of including in his Executive Council same of those gentleman who enjoy in a high degree their esteem and confidence [...].
>
> The Governor General has too sincere respect for those whom he adresses to ask their assent to any proposal involving a sacrifice of principe. But in writing them to consider the practicability of such an arrangment as he has suggested and to favor him with their sentiments, thereupon, he desires to express his confident hope that objections formed on personal or party differences (if such exist) will yield to the dictates of Patriotism and public duty[44].

Morin refuse d'entrer au Conseil exécutif…

Le lendemain, Morin accuse réception. Puis, quatre jours plus tard, il répond. Il remercie d'abord le gouverneur général pour la confiance qu'il lui manifeste et il le félicite aussi de ses sentiments envers les Canadiens français. Après avoir brièvement décrit les raisons qui expliquent son opposition et celle des siens à l'administration en place, il conclut que son accession au Conseil exécutif n'atteindrait pas les fins proposées :

> L'idée d'un Conseil exécutif où ne régnerait pas une parfaite confiance et une entière unité de sentimens et d'action, serait contraire à celle d'un gouvernement fondé sur l'opinion publique, présentant dans sa marche toute l'harmonie et la force que donne cette opinion, et calqué aussi sur les bases mêmes d'institutions qui sont déclarées nous régir et auxquelles nous sommes fortement attachés.

Morin explique ensuite que lui et les membres de son parti sont prêts à se coaliser mais sous plusieurs réserves et qu'il n'entend pas démordre de ses principes « convaincu qu'une adjonction fondée uniquement sur des considérations d'origine, et ne présentant dans les circonstances qu'une position équivoque pour toutes les parties concernées, ne pourrait être avantageuse à la classe pour laquelle cette détermination aurait eu lieu ». De fait, Morin répète les principes énoncés en réponse à l'offre précédente, datant d'un peu plus de six mois. La proximité de ces deux offres d'entrer au Conseil exécutif, l'unité idéologique du parti regagnée lors du caucus de juillet 1846 et l'aspect confidentiel de la communication du gouverneur l'autorisent à prendre une décision personnelle, sans consultation avec qui que ce soit. Mais cette initiative a tôt fait de réveiller la « réaction », mise au courant de cette tractation par le gouverneur lui-même, peu satisfait de la réponse de Morin.

...d'où une vive controverse entre réformistes

Un intéressant échange épistolier s'établit alors entre Québec et Montréal, entre Morin et Pierre-Joseph-Olivier Chauveau. Chauveau, grand admirateur de Morin en qui il voit un maître à penser[45], n'est pas un « allié inconditionnel de La Fontaine. En tant que citoyen originaire de la ville de Québec, il se méfie de La Fontaine et des Montréalais qui l'entourent ». Cette correspondance débute le 12 mars, le lendemain de la rencontre d'Elgin avec Étienne-Paschal Taché. Prudent, Chauveau prétexte un article à écrire pour le *Courrier des États-Unis* pour s'enquérir de la véracité des rumeurs de coalition, demande à son correspondant de le tenir au courant et le prévient que, « si une seconde affaire comme celle de l'été dernier avait lieu, cela aurait les conséquences les plus fâcheuses ».

Bien qu'affligé d'un rhumatisme constant que des situations comme celle-là avivent, Morin répond longuement à son jeune collègue. Il répète son opposition à la forme de replâtrage du Conseil, nie l'existence de toute offre, craint la perte de la responsabilité ministérielle et termine en écrivant : « Si j'ai erré, j'en porterai la responsabilité. Mais l'opinion unanime ici est point de replâtrage, ni de partnership avec Smith, Daly et Papineau. »

Les circonstances obligent bientôt Chauveau à demander des explications à Morin. Le 17 mars, il l'exhorte de clarifier la situation puisque

> les amis de M. Caron courent les rues disant à qui veut les entendre et aussi à bien des gens qui ne se soucient guère de les écouter :
> 1) que le gouverneur vous a fait écrire officiellement vous proposant de conférer sur la formation d'une nouvelle administration ;
> 2) qu'après avoir consulté M. La Fontaine et vos amis de Montréal vous auriez refusé toute offre de coalition.
> Je n'ai pas besoin d'ajouter les choses désagréables que l'on trouve le moyen de dire [...]. Je n'ai parlé à personne du contenu et de la substance de votre lettre. Je voudrais maintenant avoir de votre part une dénégation explicite que je puisse opposer aux assertions très positives que je viens de vous rapporter et pouvoir être autorisé à nier directement [...]. Il est inutile que j'ajoute que les représentants du district de Québec prétendent :
> 1) qu'ils ont droit d'être consultés sur toute proposition nouvelle tendant à changer l'administration ;
> 2) que dans le cas où une proposition aurait été rejetée, soit parce qu'elle serait l'équivalent d'une proposition inacceptable et déjà répétée, soit parce qu'elle serait encore moins acceptable qu'une proposition précédemment rejetée, la simple décence exigerait qu'on leur donnât avis d'un tel refus afin qu'ils n'apprennent point par l'entremise des loose fish, des curieux ou des espions ce qu'ils sont eux-mêmes censés savoir[46].

Le même jour, *Le Canadien* et *La Minerve* font écho aux rumeurs publiques. Le journal québécois conclut, comme Chauveau, à l'obligation pour La Fontaine et Morin de consulter les représentants du district de Québec avant de répondre. Le lendemain, Chauveau presse Morin d'agir.

Dans sa réponse du 19 mars, Morin prétend que les Québécois le calomnient au sujet de l'offre précédente.

> L'on m'a offert d'entrer avec d'autres ou un autre, d'après le sens de l'offre, dans le Conseil actuel, et comme Canadien français seulement, c'est-à-dire par la même porte et pour jouer le même rôle que Viger et

Papineau. S'il est quelqu'un à Montréal ou à Québec qui soit prêt à entrer sur ce pied, il a donc oublié tout ce qui s'est passé durant les dernières années.

Le Canadien jette de l'huile sur le feu dans son édition du 19 mars. Il rapporte les propos de deux journaux anglophones, le *Times* et le *Pilot*, qui déclarent que La Fontaine aurait refusé l'offre parce qu'elle ne lui avait pas été faite, à lui, mais à Morin. Tout est bon pour discréditer La Fontaine et les Montréalais ! Le lendemain, Morin confie à Chauveau qu'il n'a pas voulu offenser les Québécois et il exhorte son jeune ami à persévérer dans la vie publique avec sincérité et courage.

Le réveil de l'opposition Québec-Montréal

Mais les choses se gâtent à Québec. Les ragots vont bon train et enveniment la situation ; la réaction renaît et voit son existence justifiée, à titre de chien de garde des intérêts du district. Malgré son admiration pour Morin, Chauveau hausse le ton le 23 mars et l'exhorte à agir le plus rapidement possible :

> Pour vous dire ma façon de penser, après avoir reçu le « Memorandum » confidentiel au lieu de répondre définitivement et par écrit, il me semble que vous auriez dû demander une entrevue avec Son Excellence, obtenir la permission de vous consulter avec vos amis, lever l'équivoque du confidentiel et tâcher de faire des affaires. En un mot, au lieu de dire un non sec, il aurait peut-être été mieux de dire oui avec un mais. Avec un mais, on va loin comme vous savez. Enfin l'affaire est faite. Seulement s'il y a moyen de se reprendre, songez bien à toutes les considérations contenues dans mes précédentes sur les chances de l'élection générale. Nous sommes très risqués et Cauchon, qui est toujours bouffi d'espérances, en doute lui-même.

Tout le parti des réformistes est secoué par cette crise. De fait, c'est une tempête dans un verre d'eau : un individu, Morin, reçoit une invitation individuelle et confidentielle de faire partie du Conseil exécutif. Son refus n'engage que lui, mais il prend cette décision en tenant compte de l'opinion du parti, exprimée quelques mois auparavant lors d'une situation identique. Mais le secret de la démarche, tel qu'entendu par Morin, le mutisme prudent de La Fontaine et la rivalité Québec-Montréal attisée par l'attrait d'un pouvoir prochain donnent des proportions hors de toute mesure à cet épisode de la vie publique. Les réformistes du Haut-Canada flairent le danger électoral et Hincks, voyant agir les partisans de La Fontaine, écrit à Baldwin, inquiet de la situation : « Ses compatriotes sont très impatients d'arriver au pouvoir et il est difficile de les convaincre de faire preuve de modération. »

Un mois après l'envoi du mémoire à Morin, les hommes politiques commencent à contrôler la situation. Les démarches de Denis-Benjamin Papineau auprès de Caron et les écrits du *Canadien* vont être les derniers soubresauts de cette affaire. Conscient d'avoir été pris dans le contexte québécois, Chauveau écrit à Morin pour s'excuser. Puis Thomas Cushing Aylwin, député de Québec, écrit une lettre élogieuse à Morin où il recommande au député de Bellechasse de ne pas trop prendre au sérieux les balivernes écrites à son sujet par les journaux partisans de la réaction : pour lui, ce qui importe le plus est la réconciliation de tous les réformistes puisque « la désunion dans nos rangs me paraît le plus grand des maux qui puisse nous affliger et je voudrais à tout prix voir revenir les jours où nous ne faisions tous qu'un même parti et nous étions comme un seul homme ». Mais *Le Canadien*, alimenté par René-Édouard Caron, publie des extraits du « Mémorandum » et de la réponse de Morin, ce qui contribue à allonger le débat. Morin déclare à ses deux interlocuteurs québécois, Chauveau et Aylwin, qu'il ne répondra pas au journal de Parent : il privilégiera les rencontres avec Caron et le groupe de la « réaction » afin de réunifier le parti. Enfin, La Fontaine, dans une lettre écrite à Joseph Cauchon le 2 avril, confirme sa confiance envers Morin, justifie son action et prévient ses correspondants de son état de sensibilité extrême :

> Je devais laisser Morin libre d'agir comme il l'entendait pour l'intérêt de la chose publique, ayant comme toujours la plus grande confiance dans son patriotisme, sa sincérité et son désintéressement [...]. Je vous assure qu'il est profondément affligé et dans un état fébrile. Je vous conjure de le traiter amicablement et d'éviter de le blesser par des paroles dures ou acerbes.

Réconciliation entre réformistes

Même affaibli, Morin n'hésite pas à rappeler Caron à la réalité lors de leur rencontre du 5 avril, selon Aylwin. L'épisode prend fin avec des caucus à Montréal et à Québec et tout rentre dans l'ordre. Et Morin peut écrire à Chauveau pour lui dire qu'il a reçu l'appui des députés dans ses démarches et dans son interprétation de la missive du gouverneur.

Elgin a raté sa première sortie politique auprès des Canadiens français. Au lieu de les aider à accéder au Conseil exécutif, il les a divisés. Toutefois, les démarches entreprises et les négociations qu'il a menées ont servi à prouver sa bonne volonté. Désormais, il laissera les ministres régler leurs problèmes et ne fera que les aider. Qui plus est, il comprend maintenant beaucoup mieux le rôle politique que les Canadiens français désirent jouer.

Après cette vaine tentative auprès des réformistes de langue française, Draper remet sa démission non sans avoir réussi à asseoir quelqu'un dans chacun des sièges du Conseil exécutif. C'est donc un parti ministériel sans chef qui se rend au Parlement pour le début de ce qui est vraisemblablement la dernière session de cette législature avant les élections générales. Session morne s'il en est une, tant l'intérêt est absent à cause d'un menu législatif mince et d'une administration vacillante.

Une intégrité à toute épreuve

Toutefois, Morin a l'occasion de montrer une fois de plus son intransigeance sur les questions de principe. Il scrute à la loupe l'élection partielle de L'Islet, car il soupçonne des irrégularités. Toujours procureur de l'Église au sujet des biens des Jésuites, il présente une requête à l'Assemblée expliquant les réclamations du clergé, dépose une pétition au sujet de l'administration de ces biens et prévient le ministère qu'il s'opposera avec force à leur vente. Mais c'est dans le dossier des chemins de fer que Morin crée un précédent.

> Plusieurs membres sont intéressés dans ces spéculations et il s'est élevé une discussion sur la question de savoir si les membres intéressés dans une de ces compagnies pouvaient voter lorsqu'il s'agissait des autres compagnies dans lesquelles ils n'ont point d'intérêt direct. M. Morin prétendant que les règles à suivre dans ces divers bills seraient établies par le précédent que créerait la première de ces mesures que l'on discutait alors, refusa obstinément de voter. Les autres représentants semblablement situés n'ont pas été aussi scrupuleux[47].

Déjà Morin se rend compte du problème des conflits d'intérêts et a une conduite exemplaire pour l'époque à ce sujet, prouvant du même coup qu'on peut concilier des principes de moralité publique à une application concrète de ces mêmes principes. Plus que jamais, Morin est respecté et ses opinions, recherchées. Ainsi, le 4 juin, il accuse réception d'un projet de confédération des colonies anglaises, tel qu'envoyé par Elgin. Moins d'une semaine plus tard, il est unanimement réélu président de l'Association Saint-Jean-Baptiste et, « au moment de se retirer, il fut spontanément résolu que l'assemblée de 1200 personnes accompagnerait l'honorable président jusqu'à sa demeure ».

Ravages d'une épidémie de typhus

Contrairement à l'été précédent, celui de 1847 ne voit pas la politique occuper les manchettes. Ce sont plutôt les affaires et la santé publique qui sont mal en point. Le commerce du bois et l'agriculture, à cause de l'abolition des *Corn Laws*, subissent une crise importante qui perturbe l'économie du pays. Puis, une inquiétante épidémie de typhus, sans doute véhiculée par les milliers d'immigrants irlandais venus dans la province pour fuir la famine, va faire des ravages dans toutes les couches de la population. Tous les hommes politiques rentrent alors dans leur comté. Déjà aux prises avec une santé délicate, Morin se retire dans ses terres du Nord pour éviter la contagion, car son épouse « est faible, mais non malade ».

La rentrée politique de l'automne s'effectue dans des conditions pénibles. Les politiciens, tout comme la population, sont encore affectés par les deuils cruels de l'été et ils n'ont guère le goût de discuter. Le ministère hésite, tâtonne puis se décide de recommander la dissolution de la législature. Lorsque Elgin décrète des élections, le 6 décembre 1847, on sent bien qu'une époque de l'histoire politique prend fin.

Morin, pilier de son parti et de son peuple

Durant ces cinq dernières années, Morin est devenu l'homme de principes du parti, le pilier idéologique. D'abord, son mariage lui assure une stabilité qu'il n'avait jamais connue auparavant et la condition économique du couple acquiert une solidité intéressante aussitôt que madame Morin prend en charge ce secteur. Puis, il contribue fortement à établir une discipline au sein du parti, n'hésitant pas à affronter deux fois la « réaction » québécoise pour asseoir confortablement l'autorité de La Fontaine. Il fait aussi pencher l'opinion publique en faveur de la responsabilité ministérielle contre la double majorité, « ce monstre à deux figures dont l'une regarde le passé et l'autre, l'avenir ». En éducation, Morin favorise l'accessibilité de l'instruction primaire pour tous et établit le principe de la répartition des coûts entre tous les citoyens, malgré la résistance opiniâtre qu'il rencontre. Intraitable sur la question des biens des Jésuites, il voit dans ces revenus une occasion de mieux organiser l'instruction chez les siens ; il concourt ainsi indirectement à la formation du principe « la langue gardienne de la foi ». Son action rigoureuse comme procureur du clergé dans la question des biens des Jésuites, bien appuyée par Lewis Thomas Drummond, Joseph-Édouard Cauchon et Étienne-Paschal Taché, contribue à rapprocher l'Église et le Parti réformiste, mettant ainsi fin à l'influence de Viger et amorçant une alliance à long terme. Toujours éperdu de démocratie, Morin veut établir pour les municipalités du Bas-Canada ce qu'il n'a pas obtenu pour l'Assemblée et il profite de l'occasion pour dissocier les institutions civiles du Bas-Canada de celles du Haut-Canada. Enfin, sa fermeté dans le respect de la loi électorale et les principes nouveaux qu'il émet lors de possibles conflits d'intérêts font de son intégrité, alliée à un bon jugement exceptionnel, un phare important dans la vie politique de cette période difficile. Enfin, Morin est toujours convaincu que l'avenir sera meilleur. Idéalisant les événements à venir, il écrit à Chauveau le 8 juillet 1847 :

> Nous marchons peut-être vers la démocratie pure ; marchons-nous également vers la liberté ? Je n'oserais le dire. J'aimerais bien les deux ensemble ; je les ai si longtemps associés inséparablement ; si elles se chamaillent, ce ne sera pas ma faute ; moi, à choisir, j'aimerais mieux la liberté.

Fort de ces principes, de cette soif de démocratie et de liberté, et d'une expérience incomparable alliée à une formation sans cesse renouvelée, Morin est appelé désormais à une action plus directe, plus concrète aussi. La majorité de ses concitoyens est déjà prête à le suivre, à appuyer son action. Homme universel, il doit décider maintenant où il pourra être le plus utile.

Chapitre sixième

LE PRÉSIDENT DE LA CHAMBRE 1848-1851

LE DÉCLENCHEMENT DES ÉLECTIONS ne provoque pas l'agitation fébrile habituelle ni au sein de la population ni parmi les hommes politiques. Les électeurs ne sont pas indifférents ou blasés, mais la neutralité du gouverneur et l'absence presque totale d'opposition, du moins chez les francophones, contribuent fortement à donner au suffrage populaire une allure plus normale. Après les élections mouvementées des vingt dernières années, le contraste est frappant; pourtant, l'enjeu est tout aussi important: la formation d'un premier gouvernement responsable.

1847 : élu par acclamation dans Bellechasse

Les rumeurs vont bon train. Dès le 9 décembre 1847, *La Minerve* dément cette qui prévoit la candidature de Morin dans la circonscription de Deux-Montagnes. Mais cette assertion n'est pas si farfelue que cela, compte tenu qu'une partie des terres de Morin sont dans cette circonscription. Toutefois, Morin se présente à nouveau dans sa circonscription natale de Bellechasse. Dès la mi-décembre, il participe à une assemblée réformiste à Montréal où il prend la parole en faveur des candidats du parti. Puis, le 20 décembre, les journaux réformistes annoncent avec fierté l'élection par acclamation du député de Bellechasse. Même son vieil adversaire, Abraham Turgeon, n'a pas osé se présenter contre lui. Un anonyme auteur de Saint-Gervais rédige une chanson à la gloire du député réélu; cet ultime hommage est important, car « la chanson politique reflète les préoccupations de son temps[1] ». Sa popularité est telle qu'il est acclamé dans tous les villages de la circonscription qui vient de le réélire :

> Sa marche à travers le comté qu'il n'avait point visité depuis longtemps et qu'on représentait comme lui étant hostile n'a été qu'une suite non interrompue d'ovations et de triomphes, uniques récompenses que le peuple puisse accorder à ceux qui le servent avec dévouement, récompense qu'il n'accorde pas toujours mais qui n'en est que plus douce lorsque ceux qui la reçoivent l'ont achetée, comme M. Morin, par de longs sacrifices, par la constance au milieu des persécutions et des calomnies du pouvoir[2].

Écrasante victoire des réformistes

Mais il n'y a pas que Morin qui soit populaire ; les réformistes le sont aussi dans les deux parties de la colonie. Leur thème électoral principal, le gouvernement responsable, n'a même plus besoin de présentation tant il est connu et tant l'administration sortant de charge s'est trouvée, involontairement, à en faire la propagande. La Fontaine et aussi Baldwin se servent uniquement de cet argument dans la campagne électorale la plus tranquille depuis un quart de siècle ; le retrait du gouverneur de toute action partisane enlève aux tories un appui dont ils ont terriblement besoin. Dans la partie ouest de la colonie, les partisans de Baldwin enlèvent 15 sièges à leurs adversaires et n'accusent qu'une seule perte ; même les adversaires de Baldwin ont de la difficulté à se regrouper sous une même bannière. C'est une victoire complète pour les réformistes ; qui plus est, il n'y a pas d'indication de la naissance d'un mouvement ou d'un groupe radical qui pourrait doubler sur la gauche les troupes réformistes. Les Clear Grits n'apparaîtront que plus tard sur la scène politique.

Naissance d'un parti « libéral »

Toutefois, au Canada-Est, la situation est différente, selon qu'on est dans une circonscription francophone ou anglophone. Dans la plupart des circonscriptions anglophones, il y a véritablement une lutte entre les partis, réformistes et tories. Dans les 12 circonscriptions anglophones répertoriées par l'historien Paul G. Cornell[3], cinq élisent un réformiste, soit un gain de trois, et les indépendants doublent, passant d'un à deux, ce qui laisse encore cinq sièges aux tories. Mais il est surprenant aussi de constater que le tiers des sièges de cette partie de la province est gagné par acclamation. Dans les circonscriptions francophones, on voit s'amorcer, chez six d'entre elles, une lutte entre les réformistes et les candidats d'un nouveau mouvement radical encore inorganisé comme parti politique et dont le journal *L'Avenir*, fondé par Jean-Baptiste-Éric Dorion et George Batchelor, deviendra dans les mois à venir le porte-étendard. Pour cette élection, le journal prend connaissance du manifeste de Louis-Joseph Papineau, en cite de larges extraits, mais ne partage pas toutes les idées du grand tribun, en particulier celles contre le gouvernement responsable et contre la modération des chefs réformiste[4]. *L'Avenir*, tout au plus, souligne les circonscriptions de Berthier, Leinster, Chambly, Rouville et Saint-Hyacinthe comme présentant des luttes avec des libéraux qu'il est également souhaitable de voir siéger à l'Assemblée. La victoire des réformistes est impressionnante par son ampleur en chiffres absolus. Au Canada-Ouest, ils font plus que doubler leur représentation qui passe de 10 à 23 sièges. Leurs adversaires accusent ce même recul, passant de 32 à 18, alors qu'un siège est occupé par un indépendant. Déjà largement majoritaires au Canada-Est, les réformistes réduisent la représentation des adversaires à sa plus simple expression, soit 5 députés contre 12 sous l'ancienne administration, et ils augmentent de 29 à 34 leurs élus; deux sièges demeurent vacants (Trois-Rivières et Terrebonne) et deux indépendants complètent la députation. Curieusement, le gouvernement responsable triomphe grâce à la théorie si honnie de la double majorité.

Entrée en politique de Joseph-Charles Taché

De la dizaine de nouveaux élus qui émergent du scrutin général au Canada-Est, seul le nouveau député de Rimouski, Joseph-Charles Taché, connaîtra une vie politique importante. Il occupera ce siège pendant dix ans (1847-1857), puis il deviendra éditeur du journal *Le Courrier du Canada* pendant deux ans. En 1860, il sera professeur de physiologie à la faculté de médecine de l'Université Laval et, en 1864, il est nommé sous-ministre de l'Agriculture, poste qu'il conservera jusqu'à sa retraite, en 1888. Même sous-ministre, Taché ne craindra pas de s'engager dans le débat sur la Confédération alors qu'il signera une série d'articles favorables au régime projeté dans le *Courrier du Canada*, du 5 décembre 1864 au 20 janvier 1865. Son opinion, qui rejoint celle du journal, avait déjà été exprimée dans une œuvre intitulée *Des provinces de l'Amérique du Nord et d'une union fédérale*, imprimée antérieurement à Québec, en 1858.

Retour en politique de Papineau

Mais c'est le retour de vieux routiers de la politique qui est le fait saillant de cette élection. À des titres divers, Louis-Joseph Papineau, B.-C.-A. Gugy et Benjamin Holmes ont déjà marqué de leur empreinte la vie politique bas-canadienne. Cette deuxième tranche de leur vie publique s'amorce en même temps qu'un nouveau régime.

Le cas de Papineau est particulièrement intéressant. Après sa fuite aux États-Unis en 1838, sa popularité décroît rapidement, même parmi ses plus fidèles partisans. Parti pour la France en 1839, Papineau vit à Paris un exil où la pauvreté matérielle ne l'empêche pas de suivre de près les événements canadiens tout en s'adonnant à une forte activité intellectuelle : il travaille assidûment à la Bibliothèque nationale et aux Archives, où il collige les documents relatifs à la colonisation française au Canada. De plus, il rencontre régulièrement Lamennais, Louis Blanc et d'autres libéraux et socialistes. Sous les pressions de son épouse, il accepte de revenir au pays en 1845, un an après avoir obtenu une amnistie complète. Il retrouve sa famille, sa seigneurie de Montebello, mais il constate que Montréal est en pleine effervescence : la rénovation du canal de Lachine, la construction d'un chenal dans le lac Saint-Pierre et la mise en chantier des différentes lignes de chemins de fer témoignent d'une vitalité commerciale qui risque de modifier le visage de la ville. La contestation du régime seigneurial prend de l'ampleur et le déçoit. Mais il a peu changé : à 60 ans il a toujours fière allure et il n'accepte pas le régime d'Union qu'il juge comme une insulte, car son mépris pour l'Angleterre autocratique s'est amplifié. Il ne croit plus à la vertu des institutions anglaises, mais il pense plutôt que la démocratie des institutions américaines convient davantage à l'épanouissement, même culturel, de ses compatriotes. Son retour à la Chambre est attendu avec impatience, mais aussi avec une certaine anxiété par ses anciens disciples, comme La Fontaine et Morin, devenus dirigeants du pays ; on se demande si cet homme, habitué à de grandes responsabilités, va accepter de siéger comme simple député.

Un adversaire redoutable : Gugy

Le retour de Bartholomew Conrad Augustus Gugy comme député de la ville de Sherbrooke constitue une véritable épine aux flancs des réformistes et un indiscutable rabat-joie pour les partisans de Papineau. Jadis l'adversaire le plus constant et le plus difficile à contrer du grand tribun, il serait même « le grand responsable des écarts de langage des patriotes et de leur chef[5] » durant la période 1831-1838. Il s'est illustré par ses excès dans la répression de la rébellion. Puis, dès les débuts du nouveau régime, il est nommé adjudant général de la milice pour le Bas-Canada ; il devient alors la cible des réformistes qui l'accusent de ne pas nommer un nombre suffisant de Canadiens français aux postes supérieurs. Son retour à la Chambre, précédé d'un échec subi dans Saint-Maurice lors d'une élection antérieure, signifie qu'un climat d'affrontement racial risque d'envenimer les querelles politiques déjà fort partisanes et animées.

Holmes avec les réformistes

Quant à Benjamin Holmes, il ne s'agit pas d'une grande vedette mais d'une exception remarquable : il est le seul député tory qui passe dans le camp des réformistes à l'occasion du premier ministère La Fontaine-Baldwin en 1842. Le parti, en retour, l'aide considérablement à se faire élire aux élections municipales de décembre 1842. Il doit démissionner, cependant, comme député en 1844, car son emploi à la Banque de Montréal souffre de ses fréquents séjours à Kingston, la capitale de l'époque. Son départ coïncide avec une opération stratégique mise de l'avant par La Fontaine pour embêter le ministère Draper-Viger. Ayant changé d'emploi et étant devenu l'associé de John Young, Holmes revient à la politique comme candidat réformiste aux élections de 1848 où il est élu pour représenter la ville de Montréal, avec La Fontaine. Homme bouillant et fidèle à son nouveau parti, il est considéré comme le « Gugy » des réformistes...

L'action ne manquera pas à la Chambre et c'est donc une députation expérimentée qui s'apprête à fonctionner dans un système de responsabilité ministérielle, un des objectifs primordiaux des dirigeants politiques bas-canadiens des quinze dernières années.

Morin évite les conflits d'intérêts

Morin sait déjà qu'il occupera un poste important au sein de la nouvelle administration. Aussi, en pleine période électorale, il abandonne la présidence du chemin de fer du Saint-Laurent et de l'Atlantique, de manière à éviter les conflits d'intérêts. Les actionnaires se déclarent satisfaits de ses services :

> L'hon. M. McGill propose, secondé par A. J. Galt : que des remerciements des propriétaires soient offerts à l'hon. M. Morin pour sa conduite habile et énergique comme président de la corporation et que ce monsieur soit requis d'accepter la somme de deux cent cinquante louis en reconnaissance du temps et de l'attention qu'il a consacrés à leurs affaires durant l'année écoulée[6].

La victoire des réformistes, impressionnante par son ampleur, ne réussit pourtant pas à soulever l'enthousiasme, même parmi les hommes politiques. C'est que les luttes des cinq dernières années ont laissé des traces de lassitude chez les réformistes et que la terrible épidémie de choléra de l'été 1847 a endeuillé presque toutes les familles. Mais cette même épreuve collective a permis à la population bas-canadienne d'apprécier le nouveau gouverneur qui a montré beaucoup de courage et de sympathie en visitant les malades atteints du terrible virus et en dirigeant lui-même le deuil lors des funérailles des personnalités atteintes par l'épidémie, comme Mgr Hyacinthe Hudon, grand vicaire du diocèse de Montréal, et le maire John Mills de Montréal.

La Fontaine et Baldwin forment leur ministère

Rassurés, désormais, par la neutralité politique du gouverneur et par ses sentiments francophiles, les réformistes s'apprêtent à exercer les premiers le pouvoir sous un gouvernement responsable. Pour La Fontaine et Baldwin, la formation du ministère est une tâche délicate au moment où aucune norme et aucune tradition ne leur viennent en aide. Le grand nombre de députés de la majorité complique un peu la situation, mais les susceptibilités personnelles et régionales constituent un obstacle encore plus grand. Finalement, les chefs s'entendent pour donner la priorité à ceux qui ont fait partie de l'éphémère ministère La Fontaine-Baldwin de 1842.

Louis-Hippolyte La Fontaine, premier ministre (Huile sur toile par Théophile Hamel, coll. Musée national des Beaux-Arts du Québec).

Robert Baldwin, chef des réformistes du Haut-Canada, associé à La Fontaine dans le premier « gouvernement responsable » (Dent, *The Last forty years…*).

La Fontaine réussit facilement à persuader René-Édouard Caron de reprendre la présidence du Conseil législatif et Thomas Aylwin d'être à nouveau procureur général. Mais il se heurte à un mur lorsqu'il demande à Morin de réintégrer le poste de commissaire des Terres qu'il a rempli avec tant de compétence : « Morin ne désire rien d'autre que la présidence de l'Assemblée ; il prétexte sa mauvaise santé, son incapacité d'utiliser sa main droite pour écrire et son désir de se reposer durant une grande partie de l'année[7]. » La Fontaine se rend aux arguments de son ami ; mais si Morin avait accepté, comme prévu, le poste de commissaire des Terres, qui donc serait devenu président de l'Assemblée ? Peut-être que Pierre-Joseph-Olivier Chauveau, comme représentant de la région de Québec, aurait pu occuper ce poste ; Chauveau, brûlant d'accéder au Conseil, n'a finalement hérité d'aucun poste, à sa grande déception d'ailleurs.

Morin, président de la Chambre

Dès la reprise des activités parlementaires, à Montréal, le 25 février 1848, le choix du président de l'Assemblée est le premier point à l'ordre du jour. Le député de Huron et inspecteur général des comptes de l'administration Draper-Viger, William Cayley, propose de reconduire sir Allan McNab, député de Hamilton, à ce poste qu'il occupe depuis 1844. Robert Baldwin propose Morin. Ce sont les deux mêmes adversaires qu'en 1844 qui s'affrontent ; alors que Morin a perdu par trois voix en 1844, cette fois, la confortable majorité des réformistes en Chambre l'assure d'une éclatante victoire de 54 contre 19. Mais ce choix si populaire ne fait pas l'unanimité. La réaction de Papineau à ce premier geste du nouveau Parlement donne lieu à des interprétations très différentes de la part d'historiens. Par exemple, Jacques Monet prétend que Papineau quitte la Chambre, déçu du triomphe de Morin puisqu'il avait pensé reprendre le poste où il s'était tant illustré, et que ce geste entraîne le début de l'hostilité du grand tribun à l'endroit du parti ministériel[8]. Robert Rumilly écrit que « Papineau a voté pour Morin et voit peut-être son élection sans plaisir[9] » alors que Fernand Ouellet n'en fait pas mention. Mais la réalité politique oblige certainement Papineau à voter pour Morin, car il est bien conscient que l'Orateur n'est plus le chef du parti majoritaire. Il est probable qu'il apprécie peu de voir son ancien disciple occuper ce fauteuil jadis prestigieux, mais il ne faut pas penser qu'il s'agit là d'un élément de discorde.

Portrait officiel d'Augustin-Norbert Morin, Orateur de l'Assemblée législative (Photographe inconnu, coll. ANQ-Québec. P1000,S4,PM120-1).

Les théories politiques de Papineau et l'exercice du pouvoir tel qu'il est désiré et finalement obtenu par les réformistes constituent déjà une bonne cause de rupture entre les anciens patriotes.

Durant les premières semaines de session, la presse favorable aux réformistes ne manque pas de souligner les qualités de Morin pour occuper une telle fonction. *La Minerve* exalte les qualités de l'homme public :

> Sans parler de ses vastes connaissances, de ses vertus privées, l'homme qui n'a jamais varié dans sa politique, qui n'a jamais abandonné les intérêts du peuple, qui lui a même sacrifié son existence et ses propres intérêts pour le servir sans cesse et fidèlement, méritait en justice cette

La Chambre de l'Assemblée législative vers 1848. Augustin-Norbert Morin présidait dans cette salle lors de l'émeute de 1849 (Aquarelle de James Duncan, coll. Musée des Beaux-Arts du Canada).

> marque de confiance et de gratitude. Nous ne voulons pas blesser la modestie presque proverbiale de l'hon. M. Morin, autrement nous pourrions citer quantité de traits de dévouement à la cause commune qui sont à peu près ignorés et qui lui font le plus grand honneur[10].

À l'ouverture du Parlement, le 1er mars 1848, après l'assermentation des nouveaux ministres dirigés par La Fontaine et Baldwin, le journaliste du *Canadien* souligne que « M. Morin a fait l'allocution d'usage dans les deux langues et c'est la première fois, je crois, que l'on parle français à la barre du conseil ; cela a paru produire quelque sensation ». Le bilinguisme de Morin, bien que réel et reconnu par les anglophones, est toutefois assorti d'une prononciation qui écorche la langue de Shakespeare selon un de ses biographes et contemporains, Laurent-Olivier David.

Rapportant l'ouverture du Parlement canadien, le *Courrier des États-Unis* note la victoire de Morin à la présidence de la Chambre et commente de la façon suivante :

> Au reste la majorité qui s'est prononcée en faveur de M. Morin dépasse probablement la force relative du parti libéral, et s'explique en partie par

l'estime que M. Morin a su inspirer à ses adversaires aussi bien qu'à ses amis politiques. Peu d'hommes ont un caractère plus conciliant, plus irréprochable que le sien. Naturellement bienveillant, il allie une grande modération à une grande fermeté de principes.

Morin est à peine assis dans le fauteuil présidentiel qu'une rumeur l'envoie occuper son ancienne charge de commissaire des Terres, ce qui permettrait alors à Louis-Joseph Papineau de reprendre le poste qu'il a rempli avec tant de succès avant la rébellion. Cette rumeur n'est pas reprise par d'autres journaux et on peut croire que c'est le groupe Papineau qui a inspiré cette nouvelle, à moins que le journaliste du *Canadien* soit, comme plusieurs de ses compatriotes, nostalgique en pensant au rôle que pourrait encore jouer le grand tribun au sein du gouvernement responsable.

Le rôle de président de la Chambre

L'engouement des parlementaires pour ce poste, malgré l'arrivée de ce nouveau régime ministériel, tient à plusieurs raisons. Bien qu'il soit solitaire et isolé, le président de la Chambre, qu'on a toujours nommé « l'Orateur » chez les Canadiens français[11], est le gardien des privilèges des parlementaires. S'il n'est pas un symbole de démocratie, il permet néanmoins de l'exercer en garantissant la survie des institutions parlementaires par la libre expression des représentants du peuple. Depuis le début du parlementarisme canadien, et particulièrement durant la décennie de 1830, s'est ajoutée à ce rôle l'obligation de « parler » au représentant et conseiller du roi, selon la plus pure tradition britannique, au nom des représentants du peuple pour lui présenter les pétitions et demandes de la Chambre. Morin, Papineau, La Fontaine et une majorité des parlementaires élus à la récente élection générale connaissent l'importance de l'Orateur et aussi son influence prépondérante dans le déroulement des débats. En effet, la procédure de l'époque laisse beaucoup de latitude à l'Orateur quant à l'ordre, au décorum, au refus ou à l'acceptation d'une motion en vertu des règles et privilèges de la Chambre, à la présence des membres, à l'impression des projets de loi et à la formation des comités alors qu'aujourd'hui un code de procédures, rodé par une expérience parlementaire de presque deux siècles, prévoit à peu près toutes les situations et ne permet au président que d'appliquer l'une ou l'autre des solutions retenues par le règlement.

Évolution du Code de procédure de la Chambre

Mais, au-delà de l'influence réelle de l'Orateur sur la vie parlementaire, Morin trouve dans ce poste un intérêt qui rejoint ses préoccupations les plus profondes. La procédure, inspirée du système britannique, a été importée presque intégralement de Westminster, y compris un vocabulaire traduit littéralement en français, ce qui a fait dire à Henri Brun que « la procédure d'assemblée ne formait pas la partie la plus originale de notre droit institutionnel[12] ». Quel champ d'action alors pour Morin, toujours désireux d'adapter les institutions aux besoins réels du pays ! Bien sûr, quelques changements ont été apportés en 1841 et 1844, lors de l'union des deux Canadas, mais il s'agit davantage de faire concorder deux codes de procédure que de rédiger de nouvelles règles. Aussitôt élu, Morin prend des notes et fait voter des amendements, tellement nombreux qu'ils justifient la nouvelle publication du code de procédure en 1850. Entre autres changements, Morin, affable et respectueux de l'autorité établie, n'accepte pas que les décisions de l'Orateur soient remises en question lorsqu'il s'agit de discipliner la Chambre comme, par exemple, de savoir quel député a le droit de parole ou de faire taire un député, soit qu'il intervienne sans avoir obtenu préalablement le droit de parole, soit qu'il insulte un autre membre. C'est le sens pratique du parlementaire expérimenté qui permet à Morin d'effectuer ces changements de 1850. Quand il succédera à La Fontaine en 1851, c'est la pratique du pouvoir exécutif qui lui inspirera les modifications de 1853, car la mise en place du gouvernement responsable modifie considérablement les procédures qui entourent l'adoption du budget de la province. Dans les deux nouvelles éditions, toutefois, le vocabulaire touffu ne s'améliore pas et porte l'empreinte d'un légalisme omniprésent.

Et, ce qui n'est pas de nature à effrayer Morin, l'Orateur est le conservateur de la bibliothèque du Parlement. Comme Morin a déjà fait partie du comité de la Chambre chargé d'aider l'Orateur dans ce domaine et qu'il est un fervent de la propagation de la lecture, cet autre aspect de la fonction d'Orateur lui plaît énormément. Autrefois disciple de Vattemare, Morin croit toujours aux vertus de la lecture et il prêche par l'exemple.

Session parlementaire de 1848

La session de 1848 est relativement calme et courte. Le nouveau ministère accentue son emprise sur le pouvoir en distribuant les emplois les plus divers, des postes de commis à ceux de magistrats en passant par les sténographes parlementaires. Il ne faut ni s'étonner ni se scandaliser d'une telle situation. À cette époque, les partis politiques ne sont pas des partis de masse, mais des partis de cadre où l'idéologie compte peu et où les programmes sont peu élaborés. Ce sont plutôt les relations face à face, les réseaux de parenté, les amitiés de collège et le favoritisme qui agissent comme facteurs de cohésion et de loyauté. Essentiellement, le favoritisme consiste dans le droit de nommer des personnes aux différents postes de la fonction publique et de distribuer des octrois discrétionnaires. Son exercice a jadis obligé le premier ministère La Fontaine-Baldwin à démissionner, car le gouverneur Metcalfe n'avait pas voulu abandonner le favoritisme au parti majoritaire. Mais déjà, parallèlement au favoritisme, commence à se développer des formes inédites de corruption, car l'émergence du capitalisme et des chemins de fer va amener une nouvelle forme de favoritisme, plus subtile, plus payante aussi pour le parti au pouvoir, mais plus cachée de l'électorat : la caisse électorale financée par les entrepreneurs. En attendant cette nouvelle influence, Morin, même de son siège d'Orateur, contribue à l'enracinement du pouvoir politique de son parti en faisant nommer son clerc d'étude, Hector-Louis Langevin, comme éditeur-rédacteur des *Mélanges religieux*[13]. Même s'il ne refuse pas de donner un coup de main à son élève, Morin ne surveille pas ce journal comme le prétend Louis-Joseph Papineau : tout au plus, son influence de maître vise-t-elle à assurer au Parti réformiste une bienveillance de plus d'un organe de presse. Cette bonne entente entre la presse et le nouveau ministère non seulement est un objectif politique de La Fontaine, mais elle contribuera à faire entrer la presse canadienne-française dans une ère de prospérité sans précédent. Mais Morin est plus préoccupé du retour de Papineau à la Chambre que de toute autre chose.

Influence de Papineau

Morin redoute avec justesse la force politique de Papineau. Il connaît le nouveau manifeste que le vieux tribun a rédigé pendant la campagne électorale ; il aurait même connu parfaitement le contenu pour en avoir discuté avec Papineau lui-même[14]. Il sait aussi que le Parti réformiste, comme tous les partis politiques, regroupe des hommes avec des options idéologiques différentes et que, personnellement, il appartient à la faction qui s'accommode le mieux des institutions britanniques. Mais il craint surtout que les réclamations de Papineau ne déchirent le parti et que, si elles se font trop virulentes, elles indisposent le gouverneur et l'Angleterre. Morin verra donc à diminuer l'influence politique de Papineau en utilisant largement la presse favorable aux réformistes.

À n'en pas douter, Papineau est en total désaccord avec le régime et les hommes politiques qu'il a trouvés en place à son retour au pays. Il n'est pas d'accord avec le régime d'Union qui a été imposé à ses compatriotes sans leur consentement, qui avait transféré la dette publique du Haut au Bas-Canada et qui avait posé en principe l'injuste égalité de la représentation. Quant à la responsabilité ministérielle, il n'y voit que de la poudre aux yeux jetée aux partisans de La Fontaine qui, selon lui, ne savent pas très bien comment interpréter et définir cette réforme. Il estime que le Bas-Canada doit devenir un état distinct avec un gouvernement qui s'apparente le plus possible à celui des États-Unis. Le rappel de l'Union est son but ultime.

Ces positions de Papineau, toujours en apparence membre du parti de La Fontaine et Baldwin, créent un certain mouvement d'incertitude parmi la députation réformiste, que dissipe très tôt son opposition au vote des subsides. C'est moins le geste posé par Papineau qui surprend que le moment choisi. Dès juin 1848, Papineau entreprend de clarifier ses positions. D'abord, il expose sa théorie politique. Ensuite, il se montre favorable au mouvement de colonisation amorcé en mars pour contrer l'émigration aux États-Unis et pour mettre en valeur les terres incultes des Cantons-de-l'Est. De fait, comme seigneur de la Petite-Nation, il trouve là un argument essentiel pour réfuter l'existence même des mouvements abolitionnistes du régime seigneurial qui justifient leur requête par un manque de terres arables où les jeunes fils de cultivateurs puissent s'établir. Enfin, il entend faire une tournée de la province. En plus de ce qu'on appelle déjà le « Manifeste Papineau », il rédige trois autres adresses à ses électeurs, toutes publiées dans *L'Avenir*. Dans la première, il met en parallèle la situation de l'Irlande avec celle du Bas-Canada et il vilipende l'assujettissement à l'Angleterre. La deuxième tente de diviser les partisans réformistes en exploitant habilement la rivalité Québec-Montréal : d'une part, les Québécois, adversaires inconditionnels du régime d'Union en 1840, ont fait preuve de sagesse face aux Montréalais, divisés par La Fontaine, qui, au contraire, ont appuyé l'établissement de ce même régime. Enfin, la dernière adresse accuse La Fontaine d'ambition personnelle aux dépens du bien-être politique des siens, et signale des traces de corruption au sein de l'administration réformiste. Les réformistes, déjà aux aguets, passent à l'action et décident de détruire Papineau.

Conflit entre les réformistes et Papineau

Dès le mois de janvier, un article paru dans le *Journal de Québec*, et attribué à Morin[15], est particulièrement cinglant à l'endroit du vieux chef. On y fait d'abord allusion au rôle de Denis-Benjamin Viger, son cousin, et de Denis-Benjamin Papineau, son frère, au sein du parti du gouverneur, reconnu alors pour être opposé à la liberté constitutionnelle que réclament les réformistes des deux Canadas, à la suite des patriotes de jadis. Cette contradiction familiale étant facilement prouvée, l'article mentionne ensuite que la force des réformistes est venue de l'appui des deux parties de la province et de la modération dont font preuve les députés de ce parti : tout retour au climat vindicatif de 1836 est voué à un échec. Puis, il démontre que Papineau ne comprend pas le mécanisme du gouvernement responsable en prenant pour exemple récent la dernière dissolution du Parlement, demandée et obtenue par le Conseil exécutif. Morin poursuit en mentionnant que les réformes tant attendues du système judiciaire, de la liste civile et de la loi électorale vont être adoptées prochainement grâce au gouvernement responsable. L'intérêt que porte Morin à ces questions n'est pas étranger à leur mention dans cet article tout comme la mention de la loi sur les écoles et la restauration de la langue française. Enfin, Morin mentionne que l'action du Parti patriote a été assez méconnue de l'ensemble de la population et a constamment isolé la Chambre « des deux autres branches de la Constitution et en lutte ouverte avec elles ». Il conclut en s'interrogeant sur la pertinence de l'actuelle théorie du grand tribun :

> Est-il opportun d'agiter ? Peut-on à l'heure qu'il est, sans danger et avec quelques chances de succès, agiter le rappel d'une mesure dont nous nous accordons avec lui à reconnaître l'injustice et la tendance mauvaise ? C'est l'unique problème dont nous devons en ce moment demander la

> solution aux hommes réfléchis ! [...] Protester toujours eût été une absurdité, un suicide.

Cet article au ton serein contraste avec l'attitude de plusieurs réformistes. Ainsi, en février, Duvernay, méfiant, refuse la publication d'articles favorables à Papineau et en mars, lorsque ce dernier s'objecte au vote de subsides, la presse réformiste s'agite. La publication des deux adresses contribue davantage à la vindicte journalistique des réformistes : à part *L'Avenir* et *Le Canadien*, la presse condamne ces manifestes, à cause surtout de leur appel à de vieux sentiments acrimonieux et de l'agitation qu'ils provoquent.

Élection partielle à Québec : défaite du clan Papineau

Cette guerre journalistique se transforme bientôt en actions concrètes. Ainsi, la démission d'Aylwin comme député de Québec, pour accéder à la magistrature, provoque des élections chaudement contestées. Les réformistes proposent Dunbar Ross, avocat d'origine irlandaise, pour défendre leurs couleurs. Il a le double avantage d'avoir un nom anglais, donc de pouvoir maintenir la coutume de la représentation ethnique égale pour les deux députés de Québec, et d'avoir rendu d'importants services au parti en écrivant une brochure lors de la crise Metcalfe de 1844. Mais Cauchon, principal lieutenant de La Fontaine à Québec, s'aperçoit bientôt que Ross n'a pas l'appui des Irlandais et qu'il faut avoir un candidat de langue française pour une élection référendaire au sujet de l'Union. Il suggère plutôt François-Xavier Méthot, marchand de Québec, qui est alors agréé comme candidat du Parti réformiste, mais Dunbar Ross ne veut pas se désister. Du côté des abolitionnistes de l'Union, Joseph Légaré, le peintre, est choisi malgré la présence du lieutenant de Neilson, le notaire Louis-Édouard Glackmeyer, qui prétend que cette nomination lui revient de droit. Finalement, l'excentrique notaire abdique[16] et Ross se présente comme indépendant. La campagne électorale est féroce et finalement Méthot l'emporte par près de 500 voix de majorité. C'est un coup dur pour Papineau qui a pris une part active à cette campagne en venant haranguer des foules considérables deux fois : on est venu entendre le grand tribun mais on ne l'a pas écouté, ce qui réjouit Cauchon et les réformistes qui ont beaucoup misé sur ce résultat électoral.

La colonisation des Cantons-de-l'Est, objet de luttes

La lutte menée par les réformistes contre Papineau se transporte maintenant dans la région montréalaise où l'émigration vers les États-Unis angoisse les élites laïques et religieuses. Pour contrer cet exode déjà important, les rédacteurs de *L'Avenir*, forts de l'encouragement d'Édouard-Raymond Fabre, libraire et personnalité en vue de la scène municipale montréalaise, et d'amis de La Fontaine et de Papineau, forment le projet de fonder une association pour coloniser les Cantons-de-l'Est : les articles de l'abbé Bernard O'Reilley, parus l'automne précédent dans le *Journal de Québec* et *Le Canadien* portent ainsi fruit. Deux des jeunes rédacteurs, Charles Laberge et Louis Labrèche-Viger, tous deux futurs avocats, sont plutôt méconnus, bien qu'ils soient dynamiques ; ils font alors appel à l'Institut canadien, dont ils sont membres, comme corps déjà organisé pour prendre en main la fondation de la nouvelle association et ils obtiennent l'appui de Mgr Ignace Bourget, évêque de Montréal, pour leur projet. Le comité organisateur, à la suggestion de l'abbé O'Reilley, place l'association naissante sous le patronage du clergé canadien, voit à obtenir l'appui du gouvernement et convoque une grande assemblée publique de fondation au carré Bonsecours le mercredi 5 avril 1848.

Mais la politique risque déjà de compromettre le projet. Les jeunes de l'Institut ont vite fait de demander à l'un des leurs, Augustin-Norbert Morin, de présider le nouvel organisme : son expérience comme « ministre » des Terres sous le premier « ministère » La Fontaine-Baldwin le désigne d'emblée à ce titre, d'autant plus qu'il vient d'être élu président de la Société d'agriculture du Bas-Canada ainsi que membre des comités du journal, des finances et d'exécution de la même société le 28 mars 1848, démontrant ainsi un intérêt soutenu pour l'agriculture et la colonisation. Apprenant qu'on se propose de demander à Papineau de devenir vice-président, Morin hésite longuement[17] et, après avoir consulté La Fontaine, il refuse. Ce refus tient à plusieurs circonstances, surtout à la procédure prévue lors de l'assemblée publique, suggérée par Papineau, qui prévoit la présentation de résolution par chaque orateur de façon à éviter les répétitions. Les organisateurs demandent alors à Morin de présenter la résolution sur la nationalité. Cette résolution, visiblement inspirée par Papineau, dénonce l'Angleterre qui tente de dépouiller les Canadiens français de tout ce qu'ils possèdent et de tout ce qui leur tient à cœur ; politiquement,

Morin ne peut cautionner une telle résolution au moment où l'Angleterre se montre conciliante et il demande à ses jeunes amis de l'Institut d'y renoncer. Loin d'accepter la requête, ils demandent alors à Papineau de présenter cette résolution. Ce dernier accepte immédiatement, convaincu de posséder une chance unique de propager ses idées politiques. Flairant le piège, Morin décide de ne pas assister à l'assemblée de fondation.

Cette grande assemblée publique de fondation du 5 avril se tient sous la présidence de Mgr Bourget ; la foule est considérable[18], car on ne veut pas manquer le discours de Papineau. Celui-ci harangue longuement la foule et ne perd pas l'occasion d'y exposer ses idées. Vient, après les discours, le temps d'élire les officiers de la nouvelle association. L'assemblée, finalement, demande à Mgr Bourget lui-même d'assumer la présidence de la société et attend vainement la présence de Morin pour en faire l'un de ses vice-présidents ; celui-ci envoie une lettre pour excuser son absence et signifier son approbation de la nouvelle association. Les membres de l'Institut canadien font alors élire les leurs aux différents postes de l'association. Le ressac escompté par les anti-unionistes est annulé surtout par les démarches de La Fontaine et de Morin auprès de Mgr Bourget pour ne pas faire publier le discours de Papineau. Le contrôle de la presse par les réformistes porte des fruits et seul *L'Avenir* publie le discours de Papineau avec, en contrepartie, celui du Côme-Séraphin Cherrier, qui est loin d'appuyer Papineau. Finalement, la nouvelle association obtient l'ouverture des terres de la Couronne à des fins de colonisation, mais le rôle de Papineau ne jette pas d'ombre aux réformistes. Cette querelle politique autour du projet de colonisation préconisé par l'abbé O'Reilley va refaire surface dans la presse durant l'été de 1848 et pour l'envenimer, le 14 juillet, date fixée pour nommer des officiers permanents de l'Association, une assemblée tumultueuse va empêcher le groupe de George-Étienne Cartier de faire élire Morin comme président. Cette défaite fait visiblement mal aux réformistes ; pendant ce temps, Morin prouve son attachement à ce projet en souscrivant £25 lors de l'assemblée tenue à Saint-Michel le 13 août.

Distance entre Papineau et ses anciens lieutenants

Papineau a ainsi raté son retour en politique. Surprenant qu'il n'ait pas senti ces réserves de ses anciens amis :

Cette attitude pleine de réserves, chez l'ancien lieutenant, Papineau ne l'avait-il pas retrouvée à sa rentrée au pays ? Pendant que d'autres s'empressaient autour du grand homme, souhaitant son retour à la vie politique, allaient jusqu'à mettre leur comté à sa disposition, La Fontaine, plus méfiant ou plus clairvoyant, se tenait prudemment à distance, évitait de se commettre, et entraînait dans cette méfiance ou suspicion, entre quelques autres, des hommes comme A.-N. Morin[19].

C'est que Morin, premier lieutenant de Papineau dans la décennie 1830, a changé de discours et s'est aperçu qu'on peut tirer beaucoup d'avantages du nouveau régime si l'on sait bien s'organiser. Papineau, en exil pendant ce temps, n'a pu faire le même cheminement politique. Il continue de reformuler les mêmes objections que les anti-unionistes de 1840. Morin et La Fontaine estiment que ce retour en arrière est dépassé et ils bloquent fermement la route à leur ancien chef: cette « opposition des deux tendances permanentes du nationalisme canadien-français[20] » a toutefois un caractère plus évolué que ne le prétend Mason Wade. Alors que cet auteur n'y voit que l'éternelle opposition d'une minorité extrémiste à une majorité modérée, il faut, à cette époque, distinguer deux groupes chez les extrémistes. D'une part, les partisans de Papineau représentent une faction menant une lutte d'arrière-garde contre l'union assimilatrice et, d'autre part, les jeunes journalistes de *L'Avenir* se démarquent de leurs aînés, car

> leur véritable originalité était de rêver encore à un état national dirigé intégralement par les Canadiens français. Leur mérite était d'avoir découvert l'équivoque qui avait échappé à la plupart : la confusion entre l'ordre politique et l'ordre national, entre le principe démocratique et le principe des nationalités. Cela, les jeunes de *L'Avenir* l'avaient compris plus clairement que Papineau, qu'on les accusait de répéter[21].

Situation difficile de la colonie

Mais de plus graves problèmes que le retour de Papineau se présentent aux dirigeants politiques : la situation générale du pays laisse à désirer.

Au premier chef, il y a les épidémies qui, périodiquement, s'abattent sur le pays comme un fléau. Depuis les années 1830, on s'est efforcé de les combattre ou de les prévenir par la création de l'Hôpital de la Marine en 1835[22] et l'ouverture de deux écoles de médecine, l'une à Québec et l'autre à Montréal. Mais il semble bien que ces écoles ne soient pas organisées comme des collèges de médecine prévus par la loi et que leurs méthodes ne plaisent pas du tout à Morin, comme en fait foi une lettre du 3 mai 1848 adressée au docteur Joseph Émery Coderre et rendue publique par *L'Avenir*[23]. Le destinataire est pourtant un ami de Morin et il est le secrétaire de l'école de Montréal. Mais le temps est plus à l'inquiétude qu'à l'amitié : « la période dite de la migration de la famine[24] », commencée en 1847, va finir par une autre épidémie en 1849. Montréal est atteinte cette fois et toute la population est ameutée par ces problèmes de santé publique qui, non seulement sèment le deuil et la consternation, mais aussi neutralisent l'activité économique du pays et rendent les déplacements impossibles.

Problèmes économiques sérieux

Justement, l'activité commerciale vit des moments difficiles. Si la théorie du libre-échange permet aux autorités britanniques de « concilier l'autonomie coloniale et la domination impériale » comme le démontre l'obtention du gouvernement responsable, elle bouleverse toutefois un système économique qui a largement favorisé le Canada. Un taux préférentiel sur les marchés anglais de la farine et du blé du Canada permet aux commerçants et aux producteurs de vivre depuis 1843 une période de prospérité. Mais l'abolition du protectionnisme anglais à partir de 1846 ne va pas sans créer des remous et une importante crise financière dans toute l'industrie meunière ; les activités connexes à la minoterie subissent aussi les contrecoups de la loi Peel et c'est le développement des nouvelles voies de communication, des canaux et des chemins de fer, qui écope le plus. Bientôt, meuniers et transporteurs font faillite en succession ininterrompue, rendant le crédit canadien d'abord plus difficile, puis inexistant en pratique. Cette situation économique précaire, aggravée par de mauvaises récoltes, n'épargne personne et toutes les couches sociales sont touchées, des membres des professions libérales aux cultivateurs.

Francis Hincks, inspecteur général

Le nouveau ministère compte peu de spécialistes en économie. Conscient de cette carence, il nomme Francis Hincks inspecteur général et il lui donne tous les pouvoirs pour tenter de régler cette crise économique.

Hincks, grand ami de Robert Baldwin, réformiste modéré qui a réussi à maintenir la fragile unité du parti au Bas-Canada par son opinion éclairée durant les années 1845-1847, jouit d'une expérience remarquable pour occuper sa nouvelle fonction. D'abord marchand, puis journaliste, il a fondé deux journaux, l'*Examiner* à Toronto en 1838 et le *Pilot* à Montréal en 1844. Ayant été enquêteur de la Welland Canal Company en 1835, sa réputation d'administrateur précède son entrée à la Chambre comme député d'Oxford en 1841. Nommé inspecteur général des Comptes publics dans le premier « ministère » La Fontaine-Baldwin en 1842, il se fait alors remarquer par sa gestion efficace des deniers publics. Quittant Toronto pour Montréal en février 1844, il se signale immédiatement par son ardeur à faire l'union entre les Irlandais et les Canadiens français. D'ailleurs, cette alliance ethnique le sert bien, lorsqu'il agit comme organisateur de l'élection partielle tenue à Montréal en avril 1844 dans un fief tory: ses manœuvres électorales, semblables à celles de ses adversaires, s'inspirent de l'intimidation et de la violence, mais valent finalement aux réformistes une victoire inattendue. Battu aux élections générales de 1844, il est élu à celles de 1847 sans même mettre les pieds dans son comté d'Oxford grâce aux efforts de George Brown, son ancien compétiteur du *Globe* de Toronto, et de Thomas Straham Shensten, son mandataire politique: un voyage dans son Irlande natale et des affaires urgentes à Montréal l'ont tenu hors de la campagne électorale où, pourtant, il excelle. Sitôt en poste,

> il eut tôt fait de découvrir à quel point les rumeurs d'instabilité politique ainsi que la mauvaise administration et les dépenses excessives avaient miné la réputation financière et le crédit de la province du Canada, laquelle avait contracté de lourds emprunts pour financer les travaux publics, sans prendre les dispositions nécessaires au règlement des dettes[25].

Révocation des lois de navigation

La première initiative de Hincks est de presser l'Angleterre de révoquer les lois de navigation qui ont cours depuis Cromwell. Deux assemblées politiques tenues à Montréal, le 15 juin et le 28 novembre 1848, auxquelles prennent part Morin, George-Étienne Cartier et George Moffatt, adoptent des résolutions dans ce sens et, comme d'habitude, c'est Morin qui en est le rédacteur. Il exprime bien les craintes de tous en déclarant que, si les lois anglaises de navigation sont encore en force après le retrait du taux préférentiel protégeant les céréales et la farine du Canada, il y a fort à craindre que ces marchandises ne soient expédiées en Europe que par les ports de mer des États-Unis. Cette situation mettait ainsi en péril le réseau de canaux mis en place récemment pour relier le Saint-Laurent aux Grands Lacs et compromettait du coup le développement d'un réseau de chemins de fer encore embryonnaire. De plus, les revenus de la province liés à l'utilisation des travaux publics seraient diminués considérablement, ce qui ne serait pas de nature à favoriser son relèvement financier et pourrait même avoir de néfastes effets sur tout son commerce, tant intérieur qu'extérieur.

Entente de réciprocité avec les États-Unis

Londres, finalement, abolit ces lois de navigation l'année suivante, ce qui permet à Hincks d'entreprendre la plus importante phase de son ambitieux programme de relance de l'économie canadienne, soit l'établissement d'une réciprocité tarifaire avec les États-Unis. Ces négociations vont durer quelques années avant d'aboutir à la signature du premier traité de libre-échange le 5 juin 1854. Lord Elgin, qui agit comme négociateur au nom de la colonie, reçoit un appui unanime de tous les partis politiques : réformistes et tories sont favorables à cette ouverture de marché qui facilite les échanges commerciaux et relance l'économie tandis que les rouges, et plus tard les Clear Grits, approuvent le libre-échange qui convient à leur programme politique dont l'annexion aux États-Unis constitue, à ce moment, une de leurs assises fondamentales. Et, pour terminer le redressement économique du Canada-Uni, Hincks, subissant en ce point une influence directe de Morin et de George-Étienne Cartier, propose un prolongement des chemins de fer, susceptible d'attirer non seulement des capitaux, mais de générer une activité industrielle substantielle et variée.

Promotion des chemins de fer

Morin est alors fort actif dans la promotion de ce nouveau moyen de transport que sont les chemins de fer. Il est président de la Compagnie du chemin de fer du Saint-Laurent et de l'Atlantique (Montréal à Boston) et il inaugure le tronçon de Longueuil à Saint-Hyacinthe le 11 février 1849.

Quelques jours plus tard, il assiste à une réunion de citoyens influents tenue à l'hôtel Donegana de Montréal en vue d'encourager la construction de chemins de fer au Canada-Uni et d'y intéresser l'Assemblée: ces personnes venues des deux parties de la province l'élisent au sein du comité de cinq personnes qui ont pour mission de réaliser les tronçons ferroviaires. Mais la compagnie qu'il préside connaît quelques difficultés financières et, conscient de l'importance du chemin de fer pour la relance économique de Montréal, il fait convoquer une assemblée de citoyens au marché Bonsecours sous la présidence du nouveau maire, Édouard-Raymond Fabre, pour savoir si les Montréalais autoriseraient leur corporation municipale à prendre £125,000 de parts dans la compagnie. Ce montant est presque aussi élevé que la dette de la ville[26], mais la bonne situation financière de Montréal créée par la bonne administration de Fabre l'année précédente, alors qu'il a été président du comité des finances[27], explique facilement que cette résolution est adoptée. Pourtant, le président d'une compagnie de chemin de fer rivale, la Saint-Laurent et Champlain, tente en vain d'empêcher l'adoption de la motion de Morin: tous comprennent très rapidement le motif des objections de John Molson; aussi ce dernier éprouve-t-il des difficultés à parler tant l'assemblée lui est hostile.

La réélection de Morin à la présidence du chemin de fer du Saint-Laurent et de l'Atlantique la veille de Noël 1849 ne l'empêche pas d'être le promoteur d'un nouveau chemin de fer entre Montréal et Prescott dès la fin de 1850. L'action de Morin pour la promotion du chemin de fer est soutenue. Au pied levé, il remplace le maire de Montréal le 4 mars 1851 comme président d'une assemblée publique convoquée pour connaître les recommandations du comité qui a étudié la route la plus avantageuse pour construire un chemin de fer de Montréal à Kingston. Il est même nommé membre du comité chargé d'obtenir une incorporation de la législature. Il est de toutes les inaugurations de parcours et son appui est recherché. Son action dynamique en matière de transport pousse les Montréalais à l'élire président d'un comité de citoyens le 16 août 1849 pour se rendre à Saratoga en vue d'étudier la construction d'un éventuel canal entre le Saint-Laurent et le lac Champlain. Décidément, la promotion économique de Montréal lui tient à cœur même s'il ne néglige pas l'agriculture.

L'agriculture, encore et toujours !

En matière d'économie agricole, Morin semble partout à la fois. Il est président de la Société d'horticulture de Montréal, vice-président de la Société d'agriculture du Bas-Canada, délégué de cette même société à l'exposition de Syracuse et membre d'un grand nombre de comités. Son engagement personnel au sein de différentes associations et les expériences qu'il mène sur ses terres font du député de Bellechasse une compétence dont l'opinion est recherchée, lorsque la Chambre veut connaître l'état de l'agriculture et ce qu'il faut faire pour l'améliorer. Répondant à une lettre circulaire envoyée par le Comité de la Chambre sur l'agriculture dans le Bas-Canada, Morin dresse un bilan et propose des correctifs que seul un observateur comme lui du milieu agricole peut écrire.

Comme remarque liminaire, il note que l'agriculture s'améliore, mais que les progrès peuvent être accélérés. Il s'objecte d'abord à la politique d'octroyer des prix lors des expositions parce que « souvent les animaux, grains ou autres articles qui obtiennent ces prix sont très inférieurs ». Il regrette l'absence de rapports qui permettraient aux gens fréquentant les expositions « de publier les circonstances et les méthodes qui ont accompagné les résultats ». Puis, il s'en prend à ces expositions qu'il qualifie de perte de temps, car « l'on n'encourage pas assez les expériences pratiques, ni l'introduction d'instruments perfectionnés ». Il préconise plutôt l'établissement de fermes modèles : « Je veux dire que les écoles pratiques d'agriculture offrent, dans un rayon déterminé, des exemples à suivre adaptés à l'état et aux capitaux de la masse des cultivateurs. » À l'appui de cette suggestion, Morin cite le projet d'une telle ferme soumis par David Handyside, de Chambly, dont il dit beaucoup de bien. Enfin, Morin termine par des constats qui prouvent éloquemment ses connaissances des choses et des hommes en agriculture :

> L'insuffisance des fossés et rigoles d'écoulement, le défaut de prairies artificielles, l'emploi de semence salie par les mauvaises graines sont au nombre des obstacles généraux qui retardent l'agriculture. Dans les endroits nouvellement défrichés, l'époque tardive des semences par suite de quoi les grains gèlent l'automne, est une cause majeure de la pauvreté qui y règne souvent. Les nouveaux colons, au lieu de travailler pour autrui ou à faire de la potasse de bon printemps, devraient commencer par ensemencer leurs champs, et le faire bien, quand même ce devrait être en moindre étendue.

Et il ne manque pas d'insister auprès de la Société d'agriculture du Bas-Canada et de la législature pour le maintien de l'aide financière accordée à William Evans pour la publication de son journal bilingue, dont l'édition française, titrée *Journal des cultivateurs et procédés de la Chambre d'agriculture du Bas-Canada,* n'est pas assez répandue chez les Canadiens français, selon l'homme public.

Session de janvier 1849

Mais la crise économique, comme toute difficulté de cet ordre depuis l'existence du pouvoir civil, rend précaire l'exercice du gouvernement. Les réformistes, au pouvoir depuis treize mois, ne manquent pas d'adversaires lorsque débute la session de janvier 1849. Outre Papineau et son groupe de jeunes loups de *L'Avenir*, le premier gouvernement responsable semble incapable de juguler les difficultés économiques, selon la perception d'une bonne partie des hommes d'affaires anglophones de Montréal, et il se permet même d'amorcer une telle série de réformes que l'historien J. M. S. Careless qualifie « 1849 as the annus mirabilis of reform, the angry year of 1849[28] ». Au début de la session, au moment de l'adoption de l'adresse en réponse au discours du Trône, La Fontaine et Papineau se livrent un duel oratoire sur un sujet nettement dépassé, l'acceptation du régime d'Union. La Fontaine sort vainqueur grâce à son implacable logique des faits et Papineau perd de son emprise, du moins temporairement.

Certes, le menu législatif proposé par le ministère La Fontaine-Baldwin est substantiel et sous le signe général de la réforme. D'abord, les restrictions sur l'usage officiel du français sont abolies dans les faits dès le discours du Trône prononcé dans les deux langues par Elgin lui-même. Puis, on propose le transfert d'un contrôle impérial à un contrôle canadien pour le service postal, on projette la formation d'une nouvelle université laïque dans la partie ouest de la province et tout un train de mesures visant à compléter d'importantes modifications aux systèmes judiciaire, scolaire et municipal, amorcées en 1843, mais qui n'ont jamais pu être complétées à cause de la crise Metcalfe. Parmi ces modifications, Morin fait connaître à La Fontaine ses vues au sujet des municipalités, des chemins et des terres pour la colonisation :

> Dans mes vues d'institutions municipales, je donne le pouvoir exécutif en grande partie au commissaire des chemins, mais le pouvoir législatif

aux municipalités, en d'autres termes les corps municipaux ayant un caractère représentatif me paraissent être la seule autorité qui puisse décréter la taxe ; ces corps doivent avoir au moins un veto [...]. J'ai suggéré que la Législature, qui a un caractère représentatif, pourrait ordonner ces sortes de grands chemins et imposer la taxe. M. Boutillier n'approuve pas ce plan, et d'un autre côté, M. le Dr Taché m'a fait remarquer qu'une pareille taxe ne serait guère populaire [...]. Voici d'autres sujets qui doivent faire partie d'un bill des Municipalités et où le Gouvernement se trouve concerné. Vous aurez une responsabilité à prendre ; par conséquent, vos délibérations et votre avis sont nécessaires.

1) Terres du clergé [...]
2) Terres publiques arpentées ou non arpentées [...]
3) Terres des absents ou inconnus [...]

Faites-moi connaître vos vues sur tous ces sujets.
Vous pouvez garder cette note ; j'en ai copie[29]. »

L'addition des autres sujets semble surprenante. De fait, Morin a toujours cru et considère encore qu'il appartient au gouvernement le plus près des électeurs, donc le niveau municipal, de résoudre ces problèmes, car, d'une part, ils varient d'une municipalité à l'autre et, d'autre part, une solution différente peut être envisagée. Quoi qu'il en soit, Morin, l'Orateur, conserve toujours une profonde préoccupation de tous les sujets discutés, soit par goût personnel, soit par un souci d'innovation mû par son sens de l'intérêt national. Mais les réformistes n'auront pas le temps d'étudier ces projets de Morin, car le projet de loi visant à indemniser les victimes de la Rébellion de 1837-1838 met le feu aux poudres.

Indemnisation des victimes de 1837-1838 au Bas-Canada

Il n'a pourtant rien de révolutionnaire. Comme l'explique La Fontaine le 13 février 1849, il s'agit avant tout de donner suite aux recommandations d'une commission créée en 1846 et qui a établi le montant des dommages à verser aux loyaux citoyens dont la propriété a été détruite par l'autorité civile pendant la rébellion. Comme des sommes ont déjà été versées aux victimes du Haut-Canada, il faut simplement s'assurer que justice soit rendue à celles du Bas-Canada. Mais l'opposition est loin d'être en accord, ni avec le principe ni avec l'appropriation des montants requis. Les leaders tories tiennent les Canadiens français responsables de la perte de leur pouvoir politique et de la crise économique. Pour eux, il est impensable de leur voter des crédits[30], encore moins « d'utiliser pour le paiement des pertes en question le fonds fourni par des licences de mariages protestants[31] ». Dans de telles conditions, l'opposition tory décide de s'opposer fermement à chacune des étapes du projet de loi et de faire subir ainsi un véritable test au nouveau concept de gouvernement responsable.

La faiblesse numérique de l'opposition tory l'oblige à utiliser à outrance ses meilleurs orateurs, le colonel Gugy et sir Allan MacNab. Rapidement, les deux parties décident de masser des partisans dans les tribunes pour chahuter les orateurs adversaires. L'atmosphère devient vite insupportable et, le 20 février, Morin « croit nécessaire de faire évacuer la tribune parce que les étrangers discutaient plus âprement que les députés ». L'Orateur doit déployer beaucoup de fermeté lors de ce débat et personne ne se plaint de ses actions. La presse suit avec intérêt cette surprenante polémique qui ranime de vieux préjugés et, finalement, après de tumultueuses discussions, le projet de loi est adopté tant par l'Assemblée que par le Conseil législatif. Reste le dernier espoir des tories : le refus de la sanction par le gouverneur.

Elgin et le bill d'indemnisation

Elgin est dans une position inconfortable. D'une part, le gouverneur doit approuver des indemnités à des rebelles, confirmant ainsi le pouvoir de la majorité aux dépens de ses propres compatriotes ; d'autre part, il ne peut rejeter, à la première difficulté, le principe du gouvernement responsable. Plus libéral que tous ses prédécesseurs, Elgin n'est pas un administrateur colonial comme eux : « Il s'identifie à ce Canada qu'il aime[32]. » Il décide alors de sanctionner le projet de loi, clouant ainsi le bec aux détracteurs de l'union et du gouvernement responsable[33], écartant aussi du revers de la main la solution abondamment utilisée par ses prédécesseurs qui n'ont jamais hésité à dissoudre la Chambre lorsque la majorité adoptait une loi non conforme aux intérêts britanniques ou anglo-saxons de la colonie. Décidément, « the governor-general was out of politics ; he was no longer a tory party patron[34] ».

Émeute et incendie du parlement

Lorsque le gouverneur général sanctionne la loi le 25 avril 1849, il fait face alors à une manifestation organisée, d'abord dans les tribunes au parlement, puis à sa sortie de l'édifice, par une foule hostile qui le bombarde de projectiles. Qualifiant ceux qui l'attaquent de « canaille en habit fin », Elgin a vu juste, car il y a plus que des jeunes excités dans cet attroupement : il a reconnu des représentants de la bourgeoisie d'affaires, des politiciens, des orangistes et aussi des journalistes du *Montreal Gazette*. Effectivement, le journal anglophone n'aide pas à calmer les esprits puisqu'une heure à peine après ces manifestations il sort un numéro où il fait un appel direct à continuer l'émeute :

> Le Canada est perdu et livré. Une multitude doit s'assembler sur la Place d'Armes ce soir, à huit heures. Anglo-Saxons, au combat, l'heure est arrivée.

Le gouverneur général ne doit son salut que dans la fuite vers Monklands, sa résidence officielle, suffisamment éloignée du parlement et des émeutiers. Au péril de sa vie, il a prouvé qu'il ne doit plus y avoir de conflit entre la volonté des Canadiens, et des Canadiens français surtout, et le fonctionnement d'un ordre politique institué par l'Angleterre. Mais le calme n'est pas rétabli.

Chauffée à blanc par des orateurs aux propos vitrioliques contre le gouverneur et les réformistes canadiens-français, la foule réunie au Champ-de-Mars décide de passer à l'action. À neuf heures, elle se dirige vers le parlement où siègent encore les députés, brise les fenêtres et se sert des lampadaires au gaz pour mettre le feu. Un sauve-qui-peut s'amorce chez les parlementaires à la vue des flammes qui lèchent déjà les draperies. Morin, l'Orateur, réprime rapidement cette indiscipline et réclame une motion d'ajournement en bonne et due forme avant de lever la séance. Cette motion adoptée, tous quittent l'édifice en flammes derrière leur Orateur, avec dignité et calme, malgré les quolibets de la foule et la gravité des événements. Pendant que le parlement brûle et qu'il ne sera plus qu'un amas de débris le lendemain, un autre groupe d'émeutiers tente sans succès d'incendier la nouvelle résidence privée de La Fontaine.

Cet incendie n'empêche pas Morin de prendre ses responsabilités et, dès 11 heures le soir, soit à peine deux heures après l'ajournement forcé, il fait parvenir cet avis aux membres de l'Assemblée :

> I have the honor to inform you that, in the present emergency, and upon advice of a member of the Honorable Members of this House, I have thought it my duty to inform you that the next meeting of the House will take place at the Bonsecours Market, to-morrow morning, Thursday

L'émeute du 25 avril 1849 à Montréal (Walker, *Punch in Canada*).

> the 26th April instant, at 10 o'clock, it being the hour to which the House stands adjourned, under its Rules.

Cette fermeté tient moins au caractère de Morin qu'à son sens relevé du devoir d'État. Et, durant les semaines qui vont suivre, il n'hésitera pas à avoir recours à l'armée pour garder le parlement lorsque la situation s'impose : à part sir Allan MacNab qui conteste ce pouvoir à l'Orateur près

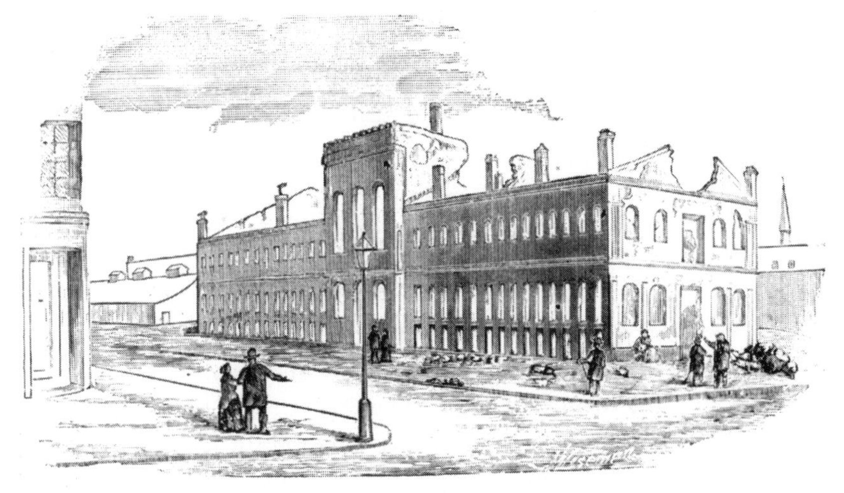

L'Hôtel du Parlement au lendemain de l'émeute (*Montréal Daily Star*, janv.-fév. 1887).

d'un mois après le début du soulèvement, la députation appuie fermement ces mesures de sécurité prises par l'Orateur.

Montréal, ville ouverte

L'incendie du parlement n'est cependant pas un incident isolé. Durant les semaines qui suivent, Montréal est carrément livré aux manifestants tories qui tentent de s'en prendre aux personnalités politiques et au gouvernement, tant dans leurs biens qu'à leur personne même. Quand on sait que c'est le chef des pompiers lui-même qui a mené les émeutiers au parlement, on comprend mieux pourquoi l'édifice n'a pu être sauvé des flammes[35]. Quand on sait que la troupe a été incapable de rétablir l'ordre pendant des semaines, même avec du renfort venu de Sorel et de Québec, on comprend mieux pourquoi La Fontaine organise lui-même la défense de ses biens après un premier saccage des émeutiers et pourquoi William Mason, tué dans l'assaut du 15 août à sa résidence, est considéré comme un martyr par les manifestants et la majorité de la population anglophone. Quand on sait le danger réel que court personnellement lord Elgin à chacune de ses sorties officielles pendant cette ténébreuse période, on comprend alors la haine farouche des foules anglo-saxonnes envers celui qu'elles considèrent comme le plus grand promoteur du gouvernement responsable. Quand on sait que des soulèvements et des manifestations ont aussi lieu à Québec et à Trois-Rivières, mais à des degrés moindres et avec un succès plus restreint, on comprend mieux l'exaspération et le sentiment de panique des tories qui, pour la première fois depuis 1791, ont la nette impression d'être dépossédés d'un pouvoir politique qu'ils ont toujours cru leur appartenir de droit.

Conséquences politiques des émeutes de 1849

Pour les Canadiens français, la réaction des tories leur rappelle la rébellion de 1837-1838 : la frustation politique fait poser des gestes déplacés, voire dangereux pour la sécurité et l'ordre publics. Mais là s'arrête la comparaison, car il y a beaucoup moins de pertes de vie et les émeutiers anglo-saxons sont considérés comme des insoumis plutôt que des rebelles ; toutefois, des conséquences politiques à court et à long terme vont suivre cette série d'actions belliqueuses. D'abord, Montréal perd son titre de capitale et le siège du gouvernement déménage à Toronto pour une période de deux ans ; au même moment, les extrémistes anglo-saxons et canadiens-français vont former une étrange alliance pour réclamer l'annexion aux États-Unis. Le nouveau régime du gouvernement responsable aura à passer de durs moments pour survivre : La Fontaine et Morin dans le Bas-Canada vont devoir se servir de toute leur influence pour contrer l'annexion alors que Hincks, Baldwin et George Brown feront de même dans le Haut-Canada.

Mouvement d'annexion aux États-Unis...

Au Bas-Canada, le mouvement annexionniste n'est pas une idéologie spontanée née de la mauvaise humeur anglo-saxonne du moment. De fait, l'annexion a déjà fait l'objet d'un examen sérieux à la fin de 1847 dans les journaux de langue française auxquels s'était joint *The Gazette*, dont la réputation d'ennemi des Canadiens français est bien connue. Ce qui a lancé le débat est une proposition d'annexion du Canada aux États-Unis prônée par le *Courrier des États-Unis*. Le directeur des *Mélanges religieux*, Hector-Louis Langevin, réplique par un projet de confédération des colonies anglaises d'Amérique : pour lui et pour l'évêque de Montréal à qui appartient le journal, une éventuelle confédération est meilleure pour les Canadiens français que l'annexion pure et simple et il se sert de la Louisiane pour prouver ses avancées. Les rédacteurs de *La Minerve* admettent qu'il existe de solides arguments pour une confédération et l'annexion ; ils ne peuvent, toutefois, s'empêcher de montrer leur appui pour l'annexion, ne serait-ce que pour contredire Langevin au sujet de son argument dominant, la Louisiane. Puis, pendant quinze mois, c'est le silence complet sur le sujet.

Contrairement à ce qu'on peut penser, le mouvement annexionniste se répand aussi au Haut-Canada. Ses propagandistes sont des radicaux, bien que tous les radicaux de cette partie de la province ne soient pas annexionnistes. Toutefois, le nombre d'adhérents est nettement plus restreint que dans la section est de la colonie et ses dirigeants n'ont ni le prestige politique ni l'influence économique de leurs homologues de Montréal, centre du mouvement annexionniste bas-canadien. Néanmoins, les annexionnistes de Toronto posent des gestes spectaculaires. D'abord, ils fondent le *Canadian Independent* et ils influencent assez la rédaction

George Brown, fondateur du *Globe*, partisan de la représentation selon la population (*L'Opinion publique*, 20 mai 1880).

du *Toronto Examiner* pour qu'elle leur soit favorable. C'est alors que le *Globe*, le journal de George Brown, entreprend une campagne de démolition contre cette théorie politique, « another piece of Montreal madness », et démontre tous les avantages du gouvernement responsable et de la continuité du lien avec l'Angleterre. Puis, les annexionnistes profitent de l'élection partielle dans York East en 1849 pour appuyer un candidat, Peter Perry, qui se présente comme républicain. Ce coup d'éclat porte, puisque Francis Hincks, Robert Baldwin et George Brown conjuguent leurs efforts pour demander à Perry de désavouer l'annexion. À ces pressions, Perry répond que son seul engagement est de ne pas être un propagandiste de l'annexion s'il est élu, bien qu'il croit que ce soit là le destin ultime de la province. Élu, Perry tient parole mais il devient un des fondateurs du parti des Clear Grits, le pendant des rouges du Bas-Canada[36].

… sur fond de crise économique

L'été 1849 fournit l'occasion à la population de la province de se poser des questions sur son avenir. La situation économique est loin de s'améliorer : le rappel pourtant souhaité des lois de navigation en juin 1849 met fin au monopole maritime anglais sur le Saint-Laurent mais ne permet pas l'augmentation espérée du trafic fluvial. Les faillites augmentent considérablement à Montréal et la valeur de la propriété dans cette ville, de l'aveu même du gouverneur, a diminué de 50 % en trois ans. À sa troisième année consécutive de dépression, le Canada devient un pays sans espoir pour les investisseurs et les grands chefs d'entreprises. Ces derniers, presque exclusivement anglo-saxons, sont irrités par la majorité canadienne-française et ils s'empressent de rendre responsable de leurs déboires économiques la nouvelle forme d'administration de la colonie. L'adoption de la loi qui indemnise les victimes de la Rébellion de 1837-1838 n'est que le déclencheur d'une vaste réflexion que les gens d'affaires, encore puissants malgré tout, vont amorcer : faut-il rallier la « British American League » de George Moffatt ou se lancer à corps perdu dans un mouvement annexionniste avec les États-Unis ?

Un personnage coloré : George Moffatt

Personnage énigmatique s'il en est un, ce George Moffatt. D'une part, homme d'affaires brillant, copropriétaire d'une des principales maisons d'importation et d'exportation du Canada-Uni, il fait partie, soit à titre de promoteur, soit à titre d'actionnaire, de différents comités favorables à l'amélioration des facilités commerciales de sa ville d'adoption comme la commission du Havre de Montréal et des nombreuses compagnies de chemin de fer qui naissent à ce moment ; il est aussi grand propriétaire foncier dans tout le Bas-Canada et il agit comme administrateur pour la colonie de la Phoenix Fire Insurance Company. Sa vie politique, d'autre part, est faite de contradictions et de revirements assez inusités. Représentant des hommes d'affaires de Montréal et leader moral des anglophones du Bas-Canada, Moffatt siège au Conseil législatif à compter de 1831 ; à ce double titre, il contribue à faire respecter cette instance politique en engageant des poursuites au criminel contre Ludger Duvernay et Daniel Tracey, l'un et l'autre éditeurs de journaux qui ridiculisent le Conseil, et, en sous-main, il attise la haine de ses compatriotes contre les Canadiens français par la parution d'articles sarcastiques dans le *Montreal Herald* à l'automne de 1835. Puis, à la suite à la rébellion de 1837, il exhorte les autorités britanniques à faire preuve de clémence. Membre du Conseil spécial mis en place par sir John Colborne, il perd du prestige à l'arrivée du gouverneur Charles Poulett Thompson, qui ne renouvelle pas son mandat ni au Conseil spécial (1839) ni au Conseil législatif (1841). Élu député de Montréal en 1841, il démissionne en 1843 pour protester contre le déménagement de la capitale, de Kingston à Montréal. Il reprend son siège en 1844 et sa position envers les Canadiens français devient plus conciliante : il appuie une motion visant à rétablir le français comme l'une des langues officielles des débats et il désavoue même des propos contraires qu'il a déjà tenus sur le sujet. Favorable à l'indemnisation des victimes de 1837, il ne se présente pas à l'élection générale de 1847 : le climat politique et commercial lui semble malsain et il s'engage à fond dans un mouvement où il agit à titre de cofondateur avec d'autres commerçants montréalais, la « British American League[37] ».

Le règlement des problèmes engendrés par la disparition inopinée de la protection jadis accordée aux produits canadiens sur le marché anglais et le maintien du lien britannique avec la province sont les deux objectifs mis de l'avant par Moffatt et son groupe. Malgré la fondation de nombreuses sections locales tant parmi la population anglophone des Cantons-de-l'Est que dans le Haut-Canada devant représenter les principaux courants de pensée et d'opinion de la population anglo-saxonne de la province, la convention de Kingston tenue en juillet 1849 ne réussit pas à présenter autre chose, comme solution aux problèmes actuels, qu'un projet de confédération des colonies anglaises d'Amérique du Nord. C'est trop peu et d'une réalisation trop lointaine pour être acceptable. La ligue ne survivra pas à une autre assemblée générale tenue à Toronto en novembre de la même année.

Apogée du mouvement annexionniste

Désormais, le mouvement annexionniste[38] rallie tous les opposants au régime d'Union. En octobre, période qui marque l'apogée du mouvement, un congrès de tous les annexionnistes est convoqué par les dirigeants des journaux anglophones de Montréal. À cette occasion, la rédaction d'un manifeste est complétée et commence alors à circuler une pétition en faveur de l'annexion que signent allègrement des tories convaincus, des réformistes qui appartiennent à la classe des affaires comme Benjamin Holmes et Jacob De Witt, par exemple, et, aussi étrangement que cela puisse paraître, Papineau et ses partisans.

Ce curieux amalgame d'opposants au gouvernement responsable possède des raisons contradictoires pour proposer comme solution aux maux de l'époque une annexion à la république voisine. D'une part, marchands et hommes d'affaires anglo-saxons, de toute tendance politique, n'acceptent pas la nouvelle théorie économique de l'Angleterre, soit le libre-échange, qui est en partie responsable de leurs difficultés financières; qui plus est, cette théorie est assortie d'une acceptation de l'idéologie politique du gouvernement responsable pour les colonies, ce qui constitue pour eux une grave insulte, car ils se considèrent alors comme des laissés-pour-compte par la mère patrie. D'autre part, les jeunes qui gravitent autour de Papineau et de *L'Avenir* voient là l'occasion de répudier le régime d'Union et de mettre en place leur idéal républicain. Seule différence notable entre les deux groupes, la faction anglo-saxonne recueille presque la totalité des adhésions de sa nationalité alors que la faction francophone est minoritaire: elle va tout tenter pour élargir sa clientèle.

C'est *L'Avenir* et ses jeunes rédacteurs qui donnent le ton. Déjà, le mouvement annexionniste peut compter sur *Le Moniteur canadien* à Montréal et le *Canadien indépendant* à Québec. Dans le premier cas, il s'agit d'une « conversion » du réformisme à l'annexionnisme alors que le second est rédigé par Napoléon Aubin, en rupture de ban avec l'éditeur du *Canadien*. À cause de la virulence des rédacteurs, le projet annexionniste se heurte au rejet officiel des membres les plus importants du ministère La Fontaine-Baldwin. Dans un texte intitulé « Les patriotes de 1837 changés en loyaux sujets de 1849 », *La Minerve* publie le 15 octobre 1849 un « protêt officiel contre la séparation du Canada d'avec l'Angleterre et son annexion aux États-Unis ». Le document porte treize signatures, dont celle de Morin, et c'est à ce dernier que les rédacteurs de *L'Avenir* s'en prennent le plus:

> Oui, l'hon. A.-N. Morin, qui apposait jadis sa signature aux 92 résolutions, ce plus beau feuillet de notre histoire parlementaire, la jette aujourd'hui au bas du protêt dirigé contre une déclaration de larges principes démocratiques, contre une déclaration qui, dans l'histoire, sera la page-soeur de celle qui renferme ces 92 résolutions d'autrefois.

Le journal annexionniste, dans la même édition, compare les salaires des treize signataires en 1837 et en 1849, ce qui ne manque pas de laisser des doutes sur le désintéressement des réformistes canadiens-français. Quelques jours plus tard, on reprend le même argument, en soulignant le caractère vénal de ces hommes. Toutes ces attaques prouvent l'importance qu'on attache à ces adversaires car, en politique comme en affaires, on ne s'occupe pas de concurrents faibles ou négligeables.

Réplique des réformistes

Pendant ce temps, la presse réformiste[39] ne manque pas de souligner l'agitation émeutière des tories à Montréal, insiste sur les attitudes retardataires de Papineau dans sa lutte pour l'abrogation du régime d'Union et met en relief l'incongruité de l'alliance tories-rouges[40] pour l'annexion. La presse annexionniste a beau écrire de grands textes, multiplier les preuves du bien-fondé de l'annexion en se servant de l'exemple mis en relief par leurs adversaires, la Louisiane, et tenter de gagner quelques personnalités[41] à sa cause, elle ne réussit pas à convaincre la population puisque, selon toute apparence, les leaders canadiens-français favorables à l'annexion « ne savaient pas employer des mots simples pour parler de choses simples ». De fait, la majorité des Canadiens français est satisfaite de sa situation politique, malgré le fardeau de la dépression, car l'obtention du gouvernement responsable et le dédommagement tardif des victimes de la Rébellion constituent à ses yeux un tel succès que la marge de manœuvre réelle de Papineau et des rouges est fort mince. Mais la presse réformiste a vu à informer ses lecteurs des bienfaits du gouvernement responsable dans un mouvement de concertation important durant l'hiver de 1849-1850. Mis à contribution pour surveiller les premiers pas des *Mélanges religieux* quelques mois auparavant, Morin reprend du service actif en journalisme en agissant comme censeur de *La Minerve* où Ludger Duvernay lorgne de plus en plus vers l'annexion. Il ne réussit pas à toujours colmater les brèches, comme en fait foi cet extrait de lettre envoyée à La Fontaine le 12 février 1850 :

> Berthelot m'a parlé, à mon retour du Nord, des annonces et des paragraphes dans la Minerve au sujet d'assemblées annexionnistes. Ces annonces m'avaient à moi-même déplu, mais je n'ai pas cru ou plutôt pensé à leur suppression [...]. J'ai bien souvent, aussi souvent que j'ai pu, remis la Minerve dans la bonne voie lorsqu'elle paraissait s'en égarer au-delà des exigences des tems ; j'ai réussi bien souvent aussi à donner la couleur que je désirais.

Morin est toujours fidèle à son engagement de conseiller auprès de la presse : sa santé, constamment chancelante en période de crise politique, ne lui permet guère davantage d'activités, compte tenu que la protection des parlementaires durant ces mois d'agitation rend sa fonction d'Orateur plus difficile et plus astreignante. Mais il appuie La Fontaine dans toutes ses décisions, dont celle de changer la capitale en novembre 1849 : le marché Bonsecours est tout à fait inadéquat comme édifice parlementaire et l'influence des annexionnistes est trop grande à Montréal, ce qui peut provoquer des tensions chez quelques députés de la majorité. Morin suit aussi l'évolution de ce qu'il appelle la « crise annexionniste » : il déplore le fait que son ami intime Jean-Joseph Girouard adhère au mouvement à la mode du jour, tout en expliquant à son chef que Girouard est plus un abrogationniste qu'un annexionniste. Et dans les premiers mois de 1850, écrivant à La Fontaine, il constate que « l'annexion ne fleurit pas ».

Effectivement, une légère reprise du commerce à la fin de 1849 et l'inlassable travail de Hincks sur le marché des obligations à Londres[42] commencent à porter des fruits en 1850. Le mouvement annexionniste est encore vigoureux durant cette année, mais il perd de plus en plus d'adhérents ; la classe d'affaires se retire peu à peu du débat, presque sur la pointe des pieds, pour laisser la place aux doctrinaires car elle entrevoit déjà des jours meilleurs. Et, comme toujours, son action politique est fonction de ses intérêts économiques.

Gouvernement responsable c. Conseil législatif

Les émeutes et les difficultés des derniers mois n'ont pas fait oublier à Morin que le Conseil législatif peut, en tout temps, créer de solides difficultés au gouvernement responsable en s'opposant à des projets de loi ou en refusant leur adoption. Il conseille à La Fontaine :

> S'il est en votre pouvoir de modifier suffisamment le Conseil législatif, ne perdez pas de tems. Si la chose n'est pas en votre pouvoir, c'est un malheur. Ce corps sera sans doute modifié dans son principe même, car vous n'êtes pas sans avoir vu comme je crois le voir qu'il fera mal fonctionner le gouvernement constitutionnel si les changemens de parti gouvernant sont fréquens.

Pour expliquer cette insistance à réclamer des changements, un contemporain de Morin, Antoine Gérin-Lajoie, explique :

> Si les tribuns de la Chambre d'Assemblée se sont attaqués avec plus de persistance et d'énergie à la constitution du Conseil législatif, c'est qu'ils étaient persuadés qu'un conseil exécutif, quelle que fût sa composition, ne pourrait résister longtemps aux réclamations des deux branches représentant la volonté populaire[43].

Succession à La Fontaine?

Mais ce qui préoccupe le plus Morin en ce moment est le projet de retraite politique de La Fontaine, durement éprouvé dans ses biens par les émeutes, bien « que ces outrages contre sa personne et ses biens ne firent qu'ajouter au prestige du premier ministre ». Car l'Orateur sait très bien que tous les yeux de la députation réformiste se tourneront vers lui si La Fontaine met son projet de retraite politique à exécution. Et déjà Morin prévoit se retirer plutôt que de succéder à son chef et ami :

> Je ferai comme vous ; je ne suis pas capable d'être chef de parti ; je ne jouis pas de moyens de persuasion assez puissans pour faire considérer mon opinion ; ma santé, les autres occupations qui m'ont éloigné des affaires publiques, tout me commandera alors le repos.

Le jugement qu'il porte sur lui-même n'est pas dénué de fondements : il est conscient de la faiblesse aiguë de sa rhétorique et il ne possède pas cet instinct dominateur qui caractérise les chefs politiques. Toutefois, il néglige à tort ce fort ascendant qu'il a sur la majorité de ses collègues, même ceux qui ne partagent pas ses opinions politiques, et l'influence réelle toujours croissante qu'il possède sur la population grâce à des activités extérieures à la vie politique. Quant à l'éternel argument de sa santé, il semble bien que les récents événements l'aient affaibli ; qui plus est, la crainte de voir surgir une nouvelle épidémie, semblable à celle de l'été de 1849, n'est pas de nature à rendre Morin optimiste sur ses éventuelles chances de survie à une telle calamité publique.

Bien que le poste d'Orateur ne soit pas une sinécure en soi, Morin mène une vie trépidante et intense : il poursuit toujours ses expériences agricoles et la promotion du chemin de fer comme moyen moderne de transport. Outre ces deux activités notables, le nom de Morin a déjà été mentionné dans *Le Répertoire national* qu'on veut publier pour reproduire un certain nombre des meilleures pièces de littérature canadienne, tant en vers qu'en prose. Responsable de la bibliothèque du Parlement en tant qu'Orateur, Morin s'adresse à d'autres législatures, dont celle de l'État de New York, pour obtenir « des copies de ses journaux et de tout autre document dont on pourrait disposer en faveur de notre bibliothèque qui est tout à refaire par suite de l'incendie d'avril 1849 ». Le 14 octobre 1850, Morin est fier de constater que son ancien clerc d'étude, Hector-Louis Langevin, est admis à la profession d'avocat après avoir subi avec succès son examen devant le bureau des examinateurs de la section du Barreau du Bas-Canada pour le district de Montréal.

Relations avec l'Institut canadien

La querelle au sujet de l'annexion suscite des problèmes à Morin en dehors de la vie politique. C'est ainsi que l'Institut canadien de Montréal se retrouve avec des annexionnistes et des adversaires de cette théorie, mais cette lutte ne « provoque pas de déchirement ni ne crée de division », contrairement à l'Institut canadien de Québec « où il se produisit une véritable scission entre ceux qui paraissent avoir été les partisans du ministère et les éléments plus avancés. Ces derniers quittèrent l'Institut pour fonder la Chambre de lecture de Saint-Roch ». Fondateur et patron d'honneur de l'organisme montréalais, Morin doit refuser d'y prononcer une conférence en décembre 1850 car « une infirmité qui m'empêchait presque d'écrire me prive souvent même de pouvoir remplir à tems mes principaux devoirs, m'a ôté les moyens de m'y préparer, car je ne suis ni assez instruit ni assez disert pour parler d'abondance ».

Mais il s'agit là d'un deuxième refus et Morin sait bien comment ce geste peut être mal interprété. Aussi s'empresse-t-il de reconnaître cette dette intellectuelle :

> Vous m'avez mis à même par votre lettre de me rappeler que précédemment l'Institut m'ayant fait la même demande, je me suis vu, pour la même cause, dans la nécessité de manquer à la promesse que j'avais donnée. Je puis vous assurer que j'en ai éprouvé une vraie peine. Veuillez donc, Monsieur, ainsi que vos autres compatriotes qui partagent vos travaux, m'excuser en ce moment, et, me laissant le choix du tems et de la manière, accepter la promesse que je vous fais de m'occuper de l'Institut et d'acquitter la dette que depuis longtemps je me regarde comme ayant contractée.

La santé de son épouse est chancelante et, par la même occasion, il refuse l'invitation de Joseph Doutre d'aller célébrer l'anniversaire de fondation de l'Institut. Et même si ce sont les partisans de *L'Avenir* qui constituent la majorité de la direction de l'Institut, cela n'empêche pas Morin de faire des dons à la bibliothèque. Sa conduite reflète tout simplement son respect de la liberté d'opinion des autres : Morin n'est pas anticlérical pour autant, mais son sens profond de la démocratie l'empêche d'être en rupture de ban avec la nouvelle majorité dirigeante de l'Institut.

Exposition industrielle de Londres, 1851

En ces premiers mois de 1850, l'annonce d'une exposition industrielle à Londres en 1851 retient déjà l'attention. L'avocat Christopher Dunkin se joint à Morin pour que le Canada soit bien représenté à ce grand congrès industriel. Le gouverneur général connaît l'importance de cette exposition et n'hésite pas, dès la fin de juillet, à nommer Morin membre d'une commission :

> pour conduire l'exposition provinciale qui doit se tenir à Montréal en octobre prochain pour choisir les articles de la production du Canada qui doivent être transmis en Angleterre pour être exhibés à la grande exposition des produits de l'industrie de toutes les nations qui doit se tenir à Londres en 1851.

Cette nomination ne surprend pas l'observateur tant soit peu averti de la vie publique. Morin est de toutes les assemblées. Son concours est toujours recherché tant dans le domaine bancaire, où il est élu directeur de la Banque d'épargne de la cité et du district de Montréal après en avoir présidé l'assemblée annuelle, que dans l'Association Saint-Jean-Baptiste où il est appelé à siéger dans le comité de régie. Déjà fortement engagé dans le développement du chemin de fer et de l'agriculture, Morin est aussi connu pour ses fortes qualités intellectuelles.

Déroute du mouvement annexionniste

Pendant ce temps, l'administration La Fontaine-Baldwin réussit à neutraliser, par ses nombreuses alliances notamment avec la presse et le clergé, les annexionnistes. Une élection complémentaire à Québec, rendue nécessaire par l'entrée au sein du Conseil du député Jean Chabot à titre de ministre des Travaux publics, prend l'allure d'un affrontement au sujet de l'annexion. C'est, d'ailleurs, la seule lutte électorale avec ce sujet comme thème dominant. La victoire décisive de Chabot le 26 janvier 1850 assène un coup mortel aux espoirs électoraux du mouvement annexionniste. De plus en plus, les Canadiens français viennent à comprendre que l'étrange alliance tories-rouges au sein du mouvement annexionniste n'a rien de positif, car les tories veulent détruire ce qu'ils appellent la domination française alors que les rouges s'en prennent au lien britannique et combattent l'Église. Aussi, l'élection terminée, la crise annexionniste s'estompe et perd graduellement de l'importance auprès de l'opinion publique.

Réserves du clergé et tenure seigneuriale

Des questions fondamentales pour une population agricole nettement à l'étroit dans l'espace qui lui est réservé refont surface: la question des réserves du clergé et la tenure seigneuriale. À Toronto, capitale temporaire de la province, le ministère doit protéger ses arrières sur le premier point, car l'idée de sécularisation ne plaît pas à ses partisans ultramontains du Bas-Canada. La Fontaine pare bien les coups, mais il connaît moins de succès dans la question de la tenure seigneuriale. Favorable à une réforme et même à l'abolition du système, il tient, cependant, à éviter des allures de confiscation que l'urgence de la situation semble justifier. Il défend donc le principe de l'indemnisation. Lorsqu'un comité de la Chambre présidé par Lewis Thomas Drummond, pourtant l'un de ses plus fidèles partisans, vote contre lui et qu'il se trouve ainsi minoritaire au sein du groupe francophone des députés pour la première fois depuis les débuts du régime d'Union, La Fontaine songe alors à la démission. Cet autoritaire admet avec difficulté cette défaite et les malaises de santé, que son épouse et lui-même éprouvent, alliés aux démissions successives de Baldwin et de Hincks, l'année suivante, l'amènent à démissionner le 26 septembre 1851[44].

Morin succède à La Fontaine

Depuis déjà quelques mois, la rumeur de la démission de La Fontaine fait l'objet d'entrefilets des journaux tant francophones qu'anglophones:

> Rumeurs - Les dernières rumeurs venues du siège du gouvernement, dit le Montreal Transcript de samedi, sont que M. La Fontaine va effectivement se retirer; que la position de chef du parti va être prise ostensiblement par M. Morin, mais réellement par M. Taché, avec M. Cartier pour homme de parole.

Considéré par la population et les députés comme le successeur de La Fontaine, Morin fait partie du Comité d'organisation chargé de rendre hommage au chef démissionnaire. Il préside le banquet, rend hommage au dévouement de La Fontaine et lui offre une santé.

Désormais, et bien malgré lui, Morin est chef. Après avoir aidé Papineau par ses travaux parlementaires dans la décennie 1830, après avoir fait de La Fontaine le chef de file des parlementaires francophones dans la décennie 1840 et lui avoir témoigné une inconditionnelle fidélité, Morin ne peut échapper au début de cette troisième décennie de vie politique à un rôle que la population lui reconnaît presque de droit, tant est grand son engagement dans les différentes sphères de la vie, et proverbiale son intégrité politique. Même si le choix d'un chef politique, à cette époque, est fait par les parlementaires du parti, il est bien évident que la qualité et la longévité des services offerts par Morin à ses compatriotes transcendent toute autre considération. Même ses adversaires politiques, au plus fort de la crise annexionniste, ont hésité à noircir cet homme car « si le peuple, dans sa magnanimité, pardonne à quelques-uns d'entre eux en faveur de leurs services passés et de leurs bonnes intentions, M. Morin sera probablement le seul qui ne soit pas marqué du sceau de la réprobation. Il ne lui sera beaucoup pardonné que parce qu'il aura beaucoup aimé[45] ».

À n'en pas douter, Morin est un choix populaire. En lui et l'éventuel ministère qu'il va être invité à former, on fonde de grands espoirs pour régler des problèmes dont la solution politique a déjà trop tardé. Une rude tâche l'attend mais ses actions passées sont garantes de cette grande confiance.

Chapitre septième

LE PREMIER MINISTRE CONJOINT 1851-1855

Les hommes politiques à la tête de gouvernement détenant une forte majorité ont peu tendance à démissionner. Les départs successifs de Hincks et La Fontaine ont un point en commun : leur défaite en Chambre sur des sujets qui leur tiennent à cœur particulièrement. Et l'un et l'autre ont subi cet affront non seulement par leurs amis de leur propre parti, mais aussi par leurs collègues de la même portion de la province. Certes, la discipline de parti, à ce moment, n'est pas aussi importante qu'elle sera appelée à le devenir plus tard ; mais cette marque de méfiance est aussi un signe presque infaillible de discorde, tout au moins parmi les membres du ministère.

Le ministère Hincks-Morin

La démission de La Fontaine oblige le gouverneur, Elgin, à demander au ministre ayant le plus grand nombre d'années de service de former un nouveau ministère. Cette procédure n'est pas inhabituelle en système britannique, car il n'y a pas de règle formelle et les conventions de parti sont inexistantes au Canada-Uni et n'en sont d'ailleurs qu'à leurs premiers balbutiements aux États-Unis[1]. C'est donc à Francis Hincks que s'adresse le gouverneur.

Réformiste de cœur depuis le début et grand ami de La Fontaine et de Baldwin, Hincks s'est quand même avéré un grand critique de ses chefs et amis au cours des derniers mois. De fait, Hincks croit que le mouvement Clear Grit au Canada-Ouest et les rouges du Canada-Est constituent une grave menace pour le Parti réformiste : il redoute le conformisme douillet dans lequel son parti semble se complaire depuis quelque temps. Aussi, il veut contrer ce danger en intégrant les meilleurs éléments du nouveau mouvement naissant, les Clear Grits, de façon à ce que son parti mérite encore son nom !

Mais, avant de recruter qui que ce soit pour former un ministère, Hincks doit trouver un colistier au Canada-Est. Le système politique de cette époque met en présence deux personnes qui ont théoriquement les mêmes pouvoirs, mais un seul est officiellement premier ministre, bien que l'historien William G. Ormsby dise que Hincks et Morin « devinrent conjointement les nouveaux premiers ministres[2] ». Cette ultime victoire du décrié système dit « de la double majorité » crée une joyeuse confusion dans la province, car chacune des portions croit avoir le chef du gouvernement en son sein. De fait, les historiens prendront l'habitude de nommer en premier celui qui exerce les fonctions de premier ministre : c'est pourquoi on désigne le ministère précédent La Fontaine-Baldwin et celui-ci, Hincks-Morin.

Le choix de Morin est quasi unanime même si le principal intéressé n'éprouve aucun désir de pouvoir et de grandes responsabilités. Que Morin accepte si rapidement, malgré ses réticences bien connues à occuper de telles fonctions, tient à deux hypothèses : une amitié profonde ressentie envers Hincks avec qui il se sent en confiance pour avoir travaillé avec lui depuis l'arrivée de ce dernier à Montréal en 1844 et la possibilité de mener enfin à terme des projets qui lui sont chers, comme l'élection du Conseil législatif ainsi que l'abolition du système seigneurial et des réserves du clergé. Le programme des deux hommes, riches en solutions à des problèmes vieux de vingt-cinq ans et plus, comprend, outre les intentions de Morin, une augmentation du nombre de députés, l'élargissement du droit de vote et un encouragement fort à la construction ferroviaire. Programme ambitieux, certes, mais dont la popularité ne fait pas de doute dans la population.

Aussitôt l'accord de Morin obtenu, les tractations commencent pour la formation du ministère. Hincks veut inclure les Clear Grits avec ses réformistes, craignant une alliance des réformistes bas-canadiens avec les conservateurs hauts-canadiens en cas d'insuccès électoral de la part du mouvement libéral au Haut-Canada. Morin hésite, mais les pressions sont fortes car le résultat électoral au Haut-Canada sera influencé par cette alliance, comme le dit James Morris :

L'honorable Augustin-Norbert Morin (*L'Opinion publique*, 16 juin 1870).

> Your note of Saturday is received and I regret the delay, although unavoidable, which has been occasioned by waiting Mr Morin, who, I am afraid, will refuse to coalise with the Clear Grits, and unless that section of the Reform party is represented in the Cabinet, we shall go to the Polls short of one third of our power.

Les Clear Grits au gouvernement

Huit jours plus tard, la rencontre tant attendue entre Hincks, Morin, Lewis Drummond et John Ross, gendre de Baldwin, avec John Rolph et Malcolm Cameron a lieu, mais aucun arrangement ministériel ne semble immédiatement conclu. Toutefois, l'offre sera par la suite agréée par George Brown : cette réconciliation entre deux ennemis jurés sur le plan tant politique que professionnel, puisque tous deux sont éditeurs de journaux, sera, cependant, de plus courte durée que la vie même du ministère. Mais, au moment même où les difficultés de Hincks diminuent, celles de Morin augmentent !

Effectivement, Morin connaît quelques difficultés avec son aile conservatrice. D'abord, George-Étienne Cartier refuse le poste de solliciteur général, expliquant que des motifs financiers le poussent à continuer sa pratique du droit plutôt que d'accepter un poste ministériel[3]. Puis, René-Édouard Caron exprime une réserve quant à son retour éventuel au ministère qu'il avait quitté en 1849, « celle que sa nouvelle situation ne sera pas un obstacle à sa promotion en cas de vacance sur le banc ». Joseph Cauchon, l'homme fort des réformistes à Québec, se cabre à l'idée d'une alliance avec les Clear Grits de Brown « dont il condamne les principes démocratiques, socialistes et anticatholiques[4] » ; il va même refuser le poste de secrétaire adjoint de la province. Ce poste, sans siège au cabinet, va échoir plus tard à Pierre-Joseph-Olivier Chauveau, un autre Québécois, redevenu un plus fervent réformiste parce que le chef du parti est maintenant Morin, assimilé aux Québécois, alors qu'il a toujours manifesté une certaine réserve à l'endroit du Montréalais La Fontaine et de son entourage[5]. De toutes ces hésitations ou refus, seuls les motifs de Cartier semblent être apolitiques. Mais l'opposition de la faction québécoise à l'alliance avec les Clear Grits est à la fois prévisible et normale : l'hégémonie catholique et française est nettement plus grande à Québec qu'à Montréal et la coalition avec les Clear Grits y est moins bien perçue. Une fois de plus, le dogmatisme québécois heurte le sens pratique des Montréalais !

Finalement, le Conseil exécutif est formé[6] et lord Elgin confirme ces nominations par écrit le 28 octobre 1851. Et, selon la tradition de l'époque, le ministère demande aussitôt au gouverneur de dissoudre le Parlement et d'annoncer la tenue d'élections prévues pour les 9 et 10 décembre 1851.

Élections de décembre 1851 : Morin candidat dans Terrebonne

Cette élection laisse présager une victoire facile pour les membres de l'alliance Clear Grits-réformistes. Néanmoins, Morin lui-même se trouve au centre d'une certaine controverse puisque les stratèges du parti veulent récupérer Jean Chabot, qui craint de ne pouvoir se faire réélire à Québec à cause de ses frasques à Toronto, l'année précédente. Grand cœur comme toujours, Morin lui offre son comté de Bellechasse, sachant fort bien que la réélection de Chabot devient alors une simple formalité. Mais quel « comté sûr » choisira Morin ? L'opposition profite de cette recherche pour tenter de ternir l'image du nouveau chef canadien-français de la majorité.

Cette querelle est amorcée bien avant le déclenchement des élections. *L'Avenir* du 12 septembre affirme que Morin, de passage sur ses terres du township qui porte son nom, tente de mesurer sa popularité. Le journal conclut : « Pauvre M. Morin, chassé de Bellechasse et réduit à mendier une candidature ! C'est là le commencement de la justice populaire. » Deux semaines plus tard, le même journal prétend que Morin a été repoussé par les deux tiers des personnes présentes à une assemblée à Saint-Janvier, malgré la présence de ses principaux supporteurs. Inutile de dire que *La Minerve* de Ludger Duvernay et *Le Journal de Québec* de Joseph Cauchon ne mettent pas de gants blancs pour répondre à l'ennemi : on parle même de la « version menteuse sortie de la plume de l'éteignoir Papineau ». Le 4 octobre, Morin envoie une lettre à ses électeurs de Bellechasse, que le journal de Cauchon publie et dans laquelle il explique pourquoi il a choisi de se présenter dans Terrebonne plutôt que dans Bellechasse. Les rumeurs journalistiques vont continuer tout le mois d'octobre, envoyant Morin comme candidat tantôt à Montréal, tantôt à Terrebonne.

Mais Morin n'est pas le genre d'homme sensible aux qu'en-dira-t-on : il hésite parfois à prendre une décision et, en homme de parti, il consulte beaucoup, puis il se décide mais il ne change plus d'idée par la suite. Même si les électeurs de Bellechasse regrettent qu'il ne continue pas à les représenter, Morin les enjoint fortement à voter pour Chabot. Quelques amis vont offrir à Morin de cautionner pour lui en cas de contestation de l'élection, simplement pour le rassurer. En pleine campagne électorale, Morin ne se fait pas d'ulcères : il écrit même une ode à la paix de l'âme dédiée à Marie-Reine-Josephte Belleau, l'épouse de Narcisse-Fortunat Belleau, un couple que son épouse Adèle et lui-même considèrent beaucoup.

La campagne électorale est intéressante, car la venue des « jeunes loups » de *L'Avenir*, avides de réformes encore plus grandes que celles qui sont préconisées par les réformistes, oblige Morin et son groupe à se prononcer sur les questions de l'heure comme la réforme ou l'abolition du régime seigneurial, qu'on rend responsables de l'exode vers les États-Unis et le maintien des réserves du clergé qui est vu par maints électeurs comme un non-sens dans une partie du pays où les terres arables manquent pour établir tous ceux qui le désirent. Morin se sent d'autant plus à l'aise dans ces débats qu'il a déjà des idées bien arrêtées sur ces épineuses questions. Ses convictions, plus que son éloquence, contribuent à convaincre les personnes présentes aux assemblées électorales. Et, pendant que le candidat dans Terrebonne présente des solutions à des problèmes contemporains qui touchent une majorité des gens, Papineau et ses partisans continuent encore cette bataille d'arrière-garde contre le régime d'Union.

Les débuts des « rouges »

La naissance du mouvement « rouge » est sans contredit l'élément le plus remarquable de cette élection. Dans le Canada-Est, une quinzaine de sièges font l'objet de luttes intéressantes entre les « rouges » et leurs adversaires qu'on qualifie de « bleus », à cause de leur accointance avec l'Église. Dans l'autre partie de la province, ce sont quatorze sièges qui font l'objet de convoitise entre le mouvement Clear Grits naissant et les réformistes ministériels ; les conservateurs ou torys sont encore dans le portrait électoral, même si leur importance décroît. Cette nouvelle opposition, pas encore bien organisée sur le plan électoral, explique facilement que treize sièges, dont sept au Canada-Est, ne font pas l'objet de contestation.

Victoire des réformistes

Les résultats électoraux comportent peu de surprises. Les réformistes de Hincks et de Morin voient leur majorité diminuer un peu surtout dans la grande région de Montréal où l'opposition toute nouvelle des rouges, conjuguée à l'ancienne dite « violette », recueille 40 % des suffrages exprimés. Cette percée ne met pas en danger les ministériels, compte tenu d'une opposition encore « dispersée » en matière de programme et d'idéologie, mais elle constitue néanmoins un avertissement. Morin est élu facilement dans son nouveau comté de Terrebonne, mais avec une majorité « beaucoup moindre que M. Viger avait obtenue en 1848 », ne peut s'empêcher d'écrire *L'Avenir*. Jean Chabot, l'héritier de Morin dans Bellechasse, remporte facilement la victoire, confirmant ainsi la justesse de la tactique des réformistes bas-canadiens. Parmi les candidats défaits, François-Xavier Méthot, disciple d'Étienne Parent et grand critique du nouveau ministère, ne réussit pas à conserver pour les réformistes le siège de Québec qu'il a pourtant remporté à l'occasion d'une campagne visant à neutraliser Louis-Joseph Papineau trois ans auparavant. Quant à Édouard-Louis Pacaud, sa défaite contre le député sortant de Nicolet, Thomas Fortier, n'est pas une surprise en soi, mais son programme électoral en 16 points comporte un alignement inédit sur les idées de Morin, poussant même l'avant-gardisme jusqu'à parler d'une codification des lois, tout comme Chabot dans Bellechasse, et de l'indemnisation des jurés[7]. On peut se demander si Morin n'a pas trouvé chez Pacaud un héraut pour propager de nouvelles idées :

cette deuxième tentative de Pacaud pour se faire élire sera aussi sa dernière, ce qui ne l'empêchera pas de s'occuper encore longtemps de politique.

Priorités du nouveau ministère

Le ministère ayant passé le test électoral avec grand succès, il s'agit maintenant de donner des priorités à un programme politique ambitieux mais axé sur des besoins réels de la population. Hincks et Morin décident alors que l'amélioration de l'économie de la province passe par la construction d'un lien ferroviaire intercolonial et l'abolition des réserves du clergé. Si les arguments en faveur du premier point sont presque unanimes, ce sont des vues fort différentes qui amènent l'unanimité autour du second point. Ainsi, pour Hincks, l'abolition des réserves du clergé est une occasion bien tangible de montrer à George Brown, avec qui il vient tout juste de conclure une alliance politique, qu'il exerce un bon contrôle de l'aile francophone et catholique de son parti. Quant à Morin, sa connaissance profonde de la situation agricole dans la partie est de la province lui commande cette abolition comme un soulagement temporaire au problème de saturation de l'aire seigneuriale et son malheureux corollaire depuis une vingtaine d'années, le « squatting ». Morin n'est pas dupe de cette dichotomie politique mais, comme elle va servir ses compatriotes, il ne s'en préoccupe pas.

Le lien ferroviaire projeté n'est pas une promesse issue de la dernière campagne électorale. Il faut remonter à 1844 pour entendre parler de ce projet conjoint entre le Nouveau-Brunswick, la Nouvelle-Écosse et le Canada-Uni : une demande d'aide au gouvernement impérial, sous le fallacieux prétexte de la défense des trois colonies, amène le major Robinson, des ingénieurs royaux d'Angleterre, à recommander un tracé pour la ligne Québec-Halifax. Mais cette recommandation, basée essentiellement sur des besoins de défense, est mal vue par le Nouveau-Brunswick, qui suggère un tracé passant par la vallée de la rivière Saint-Jean. Cette suggestion est finalement agréée par les trois colonies et, à la session de 1851, Hincks fait adopter une loi pour autoriser la participation canadienne au projet.

Tracé de l'Intercolonial et Clergy Reserve Act : échec à Londres

En ce début de 1852, une dépêche de Londres sème le désarroi chez les coloniaux. Le gouvernement impérial ne garantit le prêt qu'à la condition expresse que le tracé corresponde aux besoins de défense, soit le tracé Robinson. Une réunion d'urgence des trois partenaires aboutit à une impasse, jusqu'à ce que Hincks prononce un mémorable discours devant les marchands de la Nouvelle-Écosse : Joseph Howe se rallie alors au nouveau tracé, même si Halifax risque de perdre sa situation monopolistique du commerce pendant le temps d'arrêt imposé par l'hiver aux ports du Saint-Laurent. Cette fragile unité reconquise et avec l'invitation du ministre des Colonies, lord Grey, les trois premiers ministres doivent se rendre à Londres pour faire pression auprès du gouvernement impérial.

Maintes déceptions attendent Hincks à Londres en mars 1852. D'abord, Howe ne peut faire le voyage à cause de raisons politiques. Ensuite, le gouvernement de lord John Russell est renversé pendant le voyage des émissaires coloniaux et un nouveau ministre des Colonies, sir John Pakington, reçoit leur demande au lieu de lord Grey, bien au courant de la situation. Le nouveau ministre se montre intransigeant et le gouvernement anglais refuse de cautionner tout emprunt si on persiste à dévier du tracé Robinson. Alors, le projet d'une ligne entre Québec et Halifax avorte, mais Hincks profite de sa présence à Londres pour conclure « un arrangement avec la firme britannique Peto, Brassey, Jackson and Betts pour la construction, en tant qu'entreprise privée et non pas publique, d'une ligne d'environ 330 milles de longueur, menant de Montréal à Toronto et à Hamilton ».

L'épisode du chemin de fer terminé, Hincks entend profiter de son voyage à Londres pour faire abroger le Clergy Reserve Act de 1841 qui empêche la législature canadienne de résoudre ce problème qui a des enjeux politiques importants pour le ministère, mais aussi des objectifs économiques et sociaux pour la population. Encore là, il essuie un refus insultant puisque Pakington ne tient pas compte de lui et avise plutôt le gouverneur général Elgin que le Parlement impérial ne se prononcera pas sur ce sujet durant la session en cours. Hincks rentre au Canada furieux, projetant de mettre Pakington au pied du mur et de l'obliger à restituer ce pouvoir à la Chambre.

Hincks absent, Morin tient le fort

Pendant l'absence de Hincks, Morin assure la continuité de l'administration gouvernementale et vaque à ses affaires, tout en ayant un œil ouvert sur le va-et-vient des cercles politiques. Ainsi, *Le Journal de Québec* de Joseph Cauchon fait paraître quelques rumeurs, laissant entendre qu'il y a dissension au sein du ministère, et même que Morin songe à démissionner. De toute évidence, Cauchon prend ses désirs pour des réalités, mais il doit bientôt démentir cette rumeur.

Ce n'est pas le pouvoir qui change les habitudes de vie de Morin. Ainsi, il écrit à Côme-Séraphin Cherrier :

> S'il est quelqu'un, à ce que dit Parent, qui ait la bosse de la vénération bien développée, c'est votre serviteur. Je suis donc porté à respecter les autorités, surtout la conscience d'autrui, comme je suis sûr qu'on respecte la mienne. Ainsi, quand même après mûre réflexion, je me trouverais différer d'opinion d'avec vous, cela ne détruirait pas en moi le désir de me retrouver le plus souvent que je pourrai avec vous et autres amis dans notre bonne ville de Montréal.

Le député de Terrebonne voit à ce que le mandat confié à Jacques Viger pour examiner et mettre de l'ordre dans les Archives du Parlement soit accompli dans le délai prescrit. Mais Morin est toujours intéressé par l'agriculture bas-canadienne, ainsi qu'en témoignent les notes sur la Société de colonisation du comté de Bellechasse où il siège au comité chargé de voir à l'exploration et à la concession de vastes terrains au sud du comté. Il fait rapidement enquête sur la détresse dans laquelle se trouvent les habitants de plusieurs *townships* de l'Est et il agit toujours comme directeur de la Société d'agriculture du Bas-Canada. Cet engagement va lui être fort utile comme premier ministre conjoint.

Fondation de l'Université Laval

La défaite de Morin dans la question des biens des Jésuites n'avait pas mis un terme au projet d'université élaboré à la hâte le 7 novembre 1843 à l'intention de Hincks et Morin. L'abbé Louis-Jacques Casault, devenu supérieur du Séminaire de Québec en 1851, voit dans l'arrivée au pouvoir de l'ancien procureur du clergé une occasion de faire aboutir son projet d'université. Avec l'aide de son archevêque, Mgr Turgeon, qui réussit à mettre fin aux dernières réticences de l'évêque de Montréal, il présente un projet antérieurement approuvé par le Conseil des directeurs du Séminaire de Québec. Lord Elgin considère qu'il y a déjà trop d'universités dans la province : il fait demander à Mgr Turgeon, par l'entremise de Morin, secrétaire de la province, des éclaircissements au sujet de ce projet :

> Les moyens actuels ou disponibles de le mettre à exécution, les diverses facultés et divisions particulières de ces facultés dans lesquelles des chaires sont ou seront établies, et l'époque à laquelle on espère que l'Institution, ainsi augmentée en utilité et en importance, sera en pleine opération.

La réponse ne se fait pas attendre et, moins d'un mois plus tard, Elgin approuve la demande et il avise Mgr Turgeon, par une lettre de Morin, qu'il fera une recommandation favorable à la requête du Séminaire de Québec lorsqu'elle sera transmise à la reine. Dans ce dossier, Morin s'est-il contenté d'être une simple courroie de transmission entre Mgr Turgeon et le gouverneur Elgin ou, comme plusieurs le prétendent, a-t-il joué encore le rôle de procureur pour l'Église, continuant ainsi son action entreprise lors la question des biens des Jésuites ?

Morin possède de solides convictions religieuses au même titre d'ailleurs que des convictions politiques et sociales. Or, en éducation, Morin a eu l'occasion de faire connaître publiquement ses vues sur la nécessité d'une éducation primaire répandue et sur l'importance de former des instituteurs laïcs pour assurer ce niveau dans les campagnes. Il ne rejette pas pour autant les méthodes pédagogiques des religieux, mais il prétend que leur mode de vie les éloigne de la campagne. D'ailleurs, cette question préoccupe beaucoup Mgr Bourget qui réclame déjà des écoles normales confessionnelles, relevant exclusivement du clergé, pour assurer une hégémonie catholique dans la formation des instituteurs laïcs.

Mais Morin n'est pas un ultramontain : ses positions concernant le clergé en maintes occasions prouvent aisément le contraire. Il n'hésite pas un instant à rabrouer des clercs trop entreprenants en politique. Pour lui, la question des biens des Jésuites est un problème de justice distributive et il ne peut accepter qu'on spolie ainsi un groupe de citoyens. De même, la naissance d'une université pour les Canadiens français lui apparaît comme une évolution normale. Il est fondamentalement d'accord avec le projet, mais les questions posées à Mgr Turgeon sont plus le fruit de son intervention que de celle du gouverneur. Quand on connaît le respect d'Elgin pour ses ministres, on ne peut douter que c'est Morin qui a donné le feu vert au projet, mais seulement après la réception de réponses satisfaisantes, à la mesure de ses préoccupations. D'ailleurs, le clergé possède un procureur plus avisé que Morin dans ce projet en l'abbé Louis-Jacques Casault.

Élections partielles dans Deux-Montagnes : retour de Papineau

Pendant que Morin scrute le projet d'université pour ses compatriotes, l'activité politique ralentie par les démarches du ministère à Londres connaît une courte effervescence puisqu'il faut combler le siège laissé vacant par la mort du député de Deux-Montagnes et ancien patriote, William Henry Scott. Édouard-Raymond Fabre, éternel partisan de Papineau mais aussi libraire qui fait des affaires avec le clergé, vient de fonder *Le Pays* puisque *L'Avenir* est trop mal vu d'une importante partie de sa clientèle. Le nouveau journal sera aussi radical que son prédécesseur, mais pas aussi anticlérical, du moins à ses débuts.

Fabre ne peut tout simplement pas imaginer l'Assemblée siégeant sans Papineau ! La défaite du grand tribun dans Montréal lors de la récente élection générale est pour lui une insulte qu'il n'a pas encore digérée. Aussi la mort de Scott devient une occasion de retourner Papineau à son milieu naturel, la Chambre. Il « intervient directement auprès de Papineau pour lui conseiller de faire un nouveau sacrifice pour la Patrie[8] ». Mais la famille de Papineau, surtout Julie, est réticente à voir cet homme de 65 ans renouveler un engagement politique car, écrit-elle, « il est un homme fini pour la vie publique, plaise à Dieu qu'il ne le soit pas pour nous ». Mais la tactique imaginée par Fabre, à savoir souffler le nom de Papineau durant des réunions politiques, réussit à merveille. Lettres personnelles et pétition suffisent largement à convaincre le seigneur de la Petite-Nation de se lancer de nouveau dans l'arène politique.

Le libraire Fabre, devenu agent politique de Papineau, est habile. Il réussit, en se servant de toute son influence, à rendre neutre, avant qu'elle ne soit officielle, l'opinion du clergé du comté envers cette candidature. Toujours en coulisses, il convainc les candidats potentiels de se rallier au grand Papineau. Son travail est si efficace que, le 9 juillet 1852, Louis-Joseph Papineau est élu par acclamation député du comté des Deux-Montagnes.

Le 9 juillet 1852 : Montréal brûle !

Mais, ce jour même, Montréal brûle. Pour une raison inconnue, une maison prend feu et les flammes attisées par un fort vent changeant prennent de court tous ceux qui les combattent, car la municipalité a fait vider le réservoir à eau pour le nettoyer. Comble de malheur, après avoir éteint les flammes malgré toutes ces difficultés et une température qui atteint des sommets dignes de l'enfer, clament les plus fervents, les volontaires sont rappelés vers les neuf heures du soir pour combattre un nouveau foyer d'incendie qui dure une bonne partie de la nuit. Un bilan sommaire établit à 1200 le nombre de maisons brûlées et à 10 000 les sinistrés, parmi lesquels se trouve Mgr Bourget dont le palais épiscopal et la cathédrale ont été réduits en cendres. Et cet incendie marque aussi la fin d'un journal, *Les Mélanges religieux*, puisque les flammes ont détruit son imprimerie.

Rapidement, l'aide aux sans-abri prend forme. Les gens de Québec se souviennent de l'empressement des Montréalais après le grand incendie du faubourg Saint-Roch le 28 mai 1845. Aussi, quelques heures après l'annonce de la nouvelle, une assemblée générale des citoyens de Québec a lieu pour « aviser aux moyens de venir en aide aux incendiés de Montréal ». Le journaliste ajoute au compte rendu que « le discours de l'honorable A.-N. Morin fut vivement applaudi ». Une souscription publique est organisée spontanément les jours suivants et Morin fait un don personnel de £25, donnant ainsi le ton aux personnalités qui seront sollicitées par la suite. Le 2 août, le Comité de secours de Montréal, formé du maire Charles Wilson, du conseiller Louis Marchand et de Louis-Hippolyte La Fontaine et Benjamin Holmes, écrit au gouvernement pour lui demander de l'aide : il désire, au nom de la municipalité, effectuer un emprunt de £200 000 dans les coffres de la province pour aider seulement à la reconstruction. Trois jours plus tard, Morin répond à la demande du Comité en faisant connaître les conditions que le gouverneur général pose pour accorder le prêt demandé : cette procédure devient une simple formalité grâce à la complicité de Morin et de Hincks, tous deux citoyens d'adoption de Montréal.

Dissensions au sein du Parti réformiste

Pendant que Montréal panse ses plaies béantes, Québec se prépare à accueillir les parlementaires. En vertu du régime d'alternance en vigueur depuis les émeutes de Montréal en 1849, Québec et Toronto agissent tour à tour annuellement comme hôtes du gouvernement en attendant une demande qui sera faite en 1858 à la reine Victoria pour désigner une nouvelle capitale. L'Assemblée est convoquée le 19 août et le ministère Hincks-Morin s'apprête à faire ses premiers pas.

Mathématiquement, le nouveau ministère possède une majorité confortable de 17 voix, soit 50 à 33, ce qui est largement suffisant pour lui assurer de faire adopter son programme électoral. Mais cette fausse impression de force doit être révisée lorsqu'on analyse l'importance des inévitables mécontents que suscite toujours la formation d'un cabinet au sein de partis politiques où la discipline de parti est évanescente et aussi la qualité des forces d'opposition.

Il y a des mécontents personnels et des mécontents idéologiques. Ainsi, John Sandfield Macdonald, écarté du ministère au profit du Dr John Rolph, pardonne difficilement à Hincks d'avoir sacrifié un représentant catholique du Haut-Canada au sein du Comité exécutif au profit d'un dirigeant Clear Grit, partisan de la séparation de l'Église et de l'État. Il accepte néanmoins de devenir président de la Chambre en guise de compensation. À ce titre, il représente bien les intérêts du parti et il ne risque pas de faire des déclarations dangereuses pour le ministère ou même de voter contre le gouvernement.

Si Macdonald est ainsi neutralisé, il en va différemment de Joseph Cauchon, député de Montmorency et propriétaire de l'influent *Journal de Québec*. Grand admirateur de Morin, il demeure un pourfendeur émérite des socialistes et des idées libérales défendues par les rouges et les Clear Grits. Son influence personnelle est si considérable, sur les plans politique et journalistique, qu'on dit volontiers que le district de Québec vit au diapason de ses humeurs. Il a renoncé à un poste pour se garder les coudées franches et le ministère devra redoubler de prudence, car un adversaire de l'intérieur est toujours plus difficile à contrer.

Quant à George Brown, c'est le pendant haut-canadien de Cauchon. Lui aussi propriétaire d'un journal, *The Globe*, il possède une zone d'influence très étendue. Héraut de deux idées bien définies, la séparation de l'Église et de l'État et la représentation selon la population, il constitue néanmoins un personnage énigmatique. S'il est qualifié de libéral avancé sur certaines questions, en revanche, il se réfugie dans un conservatisme étroit et incompréhensible dans d'autres questions d'actualité. Grand critique et tribun à sa manière, il se targue d'indépendance vis-à-vis du nouveau ministère, ce qui n'est guère rassurant pour Hincks et Morin.

Une opposition relativement faible…

Mais le vrai problème réside dans le fait que les deux éditeurs de journaux ont un public, mais pas de parti politique ! Aussi, ils tentent de s'en créer un de toutes pièces : Cauchon, en recueillant tout ce qui est à droite, et Brown, en rassemblant tout ce qui est à gauche. La véritable opposition parlementaire est curieusement plus faible que les dissidents du régime : une fois de plus, la quantité ne compense pas pour la qualité. Bien sûr, les tories sont numériquement importants avec 23 sièges dont 20 au Haut-Canada, mais leurs porte-parole ont peu de poids politique, si l'on excepte Allan MacNab et John A. Macdonald. Or, MacNab a une santé précaire et se montre intéressé plus par ses affaires reliées aux chemins de fer qu'à la politique tandis que Macdonald se retrouve presque seul pour maintenir une opposition de qualité aux idées du ministère, ce qui s'avère une tâche quasi impossible.

… mais bien organisée et représentée

Il reste les rouges du Bas-Canada. Peu nombreux numériquement, avec seulement quatre représentants, mais bien appuyés par un journal, *Le Pays*, et une base idéologique nichée à l'Institut canadien de Montréal, les rouges représentent une nouvelle tendance au sein de la jeunesse canadienne-française et comptent un nombre intéressant d'adeptes. Parmi la poignée de députés rouges, on relève un représentant prestigieux, Louis-Joseph Papineau. Cet homme à l'éloquence remarquable reste accroché, toutefois, à de vieux concepts, comme la corruption qui contamine tous ceux qui dirigent le gouvernement et le rappel du régime d'Union imposé aux Canadiens français. Dans les sujets actuels qui préoccupent les gens, comme la sécularisation des biens du clergé et l'abolition du régime seigneurial, Papineau se montre récalcitrant à tout changement. Curieuse réaction d'un homme qui veut le progrès et le bien de son peuple !

Le premier geste de la Chambre, après avoir entendu le discours du Trône prononcé par le gouverneur général, est de se choisir un président des débats ou « Orateur » comme l'appellent les Canadiens français. Bien que Hincks et Morin aient déjà choisi John Sandfield Macdonald pour occuper la présidence, rien n'empêche d'autres députés de s'y faire présenter, car il y a eu de fréquentes élections lors des Parlements précédents. Mais ces élections n'ont jamais changé le choix prévu et la session de 1852 ne fait pas exception à la règle. Macdonald est élu par 55 voix contre 23.

La tenue de la session à Québec ravive d'excellents souvenirs à Louis-Joseph Papineau : les parlementaires se réunissent à nouveau dans l'ancien évêché de Mgr de Saint-Vallier, là où précisément il s'est tant illustré pendant maintes années comme député, chef de la majorité et orateur qui a fait frémir juges, hauts fonctionnaires et gouverneurs. Papineau se plaît à croire qu'il pourrait occuper encore le fauteuil présidentiel, d'autant plus que son voyage par bateau a été ponctué d'un arrêt spectaculaire à Trois-Rivières, où il est acclamé en héros, et par son arrivée à Québec, où une foule dense se presse sur les quais pour revoir le vieux tribun. Mais personne ne propose Papineau...

Le discours du Trône annonce un menu législatif substantiel, issu, d'une part, des inquiétudes des électeurs et, d'autre part, des préoccupations, on pourrait même dire des obsessions, de Hincks et de Morin. De beaux et intéressants débats en perspective. L'encouragement à l'agriculture et à la colonisation, la sécularisation des réserves du clergé, l'aide aux chemins de fer, l'établissement d'une communication directe par bateau à vapeur entre l'Angleterre et les ports de Québec et Montréal, l'augmentation de la représentation parlementaire et la question de la tenure seigneuriale sont les principaux points annoncés. D'autres sujets viendront se greffer en cours de session, comme l'électivité du Conseil législatif et la question de l'hôpital de la Marine. Mais, avant d'aborder l'étude de chacun de ces dossiers, le cabinet Hincks-Morin est aux prises avec la redoutable épreuve de l'adresse en réponse au discours du Trône. C'est à ce moment que l'Opposition prend position et sur les projets de lois soumis et sur la formation même du Comité exécutif. En réalité, la confiance envers le ministère et sa durée peuvent se mesurer lors de ce débat, compte tenu de l'instabilité des partis politiques de l'époque.

Affrontement Papineau-Morin : échec de Papineau

Avant de donner la parole à l'opposition, Hincks explique l'alliance nouvelle qui amène les Clear Grits au sein du Comité exécutif. Pour Hincks, cette arrivée de sang neuf permet de « poursuivre plus sûrement la politique de réforme et de progrès déjà commencée ». Puis, l'opposition se fait entendre. Papineau est le premier à parler. Il reprend d'abord ses accusations coutumières de corruption contre le gouvernement, puis il attaque carrément Morin dans sa façon de concilier ses devoirs d'Orateur et de membre du parti dans le précédent gouvernement réformiste :

> Le secrétaire provincial nous a donné ses motifs pour la formation de la section bas-canadienne du ministère. On n'y avait qu'une tête dans la dernière administration et devant cette tête, toutes les autres se couchaient humblement, et le secrétaire provincial nous a dit que lui-même il aurait plié devant cette tête. Était-ce là comprendre ses devoirs d'orateur de cette chambre, comprendre sa position en se faisant partisan politique au lieu de tenir la balance de la justice entre les partis ?

Morin est furieux. Vivement, il réplique :

> Je n'ai jamais dit une telle chose. Mais on ne peut me faire un crime d'avoir conservé mes convictions politiques, même sur le fauteuil du président de cette chambre. Quant à mes partialités, j'en appelle aux honorables membres qui formaient partie de la dernière chambre pour me rendre témoignage et dire si l'accusation de l'honorable membre est vraie.

Le journaliste rapporte que plusieurs voix se sont fait entendre, disant : « Non, elle n'est pas vraie. » Ce coup de théâtre de Papineau contre son ancien lieutenant prouve qu'il tient encore au poste d'Orateur, puisqu'il en défend les principes de fonctionnement. Malheureusement pour lui, son attaque porte comme un coup d'épée dans l'eau, car Morin a laissé un souvenir impérissable, même parmi ses adversaires, comme Orateur. Et le vieux tribun constate qu'il n'a plus aucun ascendant sur les députés.

Une opposition interne au Parti réformiste

Ensuite, Morin donne ses vues sur le changement de personnel de l'administration, parle de l'importance des mesures législatives à voter et donne son approbation au règlement des réserves du clergé. Observant Morin d'un œil sympathique, le journaliste de *L'Avenir* note :

> M. Morin parla longuement, avec la même défiance de lui-même qui lui est si propre. Il s'humilie trop pour occuper un poste d'affaires comme le sien et c'est chose que l'on ne pardonnerait pas à tout autre qu'à M. Morin.

Normalement, cette approbation de principe de Morin au sujet des réserves du clergé est censée clouer le bec à Brown et obliger Cauchon à un silence de solidarité. Mais la stratégie ne réussit qu'à demi. Cauchon, d'entrée de jeu, dénonce l'alliance avec les Clear Grits, mais il limite ses reproches à ce point, car, pour lui, l'adresse contient un menu législatif qui lui convient.

Mais Brown se montre plus incisif. Avec une implacable logique, il fait la démonstration que l'alliance gouvernementale est factice, basée sur un opportunisme politique voué à l'échec à plus ou moins brève échéance puisque les antagonismes entre les membres qui la composent sont autant de nature personnelle que de nature politique. Avec preuves à l'appui, il démolit systématiquement les raisons qui ont milité en faveur de sa formation. Puis il fait encore la guerre à la domination cléricale, dénonçant avec éclat les subventions et les incorporations accordées depuis le début de régime réformiste. Il met au défi les membres bas-canadiens du gouvernement de voter en faveur de l'abolition des réserves du clergé. Cette provocation va en embarrasser plusieurs. Enfin, le propriétaire du *Globe* fait grande sensation en annonçant qu'il ne votera pas contre l'adresse, mais qu'il est prêt à accorder un temps de grâce au ministère, genre de noviciat politique, pour faire ses preuves et apporter des solutions aux problèmes graves du Haut-Canada. Pour lui, mieux vaut les réformistes que les tories, convaincu qu'il est qu'entre deux maux il faut choisir le moindre ! Ce discours de Brown fait sensation, car il pose des bornes à l'action gouvernementale au-delà desquelles il entend retirer son appui au ministère Hincks-Morin.

John A. Macdonald s'affirme dans l'opposition

Le discours de John A. Macdonald contre le gouvernement est plus subtil que celui de Brown : cela tient un peu à la nature même des deux hommes. Alors que Brown fait le procès des hommes en place, de leur idéologie, de leurs projets pour l'avenir de sa portion de province, le député de Kingston s'en tient plus à des questions de principes, au résultat des opérations financières du gouvernement. Contrairement à Brown, il ne se croit pas investi d'une mission, mais il tente plutôt de défendre le progrès (chemins de fer) contre l'immobilisme, de rendre son parti plus acceptable aux Canadiens français en cultivant quelques amitiés, de connaître encore mieux tout le rouage impérial. Ce fin renard est déjà jugé comme tel par une bonne partie des membres de la Chambre, dont Hincks et Morin, ce dernier le jugeant plus dangereux à contrer que Brown comme parlementaire.

Finalement, l'adresse est adoptée et, à part deux paragraphes contestés, c'est à l'unanimité que les parlementaires acceptent le menu législatif proposé. Mais le gouvernement sort amoché de ce premier affrontement avec les forces de l'opposition et son espérance de vie n'est pas tellement élevée dans l'esprit d'observateurs avertis. On redoute la défection des « tièdes » chez les réformistes des deux parties de la province lorsque des projets de loi importants seront discutés.

Morin et les travaux de la Chambre

Le travail proprement dit du législateur commence maintenant, loi par loi, article par article. À ce travail quotidien, astreignant, fait dans des conditions matérielles parfois difficiles, ce ne sont pas tous les parlementaires qui brillent! Morin, l'expert de la procédure, excelle et met son expérience et son érudition au service de son parti. Premier ministre conjoint, il est l'indiscutable instigateur et auteur de plusieurs projets de loi, car il a enfin le pouvoir de traduire ses idées en réalités concrètes. Son souci d'aider les siens l'habite plus que jamais et son goût profond de rendre conformes aux besoins du peuple canadien des institutions conçues à l'étranger est une préoccupation qui a contribué énormément à lui faire accepter la lourde succession de La Fontaine.

Dès le 1er septembre, Morin est nommé au sein d'un comité spécial formé « pour réviser les Règles de cette Chambre, et pour examiner et trouver les moyens propres à hâter l'expédition des affaires [...] ». Avec lui siègent d'autres anciens orateurs, tels Louis-Joseph Papineau et Allan MacNab, de même que le président de la Chambre. Ce comité expérimenté sera le responsable des changements au règlement qui allègent la procédure sans altérer les pouvoirs des députés. Moins d'une semaine plus tard, le comité dépose ses premières recommandations par la voix de son président, Jean Chabot, député de Bellechasse et protégé de Morin.

Lors de la même séance, les collègues de Morin reconduisent son mandat comme membre du Comité chargé d'aider l'Orateur au développement et à l'administration de la bibliothèque parlementaire. Depuis la destruction de la bibliothèque par l'incendie de 1849, ce comité siège constamment, tentant de reconstituer le patrimoine écrit perdu, au moyen d'échanges avec d'autres bibliothèques. Morin est l'âme dirigeante de ce comité grâce à ses relations avec les libraires, particulièrement la maison Bossange de Paris, qui possède des ramifications dans toute l'Europe, et Édouard-Raymond Fabre, le plus important libraire de la province.

L'agriculture constitue le secteur privilégié des premières législations de Morin. Son origine terrienne, son expérience à titre de commissaire des Terres de la Couronne et l'exploitation de ses terres du Nord, qui lui servent de laboratoire, sont autant de liens indissolubles avec le milieu agricole dont il connaît plus que tout autre les forces et les faiblesses. Depuis longtemps, il préconise des réformes dont on vante le bien-fondé ; cette fois, il agit. Tout d'abord, la création d'un bureau d'agriculture[9] est plus qu'un simple geste d'aide théorique puisque le texte législatif prévoit qu'un ministre aura spécifiquement charge de l'agriculture. Ce ministre sera le président d'office de chacune des deux chambres d'agriculture, une pour chacune des parties de la province, lesquelles chambres seront formées des représentants élus des sociétés agricoles. Cette mesure donne donc au ministre, qui n'est pas nécessairement issu du milieu agricole, des conseillers de toute première valeur. Et le Bas-Canada obtient ainsi une organisation semblable à celle que le Haut-Canada possédait déjà depuis le début du régime d'Union.

Cette nouvelle structure agricole aura des fonctions très importantes comme la collecte des statistiques, la promotion de l'agriculture par la fondation de fermes modèles et d'écoles spécialisées, deux types d'institutions que Morin réclame depuis près de vingt ans. Pour s'assurer du fonctionnement harmonieux de tout le secteur agricole, le secrétaire provincial fait aussi adopter une loi qui prévoit une réorganisation complète des sociétés d'agriculture, question d'unifier et de structurer des pratiques et des coutumes parfois différentes.

Toute cette législation nouvelle peut paraître quelque peu révolutionnaire, mais elle reflète bien chez son auteur une étude approfondie des besoins du secteur agricole et, finalement, elle est à proprement parler un remède adéquat aux maux dont Morin a déjà fait une recension. Ces lois sont votées unanimement, car la Chambre reconnaît l'expertise du député de Terrebonne dans ce domaine. Et, comme l'écrit si bien Thomas Chapais : « C'était assurément là de la bonne législation, conçue dans les meilleurs intérêts du peuple[10]. » Mais Morin sait bien que cette réforme est encore incomplète et ne touche pas la majorité de la population agricole davantage préoccupée par le manque chronique de terre arable et un régime seigneurial complètement désuet. Les prochaines étapes vont être cruciales pour l'avenir de l'agriculture bas-canadienne.

Morin, secrétaire provincial

Malgré ses préoccupations de législateur, Morin accomplit à la perfection ses tâches de secrétaire provincial. En plus de transmettre les rapports administratifs qui lui sont soit demandés par la Chambre, soit envoyés par les fonctionnaires responsables de secteurs bien identifiés[11], il lit et commente la plupart de ces rapports en Chambre. Par exemple, les rapports concernant l'asile des aliénés, une demande d'incorporation pour une compagnie qui se propose de faire le transport fluvial des marchandises, la dette publique de la province au sujet de la construction du chemin de fer provincial, le rapport des inspecteurs d'écoles, celui des employés du bureau des Terres de la Couronne, de même que le rapport des Postes pour l'année en cours. Son attention et ses commentaires portent aussi sur le litige mettant aux prises les pêcheurs de la province avec ceux des autres colonies et des pays voisins.

Les réserves du clergé

La question des réserves du clergé promet d'être un point chaud de la session. À la suite d'une requête de la Chambre, Morin fait déposer toute la correspondance échangée à ce sujet entre le gouvernement impérial et le gouvernement de la province depuis le 1er juin 1851 et aussi l'état des recettes et dépenses du fonds des réserves du clergé. Le 14 octobre, Hincks et Morin déposent un projet d'adresse à la reine pour lui demander que le gouvernement impérial reconsidère sa décision et laisse à la Chambre coloniale le droit de disposer de ces réserves, contrairement à ce que prévoit le Clergy Reserve Act de 1841. Ce qui est initialement une demande pour le droit de légiférer dégénère en débat carabiné sur le devenir de ces mêmes réserves, avant même d'avoir obtenu la permission recherchée. S'il en est ainsi, c'est que les enjeux politiques sont grands, tant pour le ministère que pour l'opposition.

Le ton énergique de l'adresse surprend un peu; désenchanté du ministre sir John Pakington après son voyage à Londres, Hincks ne prend pas de gants blancs ! Il rappelle les paroles mêmes de lord Grey, prédécesseur de Packington, qui soutenait volontiers

> que la question si les arrangements existants doivent être maintenus ou changés, est une question qui intéresse si exclusivement le Peuple du Canada que la décision n'en saurait être enlevée à la Législature Provinciale, à laquelle il appartient proprement de régler toutes les matières d'intérêt local, dans la province.

Puis, il invite la reine à dénoncer le gouvernement impérial. Cet appel, toutefois, ressemble beaucoup à une menace d'un retour encore plus fort de la mauvaise humeur qui a caractérisé le mouvement annexionniste de 1849 :

> Nous sommes mus par le profond sentiment de notre devoir, d'informer votre Majesté que l'action du Gouvernement impérial, en refusant de se rendre aux justes demandes des Représentants du Peuple Canadien, dans une question qui affecte si exclusivement ses intérêts privés, sera considérée comme une violation de ses droits Constitutionnels et créera parmi les Sujets de votre Majesté en Canada un mécontentement profond et général.

Le style énergique de l'adresse contraste avec le ton habituellement utilisé. Le ministère, en agissant ainsi, veut prouver à la population que l'unité de sa coalition est bien réelle et qu'il n'entend pas se dérober à un problème crucial de son temps. L'opposition, vigilante, manœuvre pour faire ressortir des contradictions au sein des ministériels. Alors, tous les moyens dilatoires possibles sont utilisés pour provoquer des débats et permettre à l'un et à l'autre des opposants de prouver que la coalition est dans une impasse sur cette question si importante.

Hincks et Morin sont conscients qu'il ne sera pas facile de faire l'unanimité sur l'utilisation des réserves du clergé. Au sein même du Conseil exécutif, des pourparlers préliminaires laissent entrevoir trois écoles de pensée qui sont opposées[12]. Mais, avec sa logique de politicien, Hincks évacue ce problème, car la province n'a pas encore le pouvoir de disposer des réserves. Il entend profiter de l'adresse faite à la reine pour rosser à la fois le gouvernement impérial et l'opposition. Au sujet du gouvernement impérial, il est évident que le premier ministre veut prendre sa revanche. Quant à l'opposition, elle veut profiter de l'occasion pour lui clouer le bec avec une unanimité qui va, d'un coup, détruire tous les ragots de division ministérielle que colportent les journaux à sa solde.

Morin vit à l'aise avec la notion de discipline de parti, contrairement à la majorité des politiciens de son temps. Il sait très bien qu'en période de crise la discipline interne d'un parti lui vaut des victoires souvent inespérées. Pour avoir vécu de multiples expériences, d'abord avec Papineau au temps du Parti patriote, puis avec La Fontaine au début du Parti réformiste, le premier ministre conjoint est l'homme tout désigné pour mener les troupes ministérielles lors de l'affrontement qui se dessine. Dès le dépôt de l'adresse, et après quelques interventions de l'opposition, Morin campe bien le sujet :

> La question qui nous occupe en ce moment, monsieur l'Orateur, est une des plus importantes qui puissent attirer l'attention de cette chambre. Je ne crois pas, cependant, qu'elle dût susciter actuellement les débats dont nous sommes témoins. La question aujourd'hui est, en effet, celle-ci : le pays a-t-il le pouvoir de législater sur les réserves du clergé ?

Le journaliste du *Canadien* rapporte aussi que Morin a répété en français les mêmes opinions que Hincks a dites en anglais précédemment et qu'il a affirmé que le cabinet est unanime au sujet du rapatriement de ce droit de légiférer. L'opposition ne veut pas rater une si belle occasion de démontrer l'incohérence et l'inertie du Conseil exécutif. En fait, pour en arriver à ses fins, elle discute déjà de l'étape suivante pour faire ressortir les points de discorde au sein du ministère. Les ministériels, toutefois, vont systématiquement refuser tous les amendements de l'opposition.

Brown attaque de toutes parts. Il se montre favorable à l'adresse, mais il veut y ajouter un projet de loi qui mentionne spécifiquement comment seront utilisés les fonds provenant de la vente des réserves, soit un fonds de soutien aux écoles élémentaires publiques. Très agressif, selon sa façon habituelle d'intervenir, il déclare :

> Les ministres ne sont pas d'accord entre eux sur cette question. Le Dr Rolph a déclaré que le ministère devait séculariser les réserves ou tomber. M. Morin, lui, nous a dit lors des débats sur l'adresse qu'il n'était pas nécessaire que le gouvernement s'engageât à séculariser les réserves ; il est vrai qu'hier soir, le même monsieur nous a déclaré qu'il serait prêt à marcher avec l'Inspecteur général. L'Inspecteur général nous a informés hier soir aussi qu'il était satisfait de l'opinion de M. Morin sur les réserves. Mais pourquoi M. Morin n'a-t-il pas fait lui-même cette déclaration ?

Malgré la dialectique serrée de Brown, son amendement ne recueille que trois voix : Louis-Joseph Papineau et Adam Johnston Fergusson, député de Waterloo et membre des ministériels, votent avec lui. Finalement, l'adresse est adoptée par 52 voix contre 22 et acheminée à Londres où un changement de ministère vient de s'effectuer. La coalition a gagné son point, mais c'est une victoire à la Pyrrhus ! Et l'opposition, dans la défaite, n'a pas perdu de crédibilité, bien au contraire.

Harcèlement de l'opposition

Hincks et Morin ne sont pas au bout de leurs peines. Le harcèlement continue lors des séances suivantes de la session. Ainsi, l'opposition officielle demande et obtient le dépôt de la correspondance échangée au sujet des écoles élémentaires séparées, cherchant ainsi à prouver par voie détournée ce que le débat de l'adresse à la reine n'a pu permettre. Puis, Cauchon, craignant toujours que le Conseil exécutif fasse trop de concessions aux idées de Rolph et de Cameron pour ne pas perdre leur alliance, demande si le ministère entend prendre quelque mesure pour obtenir du gouvernement la restitution de l'ancien collège des Jésuites, actuellement occupé comme caserne, à la ville de Québec[13]. Imperturbable, Morin a réponse à tout avec calme et précision. Dans les jours qui suivent, on le met à l'épreuve au sujet de l'hôpital de la Marine[14], de l'incendie de Montréal[15] et des prisons du Bas-Canada[16] sans être capable de le trouver en défaut dans quelque dossier que ce soit.

Depuis le début de la session, l'opposition canadienne-française a noté que la réforme du Conseil législatif, un point particulièrement cher à Morin, ne fait pas l'objet d'un énoncé spécial dans le discours du Trône. Elle voit là un signe de discorde au sein du Conseil exécutif et exploite le sujet à profusion dans la presse qui lui est favorable. *Le Pays*, dans son édition du 1er septembre, rappelle à Morin ses promesses électorales et le met en contradiction avec lui-même à cause de déclarations qu'on lui attribue[17]. Après un moment d'arrêt causé par les débats sur l'adresse concernant les réserves du clergé, le journal des rouges ne manque pas de rappeler à Morin ses arguments en faveur du gouvernement responsable, parmi lesquels la promesse d'une autonomie réelle figure en tête de liste.

La réforme du Conseil législatif

Au sujet de la réforme du Conseil législatif, Morin semble mal à l'aise. En effet, il doit concilier ses convictions personnelles avec celles de ses collègues anglophones. Pour lui et ceux qui ont siégé avant le régime d'Union, le Conseil législatif représente l'outil avec lequel une oligarchie a pu conserver un pouvoir réel aux dépens de députés dûment élus par le peuple. Or, presque seul en Chambre, avec Papineau et MacKenzie, à avoir vécu cette période difficile, Morin doit s'astreindre à la prudence, même si ses idées ont peu changé concernant cette Chambre haute. La très grande majorité des députés anglophones ne voient pas dans la Chambre haute un obstacle important à la réalisation de leurs projets, car ils n'ont jamais eu à en subir les vexations. De plus, la Chambre haute est une sorte d'héritage politique et culturel qui leur vient d'Angleterre et auquel ils se sentent profondément attachés. Mais, politiquement, le ministère doit officiellement prendre position, ce qui arrive le 24 septembre.

Morin, appuyé par Hincks, propose alors une série de résolutions visant à modifier le Conseil législatif. Ces résolutions sont de nature, d'abord, à rendre électifs les sièges du Conseil législatif, puis à fixer à neuf ans le mandat de cette chambre de 60 personnes, 30 pour chaque partie de la province. Le renouvellement s'effectuerait tous les trois ans au tiers des sièges, l'accès du Conseil serait limité à des anciens élus du niveau tant municipal que provincial et on n'exigerait point de qualification pécuniaire. Enfin, on donnerait le pouvoir au gouverneur de dissoudre cette chambre comme il peut le faire pour l'assemblée législative et finalement cette Chambre haute ainsi renouvelée aurait le droit de s'élire un orateur et posséderait le pouvoir de décider de la légitimité des accusations de la Chambre basse contre les hauts fonctionnaires. Ces modifications sont fidèles à la pensée de Morin. Elles reflètent bien l'influence des institutions américaines chez les membres du Parti patriote des années 1830 et, en même temps, elles se veulent un élément fort de l'intégration canadienne d'une institution britannique. C'est là le but ultime de toute l'action politique de Morin et il aurait été surprenant qu'il n'ait pas tenté d'y arriver en modifiant le Conseil législatif.

Mais, contrairement à ce qu'on peut penser, Morin et le ministère ne semblent pas pressés de faire adopter ces résolutions. C'est que la situation a évolué depuis 1830, estime Morin :

> Avec notre forme actuelle de gouvernement, l'opinion publique se fait sentir dans cette branche de la législature, et elle ne se trouve point comme autrefois sans contrôle. Cependant des changements fréquents d'administration auraient pour effet de rendre le nombre de ses membres trop considérable.

Le vrai problème est que cette question soulève beaucoup d'agitation au sein de la députation et que les solutions soumises n'obtiennent pas l'assentiment d'une grande majorité de députés, même chez les ministériels. Aussi, Hincks et Morin entendent présenter un projet définitif de modification à la prochaine session, à l'aide de données plus complètes. Comment interpréter alors ce geste de proposer des modifications « pro forma » ? Morin oblige ses détracteurs à se taire et il a enfin l'occasion d'étaler une théorie politique qui lui est très chère. Pour un gouvernement majoritaire, ce sont des raisons assez faibles...

Introduction du bateau à vapeur

Au début de novembre, la Chambre adopte unanimement l'établissement d'une ligne de bateaux à vapeur pour desservir le Canada à partir de l'Angleterre. La subvention gouvernementale votée accélère le début de ce service. Effectivement, il débute au printemps 1853 et permettra à la poste royale de posséder un lien direct et régulier avec l'Europe. Les marchands et les négociants se montrent satisfaits de cette entente qui va contribuer à augmenter les affaires. Pour Hincks, c'est la réalisation d'une promesse électorale !

Hyperactivité de Morin au cours de la session de 1851

Deux importants projets de loi sont ensuite déposés. Le premier, introduit par Morin, vise à « augmenter la Représentation du Peuple de cette Province au Parlement » alors que le second est l'œuvre du procureur général Drummond et veut « définir les droits des Seigneurs et des Censitaires dans le Bas-Canada, et [...] en faciliter le rachat ». Le projet de Morin se veut un pendant digne du projet du Conseil législatif : les petites villes seront séparées des comtés et réunies ensemble pour envoyer des représentants « parce que les habitants des villes ont des intérêts différents de ceux des campagnes. D'après ce principe, il serait bon d'incorporer les différents corps de métier afin de se faire représenter par classe ». Projet assez révolutionnaire à la vérité que la Chambre n'est sûrement pas prête à accepter sans modification. Morin veut tellement que la discussion ait lieu qu'il fait adopter une résolution obligeant les membres de la Chambre d'être présents, à défaut de quoi « ils seront amenés sous la garde du sergent d'armes ».

Quant à celui de Drummond, il s'agit bien sûr d'une modification au régime seigneurial que les seigneurs s'apprêtent à contester violemment.

La présentation de ces importantes pièces de législation ne limite pas l'action de Morin. Ainsi il siège au sein d'un comité pour empêcher l'élection illégale de conseillers municipaux au Bas-Canada, la pureté de la consultation électorale étant une de ses grandes préoccupations depuis son entrée en politique. De même il s'occupe activement de la question de la vente des Forges du Saint-Maurice et des fiefs Saint-Étienne et Saint-Maurice, il organise la présentation de tableaux sommaires de la population du Bas-Canada suivant le dernier recensement et il manifeste un appui indéfectible au surintendant de l'éducation au Bas-Canada lors de la présentation de son rapport. Il propose même de prendre à même le solde non dépensé en 1851

> une somme n'excédant pas £3,500 courant, comme une aide pour construire les écoles communes sous la direction des commissaires d'école, et une autre somme de £5,000 courant comme une aide pour l'éducation dans le Bas-Canada, en telle manière qu'il pourra être établi par le parlement pendant la présente session.

L'intérêt de Morin pour l'éducation n'est pas nouveau et ces dons ne servent pas des fins électorales, car il a toujours désiré que l'école soit accessible à tous. Il s'intéresse toujours aux chemins de fer en facilitant l'incorporation des différentes compagnies et il exerce même des pressions sur Joseph Cauchon pour l'empêcher de retarder l'adoption de projet de loi sur le chemin de fer du Grand Tronc. Enfin, il se montre favorable à l'ouverture du territoire de la rivière Saint-Maurice au commerce du bois de construction.

Épidémie de choléra de 1851-1852

Mais toute cette activité de la Chambre doit être arrêtée. Québec vit une autre épidémie de choléra et un ajournement de trois mois est décrété par mesure de prudence. Du 10 novembre au 14 février, la vie politique de la capitale fonctionne au ralenti. Après les désastreuses épidémies de 1847, 1848 et 1849, les autorités n'ont guère le choix. Qu'une épidémie éclate au début de l'hiver a de quoi suspendre, toutefois, compte tenu que le climat qui prévaut en cette période de l'année est généralement peu propice à l'éclosion de ces fléaux.

Depuis les premières épidémies, la population a l'habitude de tenir l'immigration massive des pauvres Irlandais comme responsable de ces maux. Pourtant, depuis 1847, la station de la Grosse-Île fait office de tampon entre les immigrants et la population et les dangers de contagion sont moins nombreux. Effectivement, au cours de cet été 1847, les autorités ont imposé une quarantaine fort sévère à tout navire venant d'outre-Atlantique. Le résultat concret de cette opération a été de limiter l'épidémie de typhus à la station. Il en est de même à l'été de 1848.

Ce qu'on est porté à oublier, c'est que la ville de Québec connaît un rythme extraordinaire de développement au cours de cette période. La densité de population passe de « 560 personnes au kilomètre carré, en 1818, à 1540 en 1851[18] » ; les vieux quartiers éclatent de toutes parts et les faubourgs Saint-Roch et Saint-Jean absorbent ce surplus de population, souvent la plus pauvre de la ville.

Mais les conditions sanitaires sont souvent déplorables. Il n'y a pas encore de système d'aqueduc et on réussit mal à drainer les égouts. Alors, l'approvisionnement en eau potable souffre des infiltrations des eaux usées, que ce soit dans le fleuve dont on tire l'eau potable pour la haute-ville ou dans les puits des particuliers des quartiers au niveau de la mer. À ces sources importantes de pollution, il faut ajouter le fumier des animaux qu'on élève en pleine ville et les odeurs infectes qui se dégagent des cimetières. Pour toutes ces raisons, le taux de mortalité est plus élevé à Québec, en temps normal, qu'ailleurs dans la province. La moindre alerte médicale donne donc lieu à un branle-bas de combat et l'Assemblée n'échappe pas à cette hystérie collective. Heureusement, l'épidémie de 1852 est bénigne, faisant moins de 200 victimes.

L'épidémie ne fait pas de victime parmi les membres de la Chambre et Morin continue de vaquer à ses nombreuses occupations, tout en prenant garde de ne pas sortir trop souvent en public. Son épouse continue de le protéger contre toute tentative d'invasion de leur vie privée et, ainsi, le couple peut vivre un emploi du temps plus rangé, plus conforme aux besoins qu'impose à l'un et à l'autre une santé chancelante.

Le clergé et les écoles séparées du Haut-Canada

Grand épistolier, Morin écrit à l'abbé Louis-Jacques Casault, supérieur du Séminaire de Québec, au sujet d'échantillons minéralogiques qu'il a reçus de M. Logan. Son intérêt pour la science, en fait pour tout ce qui est du domaine intellectuel, ne se dément pas. Puis il reçoit une lettre de Mgr Armand-François-Marie de Charbonnel, évêque de Toronto, au sujet des écoles séparées du Haut-Canada. Le prélat demande simplement justice égale pour les catholiques de son diocèse et il craint que l'influence et la crainte de Brown ne nuisent à son projet. Il est même prêt à poser un geste spectaculaire pour gagner son point :

> Je me veux capable de tout pour cette cause la plus sacrée, et si un siège pourrait [sic] se résigner comme un portefeuille, je ne balancerais pas à faire ce que vous avez su si bien faire dans le cas où le peuple qui m'est confié continuerait à être persécuté et privé de la plus sacrée de ses libertés.

Quelques jours plus tard, Mgr de Charbonnel lui envoie un projet de loi avec un préambule réclamant le privilège pour les catholiques romains d'établir des écoles séparées au Haut-Canada. C'est le genre de correspondance qui touche Morin, car c'est son intégrité comme législateur qui est mise en jeu. Morin va tout tenter pour que justice soit faite et la période de repos imposée aux parlementaires lui donne tout le temps pour préparer une stratégie.

Reprise des travaux, 14 février 1852

Quand la Chambre est à nouveau convoquée le 14 février, Morin se sent d'attaque. Il fait le dépôt de ses propositions pour les dépenses en éducation au Bas-Canada prises à même le fonds des biens des Jésuites : rémunération des inspecteurs d'école, établissement et entretien des écoles normales, aide spéciale pour la construction d'écoles, aide pour l'établissement de bibliothèques de paroisses et de *townships*. Le lendemain, une dépêche de Londres, venant du duc de Newcastle, qui vient de succéder à sir John Pakington, annonce que le nouveau gouvernement impérial vient d'accepter l'adresse envoyée à sa Majesté au sujet des réserves du clergé. Cette importante victoire au niveau des principes redonne confiance au ministère qui est justement aux prises avec les représentants des seigneurs dans l'étude du projet de loi pour modifier la tenure seigneuriale.

Projet avorté d'abolition du régime seigneurial

Le projet de loi du procureur général Drummond veut définir les droits des seigneurs et des censitaires dans le Bas-Canada et il veut aussi faciliter la commutation des droits seigneuriaux. À toutes fins utiles, cela signifie la fin à plus ou moins brève échéance du système seigneurial. Comme les seigneurs veulent être entendus, ce qui est leur privilège, la Chambre reçoit leur porte-parole, Christopher Dunkin, un homme de loi brillant. Dunkin et Drummond vont échanger longuement et cette joute juridique va durer un bon nombre de jours. Néanmoins, la Chambre approuve le projet de loi par 37 voix contre 20. Moins de deux mois plus tard, le Conseil législatif rejette cette mesure. Tout est à recommencer.

Augmentation de la représentation populaire

S'il est un projet que Morin a à cœur, c'est bien l'augmentation de la députation. Il reprend donc le projet déposé avant l'ajournement, car il voit dans la répartition des sièges un fort élément d'injustice puisque des députés représentent, dans certains cas, plus du double d'électeurs que d'autres collègues. Toutefois, il est bien conscient qu'il s'attaque à un point sensible où La Fontaine a échoué trois fois. Il ne prend aucun risque de voir son projet discuté devant un nombre restreint de députés et, pour éviter ce qui est arrivé à d'autres projets de loi importants, il ordonne une semaine à l'avance que le sergent d'armes de la Chambre s'assure de la présence des membres.

Le jour dit, soit le 8 mars 1853, Morin dépose son projet. Le nombre de députés passe de 84 à 130 car il veut que chaque comté soit d'une dimension qui permette au député de le parcourir facilement en dehors des campagnes électorales. Il a renoncé à son idée originale de représentation par classe sociale : il affirme ne pas avoir la prétention de croire que tous les détails de la mesure sont parfaits ; aussi, il se déclare ouvert, au nom du gouvernement, « à se rendre à toutes les suggestions qui lui seront faites par la Chambre concernant ces détails ».

Brown n'en revient pas de la désinvolture avec laquelle le ministère, et Morin en particulier, traite la population croissante du Haut-Canada. Aussi, il propose un important amendement au projet :

> la représentation du peuple en parlement devrait être basée sur la population et [...] le nombre des membres de la Chambre d'Assemblée serait graduellement augmenté, suivant le développement progressif de la population sur une proportion fixe de la population sans égard à aucune ligne de division entre le Haut et le Bas-Canada.

Cet amendement représente certes un des deux points forts qui ont motivé Brown à se faire élire. Le slogan du « Rep by Pop » traduit un sentiment d'injustice que plusieurs politiciens du Haut-Canada éprouvent face à la montée croissante de la population de cette partie de la province, dont la représentation est identique à celle du Bas-Canada malgré un plus grand nombre d'électeurs. Les députés du Bas-Canada font front commun contre l'amendement, exception faite de l'ineffable Robert Christie de Gaspé, et elle est rejetée par 57 voix contre 15. Mais Brown ne se compte pas pour battu et il va utiliser constamment son slogan lorsqu'il va entendre parler de justice ou d'équité entre les deux parties de la province. Quant à la proposition principale elle-même, elle est adoptée par 58 voix contre 14, Robert Christie votant pour son adoption dans une de ses volte-face caractéristiques !

Effectivement, les deux Chambres votent à plus des deux tiers ce changement constitutionnel qui va entrer en application avec la sanction de la reine et l'avis au gouverneur général. Parallèlement à cette augmentation du nombre de députés, la Chambre vote un autre projet de loi qui prévoit, entre autres choses, l'extension du droit de vote et la confection d'une liste d'électeurs. Ce dernier point ne s'appliquera, toutefois, qu'à toute élection tenue après le 12 janvier 1855. L'influence de Morin est bien évidente dans ce projet de loi, car il combat depuis sa première élection les fraudes électorales, les « télégraphes[19] » lors du scrutin, commis surtout en milieu urbain, et toutes les irrégularités qui entachent la crédibilité du résultat électoral. Pour Morin, le vote positif à ces changements constitue une victoire de la moralité politique et l'atteinte d'objectifs personnels conformes à sa vision globale de l'administration publique.

Nouveau projet de réforme du Conseil législatif

Fort de sa victoire dans le dossier de la représentation et choqué du rejet du projet de loi sur la tenure seigneuriale par le Conseil législatif, Morin profite de l'occasion pour ramener son projet de réforme du Conseil législatif à l'ordre du jour. Il prétend, avec raison, que trop de seigneurs ont une influence disproportionnée sur la Chambre haute et que celle-ci prouve encore son manque de respect envers la Chambre élue en agissant comme elle l'a fait. Ainsi, elle confirme sa mauvaise réputation acquise dans la décennie 1830 et Morin insiste sur l'assiduité peu impressionnante au Conseil législatif, voyant là un signe de négligence inacceptable[20]. Le gouverneur général Elgin a souvent déploré le peu de considération et le peu d'influence dont jouit le Conseil législatif. Sans être un désaveu, c'est tout au moins une indication qu'un changement s'impose.

Depuis la présentation de ses propositions initiales de changement, Morin a apporté quelques modifications. Ainsi, le mandat est passé de neuf à six ans, il faut avoir 30 ans d'âge pour être éligible et un cens foncier de £1000 est exigé en retour de l'abandon du cens requis pour devenir député. Mais Morin rencontre une vive opposition de la part de la députation anglophone et même des éléments les plus conservateurs du ministère, tels Joseph Cauchon, George-Étienne Cartier et Marc Pascal de Sales Laterrière. Désireux de prendre sa revanche, c'est George Brown qui attache le grelot et qui entreprend de démolir la vision de Morin :

> Lorsqu'une opposition d'opinion surviendrait dans les vues politiques des majorités des deux chambres, une adresse de manque de confiance de la part d'une Chambre pourrait être rencontrée par un vote de confiance de la part de l'autre Chambre, et le Conseil exécutif resterait de fait sans contrôle [...] ; que les deux Chambres électives sont entièrement incompatibles avec le gouvernement britannique responsable, d'après le système anglais [...] ; qu'aucune nécessité urgente ne réclame de changement dans la constitution du Conseil législatif, qu'il n'existe aucun mal pratique qu'un changement pourrait rendre accessible.

Morin fige devant les arguments de Brown ; il a pensé ces modifications en s'inspirant des institutions américaines, et c'est l'agencement du bicamérisme avec le système du gouvernement responsable anglais qui émerge comme problème grave réel. Surtout, il ne s'attend pas à cette sortie intempestive de Brown, car il le croit plus « moderne », plus démocrate. C'est un des côtés surprenants du propriétaire du *Globe*: ses goûts d'innovation côtoient des aspects de conservatisme, pour ne pas dire d'immobilisme, surprenants ! À la fin, Joseph Cauchon (Montmorency), Marc Pascal de Sales Laterrière (Saguenay) et Antoine Polette (Trois-Rivières) vont voter contre le ministère, mais les autres députés bas-canadiens suivent Morin et la proposition générale est adoptée par 50 voix contre 17. Ce faisant, le ministère vient de se créer un adversaire de plus : le Conseil législatif. Reste maintenant à la reine d'approuver ce changement constitutionnel...

Morin engagé dans tous les dossiers

À part ces grands débats, la Chambre se penche sur plusieurs autres dossiers. On sent la touche de Morin dans la majorité, pour ne pas dire la totalité, des sujets discutés, son influence très évidente dans la législation et sa mainmise sur l'administration à titre de secrétaire provincial. Les seuls secteurs où il cède le pas à Hincks sont ceux des finances publiques et des relations commerciales extérieures de la province.

Ainsi, quand les députés Ulric-Joseph Tessier (Portneuf) et Henri Dubord (ville de Québec) se plaignent que l'Orateur utilise trop parcimonieusement le français dans tous les documents de la Chambre et les délibérations, Morin leur donne raison au niveau du principe mais, en même temps, il leur demande une certaine tolérance. En matière de transports, Morin autorise l'expertise nécessaire à la construction annuelle d'un pont de glace en face de Québec afin d'améliorer les liens avec la rive sud. Il s'intéresse déjà au projet de l'ingénieur Serrili pour la construction d'un pont suspendu pour les chemins de fer, car il est convaincu plus que jamais que Montréal doit être le point de départ des lignes ferroviaires. On doit faire mention aussi de l'aide constante qu'il apporte aux compagnies de chemins de fer en voie de formation : il facilite leur incorporation, il leur prodigue des conseils pratiques et juridiques et il s'assure que le public est bien servi par ces compagnies. Il soutient tout projet susceptible d'améliorer les transports, tel ce projet de la construction d'un canal entre le Saint-Laurent et le lac Champlain.

Morin est soucieux de l'image de la province. Quand l'exposition industrielle de Québec demande l'aide du gouvernement pour transporter des articles à New York pour une exposition de produits manufacturés, il écrit une lettre au secrétaire-correspondant W. A. Holwell et l'avise que le gouvernement est prêt à fournir une aide pour le transport des articles choisis pourvu que le comité soit élargi et compte des représentants de toutes les villes importantes de la province comme Montréal, Toronto et Kingston. L'esprit de clocher typique de la ville de Québec en prend pour son rhume mais seul, au sein du cabinet, Morin jouit d'une telle confiance des Québécois qu'il peut se permettre ce genre de recommandation sans partir une guerre !

Le secrétaire provincial n'oublie pas le sort de ses collègues résidant à l'extérieur de l'une ou l'autre des capitales alternatives et qui doivent ainsi sacrifier temps, profession et affaires pour le bien-être de la province. Il entretient de très bonnes relations avec le gouverneur ; en son nom, il entreprend un sondage auprès des parlementaires pour connaître leur préférence. Il recommande donc au gouverneur qu'à l'avenir la Chambre devrait être convoquée au début de février.

Si Morin s'intéresse à maints dossiers, il s'oppose, cependant, à ce que le gouvernement se substitue à d'autres autorités, les autorités religieuses particulièrement. Dans la foulée de l'abbé Charles Chiniquy qui a obtenu en 1849 l'adoption d'un projet de loi fort sévère pour la régie de la vente de l'alcool, un autre projet de loi est déposé en mai 1853 pour obtenir un renforcement de la loi de 1849 et aussi pour obliger la sanctification du dimanche. Le député de Terrebonne ne prend pas de gants blancs :

> La répression de l'intempérance est du domaine de la religion et de la morale qui ont déjà tout fait pour cette cause ; les municipalités ont le pouvoir de faire à ce sujet les règlements nécessaires et cela suffit. Tout le mouvement actuel qui a eu lieu en faveur de la tempérance a été fait dans un but politique.

Fin de session chaotique

La fin de la session aidant, la discipline se relâche au sein du parti ministériel et le gouvernement est battu plusieurs fois lorsque la Chambre siège en comité général (plénière). C'est le cas lors de l'étude du projet de loi de Henry Smith, député de Frontenac, qui vise à faire exclure du Parlement tous ceux qui reçoivent de l'argent, sous forme de salaire ou d'honoraires. Cette situation se répète lorsque le député de Stanstead, Timothy Lee Terrill, demande et obtient la création d'une banque pour son comté : l'opinion de Hincks, farouchement opposé à cette demande, n'est pas retenue.

Un dernier affrontement de principes a lieu peu avant la fin de la session lors de l'étude du projet de loi des écoles séparées du Haut-Canada. Les pressions de l'évêque de Toronto portent fruit puisque le gouvernement, au grand désespoir de Brown, accepte qu'un réseau d'écoles séparées puisse s'organiser au Haut-Canada. Ce réseau pourrait alors prélever des taxes, dépenser le fruit de ces revenus et les affecter comme bon lui semble. Brown et William Lyon MacKenzie tentent d'abord de faire remettre l'étude du projet de loi à six mois. Ce délai aurait permis au *Globe* de susciter un mouvement de mécontentement et d'agitation au Haut-Canada, lequel mouvement aurait obligé le gouvernement à faire marche arrière. Mais la majorité rejette la demande de délai et décide de voter immédiatement l'établissement desdites écoles séparées.

Pour Morin qui pilote le projet de loi, c'est une simple question de justice distributive qui est en jeu. Les protestants du Bas-Canada ayant ce droit à la dissidence scolaire, il ne voit pas en vertu de quel principe les catholiques du Haut-Canada n'auraient pas droit à la même dissidence. Le raisonnement de Morin sonne bien aux oreilles des Canadiens français qui votent en bloc pour la proposition, au grand dam des ténors de la séparation de l'Église et de l'État.

Humilié par Brown lors de la question du Conseil législatif, Morin vient de lui prouver qu'il est encore un chef, même s'il ne peut pas compter sur une rhétorique élaborée. Qui plus est, il vient de démontrer à Brown qu'il est un législateur compétent pour traiter de tous les problèmes de la province et pas seulement au Bas-Canada, qu'il est capable de rallier une majorité importante à des causes justes et que le bloc canadien-français est une force avec laquelle tout aspirant à un rôle politique important dans la province doit apprendre à composer. Au seuil des vacances parlementaires, cette victoire réconforte les troupes ministérielles. Secoué bien souvent par la bourrasque d'une opposition peu nombreuse mais bien aguerrie, la coalition gouvernementale semble au bord de la dislocation. De toute évidence, un renforcement de l'équipe ministérielle est souhaitable.

Des vacances s'imposent pour Morin, fatigué par l'épuisante session qui vient de se terminer. Il en vient même à perdre patience, ce qui est très rare. Comme tous les dirigeants politiques de tout temps, il tient rigueur aux journalistes de propos qu'il considère injustes et outranciers. Il se défoule dans une lettre qui paraît dans *Le Journal de Québec*, le 7 juillet :

> J'avais vu depuis longtemps, avec une profonde douleur, le journal qui n'a conservé de canadien que le titre, déverser l'injure et le mépris sur tous ceux qui ont défendu avec constance et avec intrépidité l'honneur et l'intérêt national ; [...] ce journal paré bizarrement de quelques oripeaux qu'il appelle encore du patriotisme, mais livré, de fait, à un esprit de vengeance, d'animosités personnelles et de petites rancunes [...]. J'attendais que le mensonge et la calomnie m'atteignissent aussi, et si ce tribut m'eut manqué, j'aurais pu vraiment douter d'avoir fait mon devoir.

Un cabinet renouvelé

Hincks et Morin songent, dès la fin de la session, à effectuer des changements au sein du cabinet. D'abord deux nominations : William Buell Richards, député de Leeds et procureur général du Haut-Canada, devient juge ; il en est de même pour René-Édouard Caron, président du Conseil législatif. Ensuite, le jeu de la chaise musicale s'amorce. Au Haut-Canada, John Ross, auparavant solliciteur général, remplace Richards comme procureur général ; Joseph Curran Morrison, député de Niagara, remplace Ross comme solliciteur général. James Morris, maître général des Postes, remplace Caron à la présidence du Conseil législatif et laisse son poste à Malcolm Cameron, auparavant président du Conseil exécutif. Pour prendre la place de Cameron, John Rolph cède son poste de commissaire des Terres. Louis-Victor Sicotte, député de Saint-Hyacinthe, est d'abord choisi pour cette dernière fonction : ayant demandé à Hincks une décision finale et prochaine concernant les réserves du clergé et la tenure seigneuriale, il ne peut arracher de promesse formelle et il démissionne huit jours après son assermentation. Morin reprend alors le poste de commissaire des Terres, Pierre-Joseph-Olivier Chauveau devient le secrétaire provincial à sa place et Dunbar Ross, avocat de Québec, est nommé solliciteur général sans siège au Parlement.

Pour Joseph Cauchon, ce remue-ménage ministériel n'inspire rien de bon puisque le cabinet n'a pas voulu s'engager sur les questions essentielles demandées par Sicotte, même si son journal ne cesse de répéter que Morin est favorable à la sécularisation des réserves du clergé et assure ainsi la survie de la coalition au Haut-Canada aux dépens de ses principes catholiques. Sa boutade au sujet de ces changements vaut la peine d'être citée : « Les fauteuils ne valent jamais plus que les personnes qui y sont assises[21]. » L'arrivée de sang neuf en telle quantité est un indice révélateur de l'épuisement des forces de la coalition. Généralement, un grand nombre de changements survient, soit en fin de mandat quand l'usure du pouvoir se fait sentir, soit quand la coalition s'effrite et qu'il faut remplacer des démissionnaires. Dans le cas présent, les deux raisons semblent s'appliquer !

Durant l'été, plus précisément le 13 août 1853, le Conseil exécutif nomme Louis-Hippolyte La Fontaine juge en chef de la Cour du Banc de la Reine pour le Bas-Canada. Excellente nomination qui recueille des éloges de toutes parts, comme celle de Morin, d'ailleurs, dont le retour comme commissaire des Terres est vu comme un coup de pouce nécessaire à la colonisation et à l'agriculture.

Traité de libre-échange avec les États-Unis

L'été de 1853 marque le premier voyage de lord Elgin en Angleterre depuis sa nomination au Canada comme gouverneur général. Après six ans de loyaux services, il est normal de rendre compte de son mandat. À Londres, il est reçu avec éclat et les marques de considération ne manquent pas à l'endroit de son travail, y compris le discours flatteur de l'ambassadeur américain Buchanan, futur président des États-Unis. Orateur distingué et entraînant, homme cultivé, diplomate né, Elgin suscite toujours un concert d'éloges partout où il passe, même aux États-Unis. Mais il ne se rend pas en Angleterre pour recevoir des éloges : premier gouverneur vraiment intégré à la réalité canadienne, il va plaider la cause de l'économie de la province, car la crise économique qui s'abat sur le pays ne vient pas à bout de se résorber. Pour avoir discuté avec des hommes politiques de toutes tendances, il sait qu'un traité de libre-échange avec les États-Unis est le moyen privilégié pour sortir le pays de l'ornière économique où il s'embourbe de plus en plus. Il vient à Londres pour y chercher un mandat qui manque à son action : il l'obtient, sans restriction, quelques mois après son retour au Canada.

Après la guerre contre le Mexique, les États-Unis entrent dans une phase importante de paix et de consolidation économique. De nombreuses pétitions en faveur du libre-échange, venant des villes et des États près de la frontière, ne manquent pas d'influencer le Congrès américain et de créer un important courant d'opinion en faveur d'un projet appelé plutôt « réciprocité » que libre-échange à cette époque. Au printemps 1854, Londres demande à Elgin d'aller négocier à Washington. Sans retard, Elgin se met à l'œuvre. Il entreprend des négociations qui s'avèrent finalement plus faciles qu'il ne l'aurait imaginé. Le secrétaire au Commerce, William Learned Marcy, et lui en arrivent à une entente rapidement et le Congrès approuve le document qui doit entrer en vigueur le 16 mars 1855.

Ce traité ne comporte que quatre articles qui concernent vraiment la « réciprocité ». Les deux premiers régissent les pêcheries au nord du 36e degré de latitude nord, le troisième énumère tous les produits qui entrent sous le couvert du libre-échange et, enfin, le dernier permet le libre usage du système de canaux des deux pays. D'une durée de dix ans, le traité peut être annulé à six mois d'avis de part et d'autre. Mais ce traité aura-t-il une influence sur la politique interne de la province ? Elgin n'en est pas certain...

Haut et Bas-Canada : les couteaux s'aiguisent...

Pendant ce temps, au Canada, à défaut de session puisque le gouverneur général est absent et qu'on ne peut convoquer la Chambre, les rumeurs naissent, meurent et se ravivent grâce à la presse. En début d'année, *Le Journal de Québec* suppute les raisons qui poussent Morin à vouloir séculariser les réserves du clergé et il ne perd pas l'occasion de censurer sévèrement l'alliance avec les Clear Grits. Et *Le Canadien* pressent que le gouvernement impérial va sanctionner les résolutions votées par la Chambre d'ici. Dans le Haut-Canada, George Brown se sert du *Globe* comme d'une charge de cavalerie pour rendre Hincks responsable de tous les maux connus dans cette partie de la province : écoles séparées, retard à séculariser les réserves du clergé, soumission de Hincks à la « clique » française et catholique du Bas-Canada.

Même plus, on se sert d'événements apolitiques pour rendre Hincks encore plus antipathique : les émeutes qui entourent le passage du moine italien défroqué Gavazzi en tournée de conférences au Canada sont marquées de mort d'hommes à Montréal. On soupçonne le maire Wilson, catholique et ami de Hincks, d'avoir ordonné l'ordre de faire feu sur la foule. À ces attaques déjà importantes s'ajoutent des accusations plus personnelles contre Hincks, à savoir le trafic d'obligations de la compagnie de chemin de fer du Grand Tronc, l'achat de terrains, propriétés de la Couronne, l'accomplissement de travaux faits par le gouvernement pour améliorer la valeur marchande d'une de ses terres. Bien qu'une commission d'enquête exonère Hincks de toutes ces accusations, quelques mois plus tard, le mal est fait et la réparation à sa réputation ne sera jamais à la hauteur du mal qui lui a été causé.

Morin profite de ce répit pour vérifier ses abonnements aux revues venant d'Europe[22] et, aussi, pour initier Dunbar Ross, membre du ministère sans siège au cabinet et sans siège au Parlement à ses nouvelles fonctions de solliciteur général. Il insiste auprès de Ross pour que celui-ci pose toutes les questions qu'il jugera à propos, mais, en même temps, il se

Incendie de l'Hôtel du Parlement le 1er février 1854 (*Illustrated London News*)

montre peu favorable à donner trop d'information au public : « I do not think that all about the Government or in the public have a right to require from you or from us answers in precise terms as to Mr Hincks may do while there. »

En avril, Joseph Cauchon renouvelle ses appréhensions au sujet de la sécularisation des réserves du clergé et il ne manque pas de mettre les lecteurs du *Journal de Québec* en garde contre ces « faux catholiques ». C'est que, normalement, la Chambre aurait dû être convoquée depuis un bon moment et que l'opposition tant externe qu'interne à la coalition affûte ses armes...

Ce retard est dû aux négociations que le gouverneur général mène avec les Américains pour conclure le traité de libre-échange. Malgré que le gouvernement n'y soit pour rien, c'est sa crédibilité qui en souffre. Et des problèmes logistiques importants viennent compliquer la tenue de la session à Québec. Coup sur coup, le feu détruit le palais législatif installé dans l'ancien évêché de Mgr de Saint-Vallier et dans l'édifice de remplacement qu'on a alors trouvé, soit le couvent tout neuf des Sœurs de la Charité. Des ultramontains ne se gênent pas pour dire que Dieu fuit le gouvernement ! Finalement, en catastrophe, on aménage une salle de musique de la rue Saint-Louis pour héberger la Chambre et le Conseil législatif va se réfugier au Palais de Justice. Quelques loustics observent que la Chambre aura peut-être une nouvelle chanson à apprendre au bon peuple et que le rapprochement avec la Justice pourrait devenir salutaire aux conseillers législatifs...

... pour la reprise de la session

À une journée près de la limite imposée par l'Acte d'Union pour la convocation du Parlement, lord Elgin lit le discours du Trône. Discours rabougri, clame l'opposition ; bienfaits d'un gouvernement vraiment démocrate, répliquent Hincks et Morin. En effet, Hincks, avec l'accord de Morin et de tous les ministres, décide de ne faire adopter que la législation essentielle et de demander ensuite la dissolution du Parlement. Effectivement, Elgin approuve cette idée et le discours ne comporte que deux points fondamentaux : la ratification du traité conclu à Washington et la mise en vigueur de la loi des « franchises » électorales.

L'opposition fulmine et tire à boulets rouges sur tous les sujets. MacNab accuse le gouvernement de ne pas se prononcer sur les questions les plus importantes pour s'en faire un tremplin électoral. John A. Macdonald insiste sur l'engagement que le ministère a pris l'année précédente de convoquer le Parlement au mois de février de chaque année et Brown, à sa manière coutumière, dégage des responsabilités particulièrement accablantes au gouvernement, face à la sécularisation des réserves du clergé. Durant le débat sur l'adresse en réponse au discours du Trône, les amendements pleuvent de partout. Visiblement, Hincks est débordé et tout ce qu'il dit se retourne contre lui.

Plus calme et ayant une réputation bien établie d'honnêteté et de rigueur intellectuelle, Morin prend alors la relève. Il explique aux parlementaires que l'incendie du palais législatif a privé le gouvernement d'une masse importante de documents portant sur les affaires courantes et que, bientôt, les membres de la Chambre pourraient à nouveau se prononcer sur les dossiers chauds de l'heure. Mais le débat tourne rapidement au vinaigre, Macdonald se chargeant surtout de faire mal paraître le ministère au sujet de la convocation retardée de la Chambre et de ses conséquences sur les réserves du clergé et la question de la tenure seigneuriale. Finalement, malgré ses divergences profondes souvent, il réussit à faire l'unanimité autour du regret que les questions les plus importantes ne fassent pas partie du discours du Trône et le gouvernement est alors mis en minorité, par 42 voix contre 29. Après ce vote, un ajournement de la Chambre est adopté.

La reprise a lieu dans un climat de tumulte indescriptible. MacNab et Macdonald veulent faire adopter des lois malgré la demande du gouverneur général de les rencontrer pour le discours de prorogation et John Sanfield Macdonald, l'Orateur, profite de l'occasion pour assouvir sa rancune contre Hincks en prétendant que la Chambre ne peut ajourner ses travaux sans avoir voté une seule loi. Elgin passe outre à cette remarque de l'Orateur et dissout le Parlement. Désormais, les électeurs vont décider.

Élections générales de 1854

Les élections se déroulent en juillet et en août et sont très mouvementées, car les forces en présence sont fort actives. Au Bas-Canada, Papineau se retire, convaincu maintenant qu'il n'a plus d'influence sur les députés et il met toutes ses énergies à la défense du régime seigneurial : une autre bataille d'arrière-garde qu'il va perdre ! La corruption électorale fleurit, selon Auguste Béchard, biographe de Morin, au point où, « dans certains endroits, le nombre de votes enregistrés dépassa le chiffre de la population totale[23] ». Morin est battu dans Terrebonne par Gédéon-Mélasippe Prévost, un illustre inconnu, mais la circonscription de Chicoutimi le réclame pour en faire, « par acclamation », son député. Cauchon, qui a toujours montré beaucoup de respect pour Morin, ne peut s'expliquer cette défaite dans Terrebonne :

> Ce qui est essentiel pour le ministère, ce qui le fait vivre, c'est qu'il soit supporté par une majorité de la représentation populaire ; or, des députés élus, plus des deux tiers sont contre l'administration actuelle et lui donneraient un vote de non-confiance [...]. La défaite de M. Morin, le meilleur d'entre eux, n'est-il pas un signe des temps[24] ?

La *Minerve* est plus sévère dans son jugement et dit que « Terrebonne s'est fatigué d'être trop honorablement représenté depuis nombre d'années ». Le reste de la presse bas-canadienne est plus nuancé et explique la défaite de Morin : Terrebonne est un comté rural où le régime seigneurial est fort mal perçu et la population est exacerbée par les délais mis à abolir la tenure. Elle en fait alors grief à Morin.

Un gouvernement minoritaire : le ministère MacNab-Morin

La nouvelle Chambre comprend donc 130 membres. Pour gouverner, un ministère doit avoir au moins 70 représentants élus. Or, aucune formation ne détient ce nombre puisque le vote s'est bien divisé entre plusieurs formations, dont le parti démocrate qui se fait remarquer par l'arrivée de gens pleins d'ardeur, comme les frères Dorion, Antoine-Aimé et Jean-Baptiste-Éric, Joseph Papin et Charles Laberge. Néanmoins, ce sont les réformistes de deux parties de la province qui représentent le groupement le plus nombreux, celui sans lequel un ministère ne peut espérer survivre à un vote de censure. Hincks est conscient de ce problème et il offre la démission de son ministère, non sans avoir fait payer à John Sandfield Macdonald sa scène de la fermeture de la session : il contribue à faire élire Louis-Victor Sicotte comme Orateur.

Le gouverneur général charge alors Allan MacNab de faire les tractations nécessaires pour former un ministère. Dès le lendemain, on apprend que Morin a accepté avec les membres bas-canadiens de son parti d'être d'une nouvelle coalition dont les buts sont de résoudre les problèmes laissés en suspens par l'administration précédente : sécularisation des réserves du clergé, abolition de la tenure seigneuriale et électivité du Conseil législatif[25].

Des honneurs bien mérités attendent Morin. À l'inauguration de l'Université Laval, le 21 septembre 1854, Morin est nommé professeur et doyen de la Faculté de droit et il reçoit à la même occasion un doctorat honorifique en droit. Tous ses efforts pour aider l'éducation reçoivent un couronnement de qualité par cette double nomination qu'il va prendre au sérieux : il sera un professeur attentif et présent, dans la mesure où les travaux de la session le laissent libre.

Sécularisation des réserves du clergé et abolition de la tenure seigneuriale : enfin !

Fidèle à ses idées, Morin dépose dès le début de la nouvelle session son projet de loi pour rendre électif le Conseil législatif. L'abolition de la tenure seigneuriale est aussi proposée et Morin vaque à ses occupations habituelles : membre du Comité sur les fraudes électorales, du Comité pour l'aide et le soutien à la bibliothèque du Parlement et parrain de nombreuses incorporations religieuses comme le collège Masson. À l'ajournement de la session, le 18 décembre, la sécularisation des réserves du clergé et l'abolition de la tenure seigneuriale sont votées, Morin reste toujours avec des promesses pour l'élection du Conseil législatif. Il démissionne quelques jours après l'ajournement, sa santé représentant la raison la plus plausible pour son départ.

Départ de Morin et bilan politique

Du passage de Morin à la tête de la délégation bas-canadienne, on peut dire qu'elle est marquée au coin de la fidélité à ses convictions, de la continuité administrative dans les dossiers nombreux qui lui sont confiés et dans la liberté de pensée la plus totale face à ses collègues du Bas-Canada. Mais, justement, il a donné trop de latitude aux membres de son parti et, contrairement à La Fontaine qui a dirigé son groupe avec une poigne de fer, Morin n'impose pas une discipline de parti.

Dans les grands dossiers, tous les historiens ont repris en chœur que le ministère Hincks-Morin a été celui des espérances déçues : il faut nuancer un peu et dire que quelques contraintes extérieures aux deux dirigeants les ont empêchés d'atteindre les objectifs fixés. Ainsi, il faut bien penser que la réforme du Conseil législatif est un préalable à l'abolition de la tenure seigneuriale, car le Conseil compte trop de seigneurs pour espérer l'adoption d'un tel projet. Envers les réserves du clergé, le Conseil avait aussi déjà démontré d'évidentes réticences. Morin a eu raison de vouloir modifier le régime des « vieillards malfaisants », mais les jeux de coulisses, où il est parfaitement gauche et malhabile, ne lui ont pas donné raison. Dommage, car Morin a été un législateur de qualité. Ce n'est pas Cauchon et encore moins Cartier qui vont être capables de le remplacer. En fait, on succède à Morin ; on ne le remplace pas !

Chapitre huitième

LE JURISTE
1855-1865

LA DÉMISSION DE MORIN survient le 27 janvier 1855, deux jours après la réception d'une lettre du secrétaire provincial, Pierre-Joseph-Olivier Chauveau, qui l'informe que le gouverneur général lui offre de succéder à feu l'honorable Philippe Panet comme juge de la Cour du Banc de la Reine. Morin ne réfléchit pas très longtemps et, comme un homme qui a déjà mûri une telle possibilité, il accepte. Du coup, sa carrière politique prend fin et un remaniement ministériel pour le Bas-Canada s'impose.

Remaniement du cabinet MacNab

Les membres du cabinet de la section bas-canadienne décident alors que la démission de Morin amène automatiquement la leur, laissant ainsi le choix au premier ministre. C'est à Étienne-Paschal Taché que sir Allan MacNab demande de prendre la tête de la délégation bas-canadienne du ministère. Le choix de Taché s'impose par la qualité de son travail comme membre du Conseil exécutif, mais il n'y a pas de trace de consultation entre Morin et MacNab à ce sujet. D'une part, MacNab entend bien choisir librement le colistier avec lequel il aura à travailler et, d'autre part, Morin, par respect légendaire de ses collègues, n'entend pas forcer la main de MacNab. Il semble bien que, d'aucune manière, les députés n'ont été consultés.

En plus de remplacer Morin, Taché doit aussi pourvoir au départ de Jean Chabot qui sera nommé quelques mois plus tard commissaire de la tenure seigneuriale, et de Pierre-Joseph-Olivier Chauveau qui, après la session, acceptera de devenir le surintendant de l'Instruction publique pour le Bas-Canada. Ces trois départs donnent l'occasion à Taché d'insuffler du sang nouveau à la représentation bas-canadienne du ministère et de se gagner l'appui de quelques voix supplémentaires par l'ajout d'anciens opposants à la coalition avec les Clear Grits. C'est ainsi que le député de Montmorency, Joseph Cauchon, accède au ministère et succède à Morin comme commissaire des Terres. George-Étienne Cartier, député de Verchères, devient secrétaire provincial à la place de Chauveau et François Lemieux, député de Lévis, remplace Chabot à titre de commissaire des Travaux publics. Tous trois accèdent pour la première fois au Conseil exécutif, bien que Cauchon et Cartier aient refusé précédemment d'en faire partie pour différentes raisons.

Morin à la Cour supérieure : réactions diverses

Strictement parlant, Morin prend le fauteuil du juge Panet, décédé. Mais de nombreux changements surviennent au sein de l'appareil judiciaire. Ainsi, les juges René-Édouard Caron et Jean-François-Joseph Duval passent de la Cour supérieure à la Cour du Banc de la Reine en remplacement du juge Panet, décédé, et du juge Jean-Roch Rolland, qui vient de se retirer. Et Morin et William Badgley sont nommés juges pour succéder aux juges Caron et Duval. Ces nominations faites par le nouveau gouverneur général, sir Edmund Walker Head, placent Morin derrière le juge Edward Short au point de vue préséance et dignité[1].

Doit-on considérer ces nominations comme des récompenses politiques ? Ce sont plus des nominations politiques que des récompenses : la distinction n'est pas si casuistique qu'elle en a l'air. En effet, la recommandation pour nommer des juges émanant du Conseil exécutif, il est bien évident que le cabinet a tendance à remarquer les avocats qui font de la politique activement. Mais, comme le gouverneur général et les membres de l'autre partie de la province sont appelés à donner leur opinion sur ces nominations, on ne recommande que les avocats dont les qualités juridiques et personnelles coïncident avec les vues élevées qu'on a de la fonction. Morin et Badgley, de tendances politiques opposées, sont considérés comme de solides avocats. John A. Macdonald, député de Kingston, procureur général du Haut-Canada et ancien adversaire farouche de Morin, commente ainsi l'accession sur le banc de l'ancien premier ministre conjoint : « Morin is good civilian. »

Le juge Augustin-Norbert Morin
(Coll. ANQ-Q. P600-6/N-974-11,
photo Livernois).

Le juge Augustin-Norbert Morin
(Coll. ANQ-Q, P560,S »,P300370-
924, photo J.-B. Livernois).

La presse canadienne-française interprète diversement la nomination de Morin. Cauchon, par exemple, commente avec émotion la longue carrière de celui qui vient de quitter la vie publique :

> Le gouvernement, malgré la force que lui donnait l'honorable M. Morin, par ses longs services publics, par ses talents, par ses connaissances de tout genre, par son expérience, par sa popularité, par cette affection universelle qui s'attache aux vétérans de la liberté, ne se serait pas cru justifié de sacrifier un homme qui s'oubliait et qui voulait être oublié après trente années d'une vie publique pleine de tempêtes et de dévouement. Il l'a donc nommé juge. La confiance le suit sur le banc des juges, qu'il orne par son savoir, son exquise politesse et son intégrité[2].

La Minerve pourfend les journaux de l'opposition qui prétendent globalement que « M. Morin n'a d'expérience que dans la politique et n'a pas suivi assez assidûment la pratique du barreau pour avoir des titres à un siège sur le banc de la justice ». Curieuse réaction dans un pays où le même jugement pourrait s'appliquer dans presque toutes les nominations du genre. Puis, le journal montréalais ajoute que « tout le monde reconnaît en M. Morin un homme profondément instruit, un caractère irréprochable et l'un des plus beaux talents du pays ». Tous les sentiments sont identifiables dans ces réactions, du coup pied de l'âne à l'encensement dithyrambique.

Une question de santé ?

Habituellement, Morin invoque des problèmes de santé pour expliquer une foule de réactions personnelles. Pourtant, à l'occasion de son départ de la vie politique, il n'en parle pas et c'est la presse pro-ministérielle qui utilise cet argument passe-partout :

> Peu après le décès du bien regretté juge Panet, M. Morin informa ses collègues qu'il lui était impossible de faire partie plus longtemps du gouvernement, à cause de l'état de sa santé, et qu'il ne pourrait pour aucune considération y rester plus longtemps que la fin de la présente session.

Il est bien certain que l'état de santé de Morin ne convient guère à la vie trépidante d'un politicien dont les principaux idéaux sont constamment combattus par des adversaires coriaces et même par des membres de son propre parti. Les poussées d'arthrite se reflètent dans son écriture qui devient alors de plus en plus couchée. Habitué à ces malaises, il en parle

Le juge Morin et son épouse Adèle Raymond (Coll. Archives du Séminaire de Trois-Rivières, 0379-109, photo J.-B. Livernois).

moins qu'autrefois, mais leur virulence s'accentue visiblement et leur cycle est plus fréquent. Mais la vie privée qu'il mène avec son épouse Adèle depuis leur mariage atténue quelque peu ces heures inégales de travail et la somme des responsabilités qui lui sont dévolues : le couple a une vie rangée, calme, où les seuls loisirs connus consistent en des voyages sur les terres du Nord de l'homme public et en des heures inépuisables de lecture, espèce de ressourcement intellectuel dont les deux font ample provision.

Maintenant que la plus grande partie des lois auxquelles il tenait tant et pour lesquelles il a lutté depuis trente ans ont été adoptées, Morin tourne ses yeux vers d'autres horizons. Il ne faut pas se surprendre de ce changement soudain, car il se sent moins utile en politique. Ni orgueilleux ni rancunier comme La Fontaine, il ne s'accroche pas à un pouvoir qui, de toute façon, lui a été imposé par les circonstances. Sa démission ne peut être interprétée non plus comme un constat d'impuissance, car un seul dossier crucial, l'électivité du Conseil législatif, n'est pas réglé définitivement selon ses vues. C'est qu'il voit alors dans la magistrature une occasion d'appliquer les nouvelles lois et d'aider encore ses concitoyens par une justice plus proche d'eux et plus adaptée à leurs besoins.

Maison d'Augustin-Norbert Morin à Sainte-Adèle (Photo Jacques Fiset).

Professeur à l'Université Laval

Même si on prête momentanément à Morin la fondation d'un journal de jurisprudence à Montréal, il n'en est rien. Cette confusion vient du fait qu'il s'agit d'un homonyme, mais dont l'âge et le prénom (Louis-Siméon) diffèrent[3]. Toutefois, Morin est très actif sur le plan intellectuel : à titre de professeur et de doyen à la Faculté de droit de la nouvelle Université Laval, il donne des cours qui sont suivis avec intérêt par les étudiants. Chargé du cours de procédure et malgré un talent pédagogique limité, il en impose par les multiples exemples de jurisprudence qu'il peut citer de mémoire. Qu'un ancien premier ministre devienne professeur immédiatement après son retrait de la vie politique n'arrivera pas souvent à Laval[4].

Morin ne tarde pas à écrire à monsieur Eloffe, naturaliste de Paris. Dans sa lettre, il s'excuse de ne pas avoir gardé le contact et il donne ses instructions pour qu'on lui fasse parvenir des livres par la voie du Havre et des États-Unis ; il déclare aussi sa satisfaction du périodique *La Réforme*. Déjà, des institutions projettent de lui remettre un diplôme d'honneur en droit. C'est le cas des Jésuites ; « ce témoignage de ma haute considération et de ma reconnaissance envers vous perpétuera, je l'espère, un appui que nous savons apprécier et dont nous sommes fiers[5] ». D'après *La Patrie*, citée par *Le Journal de Québec*, le collège de Saint-Jean de Fordham aux

États-Unis « vient de remettre le degré de Docteur en Droit *ad honorem* à l'Honorable Augustin-Norbert Morin, juge de la Cour supérieure et membre de la Faculté de Droit de l'Université Laval ».

Ressourcement en droit

Même si Morin a quitté la vie politique, il se sent encore quelque devoir dans certains dossiers. Ainsi, sur la question des écoles séparées du Haut-Canada, il écrit une longue lettre à John A. Macdonald le 20 mars 1855. Le sujet est toujours d'actualité malgré la loi votée antérieurement et Morin ne manque pas de faire observer à Macdonald qu'il s'agit d'une question de justice élémentaire et qu'aucun principe nouveau n'entre en jeu. Il faut simplement voir à ce que la somme de £7000 et plus votée pour les écoles séparées leur parvienne et n'aboutisse pas dans les coffres des municipalités à des fins autres que scolaires; enfin, il insiste sur l'engagement obligatoire de professeurs catholiques pour ces écoles. Il explique finalement sa démarche: « I have taken the liberty of writing to you in *necessitate rei* and because I had given some attention to the subject; not from a pretension to influence or dictate; neither have authority to speak in the name of anyone. »

Morin n'a pas oublié l'Institut canadien de Montréal et, en mars 1855, il assiste à une séance régulière de l'organisme. On peut bien penser qu'il profite de l'occasion pour consulter la riche bibliothèque de l'Institut, car il est bien conscient qu'il doit effectuer un ressourcement en droit. À ce sujet, il écrit à Hector Bossange, son libraire parisien:

> Après une longue carrière politique, souvent troublée et contrariée, je me suis retiré des affaires et l'on a bien voulu me nommer juge à Québec. Par mon changement de position, je suis forcé à me borner presqu'à des livres de droit. J'inclus une liste de ceux-ci avec quelques autres que je vous prie de m'expédier par la voie de Liverpool.

Le nouveau juge a bien raison de vouloir revoir certains points précis en droit. C'est que la loi de 1854 au sujet de l'abolition du régime seigneurial prévoit la création d'un tribunal spécial formé de juges de la Cour du Banc de la Reine et de la Cour supérieure pour régler tous les problèmes inhérents aux droits et redevances, aux rentes et aux charges légalement exigibles. Cette façon d'agir est la seule qui permette vraiment d'appliquer avec justice la nouvelle loi, sans léser qui que ce soit, et de mettre ainsi un terme au régime seigneurial tant décrié.

La Cour seigneuriale

Or, en février 1855, le procureur général Lewis Thomas Drummond et parrain de la nouvelle loi soumet 46 questions à l'attention de ce futur tribunal alors que les avocats des seigneurs, avec Christopher Dunkin et Côme-Séraphin Cherrier en tête, posent 33 questions qui, souvent, sont contradictoires par rapport à celles de Drummond. Pour la formation de cette cour dite seigneuriale, on fait appel à tous les juges de la Cour du Banc de la Reine et de la Cour supérieure, sous la présidence de Louis-Hippolyte La Fontaine, juge en chef de la Cour du Banc de la Reine. Le 4 septembre débutent les audiences de cette cour spéciale. Jamais situation aussi importante n'a été posée: « C'était vraiment un concile plénier de magistrats et de légistes, qui se préparait à formuler les règles de justice, dans une grande question où se trouvait en cause le principe même de la propriété agraire en notre pays[6]. »

Les audiences sont longues et durent plus d'un mois, soit du 5 septembre au 17 octobre. C'est que les avocats des seigneurs et le procureur général ne ménagent rien pour influencer les juges: jurisprudence d'autres pays, recours aux décisions des intendants de la Nouvelle-France et aussi du roi de France, prospectives financières de ces solutions. Les plaidoyers entendus, La Fontaine distribue les tâches à chacun de ses collègues. Morin hérite, avec René-Édouard Caron, des dossiers de la Nouvelle-France et surtout des précédents qui ont pu se créer sous le régime français. Tâche la plus ardue, en vérité, car elle suppose une remise à jour continuelle du droit coutumier seigneurial, tel qu'il a été vécu en Nouvelle-France, et malgré les avatars du changement de régime, de la perte de documents par le feu ou autrement. Ce travail est très exigeant, d'abord par sa nature même et aussi par les limites de temps imposées qui excluent, par exemple, une vérification aux Archives nationales en France.

Un travail harassant

Ce travail provoque chez Morin des crises de rhumatisme dès le début de décembre, ce qui indique un état de tension assez élevé. Puis, au rythme d'une lettre tous les quatre jours, Morin fait part à La Fontaine de l'état de ses recherches, des hypothèses à vérifier et, aussi, des conclusions pertinentes auxquelles il est arrivé[7]. Après une période aussi intense de travail,

Morin semble étonné de son état de santé. Le jour de Noël, il écrit à La Fontaine « [...] car quoique mon travail ne soit pas bien fort, je suis mal portant, et fatigué je ne sais pourquoi. »

Mais cette tâche est loin d'être terminée. Tous les des juges se réunissent fort souvent durant les mois de janvier et février 1856, remettant même quatre fois la date des décisions finales. C'est que les décisions ne font pas l'unanimité au départ : on doit confronter les opinions et les objections des uns et des autres, car La Fontaine exige le consensus sur tous les points importants. Et lorsque les juges font l'énoncé de leurs opinions, du 6 au 11 mars 1856, les décisions deviennent exécutoires. Les commissaires nommés par le gouvernement possèdent alors un guide qui leur permet de faire un travail juste, tant pour le seigneur que le censitaire. De fait, peu de contestations sont enregistrées par suite de l'application des décisions des savants juges. Ainsi, Morin concourt à l'application d'une loi qu'il a maintes fois soutenue et promise et dont l'adoption tardive lui a valu la seule défaite électorale de sa vie politique.

Déménagement à la haute-ville de Québec, 1856

À la suite de ces excès de travail, Morin se sent un peu faible et doit soigner une grippe maligne qui le terrasse pendant près d'un mois. Le médecin se montre d'avis que le logement que le couple habite est trop humide et cause, en hiver, des conditions de température propices à l'arthrite du juge. Son épouse ne jouit pas non plus d'une bonne santé et, finalement, Morin décide de se faire construire une maison à Québec puisqu'il doit siéger dans cette ville. Il vend alors sa résidence de Montréal et se met en quête d'un emplacement à la haute-ville, près du Palais de Justice, pour ne pas avoir à parcourir de trop longues distances.

Morin s'entend d'abord avec un maître menuisier pour que sa nouvelle maison soit construite à partir du 8 avril. La quittance que donne Michel Poitras à Morin par-devant le notaire public Joseph Petitclerc nous éclaire un peu sur la nature de la maison. Il s'agit « d'une maison en pierre à trois étages que le dit Honorable A.-N. Morin a fait construire sur un terrain à lui appartenant et situé en la haute-ville de Québec, rue d'Auteuil. »

Les finances des Morin se sont améliorées considérablement puisque la maison, au coût de £162 courant, est entièrement payée avant le début même de sa construction. Cette quittance, en fait, est l'équivalent de ce

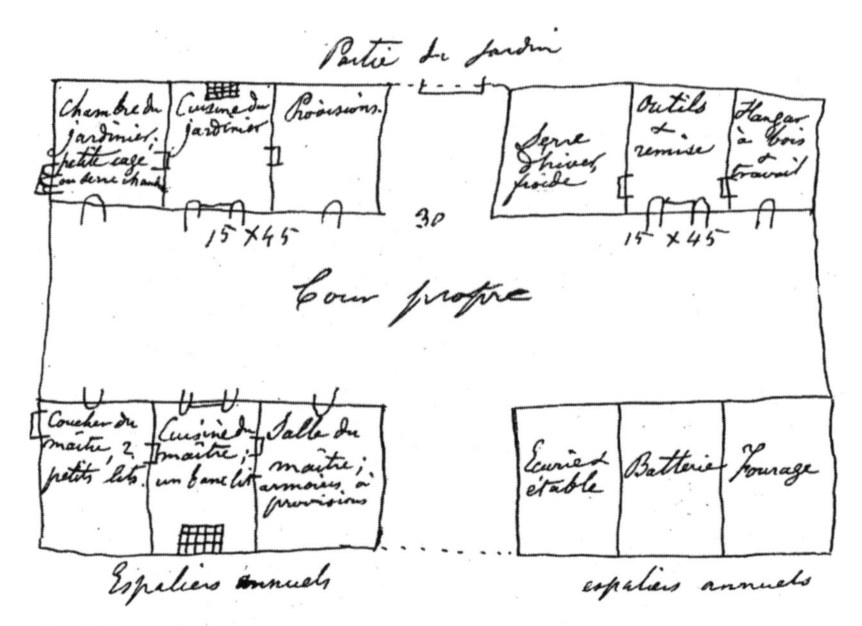

Plan de bâtisses de jardin par Augustin-Norbert Morin : « Petites bâtisses basses en dedans, pour l'exploitation, au nombre de 4, de 45 x 15 pieds chaque et divisées en trois chaque, l'ados sud de deux servant de mur d'espalier pour quelques cultures spéciales. » (Archives du séminaire de Saint-Hyacinthe).

qu'on appelle aujourd'hui un contrat « clef en main ». L'influence d'Adèle Raymond est très perceptible ; son intendance efficace et constante est à l'origine de cette situation. Le couple vit à l'aise parce que la fille de l'ancien marchand de Saint-Hyacinthe y a vu de près.

De prime abord, la date du début des travaux semble un peu tardive, mais elle peut s'expliquer de deux façons. Ou bien Morin n'a pas encore acheté officiellement le terrain de la rue d'Auteuil et, alors, il ne peut y entreprendre de construction, ou bien il ne veut pas construire en hiver, les méthodes de cette époque ne permettant pas de contrer adéquatement l'humidité froide du climat de Québec à cette période de l'année. Comme Morin cherche justement à fuir l'humidité nocive pour sa santé, il ne prend donc aucun risque.

Autre point surprenant, c'est la grandeur d'une telle maison pour un couple sans enfant et qui reçoit peu. La bibliothèque personnelle de Morin prend certes beaucoup de place, mais la santé défaillante du couple paraît une contre-indication pour une telle démesure. Il est possible que l'alignement sur les autres constructions de cette rue constitue une meilleure explication.

Le contrat de vente du terrain, passé entre Joseph Hamel et Morin devant les notaires Gamache & Petitclerc, le 8 avril 1856, permet de privilégier certaines explications :

> La juste moitié Nord d'un lot de terrain situé en la haute-ville de Québec, dans le quartier Saint-Louis, sur le côté est de la rue d'Auteuil, contenant en totalité soixante-quatre pieds, mesure anglaise, de front, sur la dite rue, y compris la moitié de l'épaisseur du mur ou pignon de la maison de James Motz.

Une réputation de générosité et de justice

Cette construction n'altère pas les réserves financières du couple Morin puisque des obligations en faveur de la Société de construction permanente de Québec sont enregistrées le 27 mai (n° 4650), le 24 juillet (n° 4674), le 19 janvier de l'année suivante (n° 4725) et le 18 avril 1857 (n° 4752). Ces investissements de Morin favorisent un organisme qui s'engage à construire des résidences multifamiliales « avec les commodités de notre époque » pour les ouvriers des faubourgs, particulièrement ceux de Saint-Roch et de Saint-Jean-Baptiste. Morin ne fait pas la charité en investissant ainsi, mais il accepte une réduction considérable du rendement de l'argent, ce qui semble peu courant à l'époque. Ce faisant, il contribue aussi à améliorer le sort des pauvres qu'il n'a jamais hésité à défendre dans sa pratique du droit.

Le juge Morin semble peu contesté dans ses décisions, car il possède plus que quiconque un sens inné de la justice et sa connaissance encyclopédique de la jurisprudence étonne au plus haut point ses ex-collègues plaideurs. Aucune statistique, toutefois, n'est disponible quant au nombre d'appels suscités par ses jugements. De toute évidence, ses agissements durant les procès contribuent à faire ressortir la vérité et ses jugements décortiquent bien l'esprit et la lettre des textes de loi.

Intérêt constant pour la politique…

Si la fonction de juge impose aux anciens hommes politiques, comme La Fontaine, Caron et Morin, un silence complet sur les décisions de l'appareil politique en place, rien ne les empêche d'échanger entre eux des commentaires plus ou moins piquants sur la situation du jour. C'est le cas de la prise de position du journal *La Patrie* au sujet du dédommagement offert aux seigneurs. Le rédacteur du journal tient le procureur des seigneurs, un anglophone, et deux ministres anglophones bas-canadiens responsables de cet état de choses et il leur adresse de vifs reproches que Morin dénonce en écrivant à La Fontaine :

> J'ai trouvé le revirement de La Patrie bien prompt, et les injures dites à Judah, Dunbar Ross et surtout Drummond, quelque peu crues et trop directes. Cela ne me regarde guère mais je puis bien dire que si La Patrie continue d'attaquer le gouvernement en masse, ou même une section, sa position sera difficile entre les partis.

L'allusion à l'éventuelle position politique inconfortable du journal vient du fait qu'il « est le porte-parole du parti libéral-conservateur de George-Étienne Cartier[8] ». Cartier faisant partie du même ministère que Ross et Drummond, il y a fort à parier que le journal, plus que l'homme politique, aura à payer la note de ces excès de langage.

Parmi les lois votées par le nouveau gouvernement et qui déçoivent Morin, il y a bien sûr le règlement voté au sujet de l'élection du Conseil législatif. Alors que Morin avait toujours réclamé l'élection immédiate de tous les conseillers, la nouvelle loi accorde aux membres actuels une dispense de scrutin qui risque de durer fort longtemps. L'obligation faite de posséder des biens fonciers totalisant une valeur minimale de 4000 $ contenue dans la loi votée à cette session de 1856 va à l'encontre de l'idéal démocratique de Morin. Il avait toujours préconisé un montant réduit, car, pour lui, la valeur de quelque bien que ce soit n'est pas une aune de la sagesse politique que doit posséder tout membre de la Chambre haute. Enfin, la division du territoire en 48 circonscriptions pour le Conseil législatif ne satisfait pas les vues de Morin. Il croit toujours que les conseillers doivent être le plus près possible de leurs commettants, de façon à les représenter de façon valable. Cet agrandissement du territoire risque de restreindre l'influence des électeurs et aussi de diminuer l'attention des conseillers sur des sujets d'intérêt local. Mais Morin ne fait part de ses commentaires que dans un projet de lettre qu'il n'a finalement pas envoyé à Cauchon ou à Cartier.

… et l'éducation

Toujours préoccupé par l'instruction publique, Morin suit avec grand intérêt la double loi créant à la fois un fonds pour l'enseignement supérieur et les écoles normales. Ce projet de loi suscite des remous. Le principe de la loi n'est pas critiqué, mais l'attribution de l'argent venant des Biens des Jésuites est contestée par les partisans, même catholiques, de l'instruction publique au primaire. Pire encore, la peur du clergé de voir l'État s'emparer des nouvelles écoles normales pour en faire des écoles neutres n'est pas sans fondement si l'on en croit le débat acerbe mené par Brown et quelques « rouges ». De ce groupe, Joseph Papin s'illustre par une déclaration aussi claire que radicale :

> Il ne peut y avoir de religion d'État, dans un pays habité par plusieurs sectes comme le Canada. S'il en est ainsi, l'État ne peut en aucune façon donner de l'argent pour l'enseignement d'aucune foi religieuse. Le mode d'éducation suivi jusqu'à ce jour a été loin d'être satisfaisant. Il nous faut un système général applicable à toutes les parties de la province, et qui fasse disparaître les préjugés des catholiques et des protestants.

Lorsque le nouveau surintendant de l'Instruction publique, Pierre-Joseph-Olivier Chauveau, consulte Morin sur le sujet, il reçoit une interprétation assez spéciale. Morin ne voit pas un danger dans l'école normale comme telle, mais il croit plutôt que la nouvelle législation constitue un désaveu de l'université en matière de formation des maîtres. Cette perception est celle d'un doyen de faculté, bien placé pour connaître ce sentiment. Et comme Chauveau lui demande conseil, Morin conclut :

> Maintenant, vous me demandez ce qu'il y a à faire. Suivant moi, le Gouvernement éprouverait les plus grandes difficultés à donner par une loi à l'Université une position officielle et reconnue : cela eût été possible d'abord, facile même peut-être ; mais on ne peut le faire après coup. D'ailleurs je pense que sous toutes circonstances l'Université ne se chargerait que par devoir de la responsabilité qui lui serait imposée.

Le comportement d'un juge

Même s'il demeure en contact étroit avec la politique, Morin poursuit néanmoins une carrière de juge fort intéressante. Se servant de son légendaire sens de la justice distributive, Morin sait écouter sur le banc la plaidoirie des procureurs ; il pose parfois des questions aux témoins, pour vérifier leur bonne foi ou leur mémoire. Bref, il compense largement certaines déficiences en matière de procédure par une recherche souvent fondamentale de la question qui lui est posée et aussi par les références que possède la jurisprudence canadienne. Il réoriente ses lectures, et, volontiers, il serait prêt à céder ses livres d'agriculture pour l'achat de nouveaux volumes en droit. Pour la première fois, Morin songe à vendre ses terres du Nord. Le droit l'accapare plus qu'il ne pensait et ses forces le trahissent.

La refonte du Code civil

Le début de l'année 1858 est marqué par l'offre que fait George-Étienne Cartier à Morin pour devenir commissaire pour la refonte du Code civil. Morin prend effectivement une semaine pour répondre affirmativement à Cartier. Il déplore d'abord le refus de La Fontaine, car « il n'est en outre personne avec qui j'eusse travaillé plus volontiers ». Mais il ne veut pas d'une nomination aveugle « afin qu'aucun manque d'aptitude de ma part pour une branche particulière du travail, ou aucun mal-entendu dans les arrangemens, ne deviennent des obstacles plus tard ». Il énumère ensuite un certain nombre de conditions que le gouverneur général et Cartier doivent accepter préalablement :

> Je suis inapte à m'occuper principalement du Code de procédure ; je n'assumerais qu'avec hésitation la partie qui se rapporte au droit anglais ; je serais donc dans la nécessité de travailler principalement sur le droit civil... Ce plan permettrait aux commissaires de travailler séparément une partie du tems. Ce serait beaucoup pour moi, car si mon acceptation devait me séparer de mon domicile et de ma famille, je regretterais de ne pouvoir accepter. Je désire que pour les réunions les déplacements soient alternatifs et également partagés.

Mais ces tractations ne constituent pas la partie la plus difficile pour Cartier et le gouverneur général. Ils se rendent facilement aux arguments et aux demandes de Morin, mais l'approbation, tant du Parlement que des corps publics, pour un tel projet n'est pas aisée à obtenir. De fait, l'opinion des hommes de loi, juges et avocats, est loin d'être unanime sur la pertinence ou non de procéder à une telle réforme. Pourtant, dès 1846, un auteur anonyme définit l'enjeu de cette réforme en profondeur :

La Commission pour la codification des lois civiles du Bas-Canada. Augustin-Norbert Morin est le deuxième à droite (Coll. ANQQ, P560,S2,P300378, photo Livernois et Bienvenu).

> Les conquêtes que les sociétés modernes nous ont faites dans la politique, la science et les arts, l'agriculture, l'industrie et le commerce, ont rendu nécessaire la transformation des vieux codes qui régissaient les sociétés anciennes. Partout l'on a ressenti l'insuffisance des lois faites pour un ordre d'idées et de choses qui n'existent plus, et le besoin de refondre les anciens systèmes et d'en promulguer de nouveaux, afin de se mettre au niveau des progrès de la civilisation[9].

Mais est-ce bien là l'argument de Cartier ? En partie, oui et, en partie, non. Son discours du 21 avril 1857 à l'Assemblée fait état d'un rajeunissement à faire : « Aujourd'hui que le régime féodal est aboli, il ne saurait y avoir de temps plus opportun pour codifier nos lois[10]. » Mais il y a aussi d'autres préoccupations, d'ordre politique celles-là. D'abord, pour l'anglophile qu'est Cartier, le fait que la législation du Bas-Canada ne soit écrite qu'en français est injustifiable dans une province où le quart de la population est de langue anglaise[11]. Ensuite, l'instabilité politique du

Canada-Uni au cours des cinq dernières années préoccupe les politiciens au plus haut point et on sait fort bien qu'une autre forme de gouvernement devra voir le jour si l'on ne peut remédier à cette difficulté. Or, Cartier a déjà opté en faveur du fédéralisme et dès lors

> il importait que le Bas-Canada eût un corps de lois claires, précises, soustraites autant que possible à l'interprétation plus ou moins arbitraire des tribunaux. C'était placer notre droit à l'abri des influences non justifiées de la Common Law. Ce dessein, quoique non ouvertement dévoilé par Cartier, correspond à ce que nous savons du personnage[12].

Oppositions au projet de réforme

Mais tous les avocats et juges ne l'entendent pas de cette façon ; plusieurs vont faire la vie dure au projet de Cartier, principalement les plus âgés, car ils sont réfractaires à tout changement. Mais le juge Louis-Hippolyte La Fontaine, en homme prudent et soucieux de protéger le travail des codificateurs, présente une pétition en Chambre pour que soit enlevée l'obligation pour tous les juges de superviser le travail de leurs collègues. Par ailleurs, une seule opposition de fond se manifeste réellement ; encore, elle se fait entendre fort tardivement au moment où la plus grande partie du travail arrive à l'étape finale.

Disciple de l'École de droit de Maximilien Bibaud, Édouard Lefebvre de Bellefeuille met en contradiction l'idée même de code avec le principe très britannique d'une chambre législative qui peut modifier, ajouter ou abroger des lois à toute session du Parlement. À part l'instabilité dont le nouveau Code risque d'être victime, de Bellefeuille estime que la jurisprudence est loin d'être parfaite car les changements de société sont si profonds au cours de cette période que les interprétations risquent de devenir caduques à toutes les décennies[13]. Mais cette contradiction exprimée si tard perd un peu de son effet.

De fait, malgré certaines réticences, hommes de loi et justiciables admettent que le système actuel constitue un défi perpétuel à une saine administration de la justice. On voit le futur code comme utile, mais c'est l'opportunité d'en faire la rédaction qui est mise en doute. Cartier ne peut pas prétendre à la paternité de l'idée[14], mais il peut en revendiquer la mise en application. Il décide d'aller de l'avant car la situation du Bas-Canada l'exige. Son discours de présentation du projet met toutes les sourdines nécessaires :

> Je ne me dissimule pas la gravité de la décision qui vous est demandée de confier à des codificateurs le dépôt sacré de nos lois ; mais, après avoir bien mûri la question et avoir consulté attentivement ce qu'on a fait dans d'autres pays, j'ai cru devoir soumettre ce projet, en l'entourant de toutes les garanties désirables.

En réalité, peu de gens peuvent arrêter Cartier, car il est convaincu de la pertinence de son projet. Son entourage anglophone connaît le problème et est peu en mesure de s'opposer ou de faire des critiques constructives. Surtout, Cartier a une confiance inébranlable à ses codificateurs : La Fontaine ayant dû refuser deux fois à cause de l'état précaire de sa santé, il s'en remet à la science de Morin, au sens pratique de Charles Dewey Day et à la connaissance encyclopédique de la jurisprudence de René-Édouard Caron. Pour lui, ce sont des gages de succès d'une entreprise qui, il faut bien le dire, s'avère colossale.

La commission à l'œuvre

Reste à faire accepter ces messieurs. Caron et Day acceptent immédiatement. La santé de Morin est réellement mauvaise à cette époque, mais Cartier lui arrache facilement une acceptation de principe puisqu'il voit dans cette nomination une occasion exceptionnelle de parfaire une œuvre à laquelle il a toujours rêvé : la canadianisation des lois. Après celle des institutions à laquelle il a participé et où il peut revendiquer une part importante de réalisation (abolition du régime seigneurial, distribution des réserves du clergé, électivité du Conseil législatif, institutions municipales, écoles normales et université francophone), Morin se voit offrir de réaliser un objectif que le jeune avocat de 1828 a longtemps cru utopique.

La nomination des commissaires devient officielle le 4 février 1859 et Morin se voit offrir des émoluments de £1250 annuellement. Deux secrétaires bilingues assistent les commissaires ; il s'agit des avocats Joseph-Ubald Beaudry et Thomas Kennedy Ramsay, plus tard remplacé par Thomas McCord. Le milieu judiciaire, sans exception, ne tarit pas d'éloges à l'endroit de ces nominations. Voilà au moins un point qui rassure Cartier ! Voyage et maladie retardent un peu le début du travail de la Commission qui se met finalement à l'œuvre à la fin mai 1859.

Au-delà des discours officiels, quel est le mandat réel confié à la Commission ? Théoriquement, les commissaires n'ont pas à innover. Ils doivent plutôt voir à résumer dans un petit livre les matières civiles d'un caractère général et permanent se rapportant au Bas-Canada dans un ordre qui ressemble au Code civil français ou Code de Napoléon. C'est un mandat qui s'apparente à celui qui a été voté par le Congrès américain et ses constituants de 1787 : faire du neuf avec du vieux...

Mais c'est précisément en voulant faire ressortir une ligne de conduite adaptée aux besoins de leur temps, dans cette masse énorme, souvent contradictoire de normes juridiques que les commissaires doivent souventes fois opter pour une solution personnelle, parfois nettement originale. Dans une première opération, les commissaires écartent systématiquement toute loi ou interprétation tombée en désuétude, selon le principe britannique[15]. Puis, c'est la recherche d'un consensus souvent mal aisé.

Les commissaires soumettent des rapports d'étape qui passent malheureusement inaperçus. Ces textes sont très arides, mais pourtant fondamentaux pour permettre aux juristes et aux législateurs d'orienter le travail de ces spécialistes. C'est ainsi que le rapport spécial du commissaire Day, à la suite de la parution du deuxième rapport des commissaires en 1863, demeure tout à fait ignoré alors qu'il exprime une dissidence importante sur la question controversée du mariage. On va découvrir ce document trois ans après sa parution !

Quel est le rôle exact de Morin au sein de cette gigantesque remise en question ? Selon les archives[16], il est l'auteur des parties du code traitant des testaments, des donations et de la prescription. On lui doit aussi la rédaction d'au moins deux rapports d'étape et il faut bien penser, en consultant les cahiers de travail, qu'il est probablement le responsable des références aux codes plus anciens[17]. Il est difficile, toutefois, d'attribuer à l'un ou à l'autre avec certitude le texte final d'une partie du nouveau code puisque la dernière rédaction est l'œuvre des secrétaires.

Une santé qui se détériore

Malgré une vie plus rangée, plus sédentaire, la santé de Morin ne s'améliore pas. Contrairement, cependant, à ce qui se passe lors de sa période active d'homme politique, il ne s'en sert pas comme excuse et il tend à minimiser les rumeurs qui circulent sur son compte. Ainsi, il écrit à son grand ami La Fontaine :

Augustin-Norbert Morin vers la fin de sa vie (Coll. ANQ-Q, P1000,S4, PM 120-2, photo Elisson & Co.).

> Mr Cauchon me dit qu'il vous écrit pour vous prier de ne pas m'écrire parce que je suis malade. Je lui sais bien gré de ses bonnes intentions à mon égard. Je vous en prie ne vous gênez pas : je ne suis pas si malade que je ne sois peut-être encore bon à quelque chose, et vous pouvez douter de mes dispositions. Je vais de mieux en mieux et il ne faudra qu'un peu de tems pour me rendre toutes mes forces.

Mais le climat humide de Québec est incompatible avec l'arthrite dont Morin est accablé. Aussi, il vend sa propriété de la rue d'Auteuil le 3 décembre 1860 à Thomas Gibb, copropriétaire de Gibb & Lane, importateur de produits alimentaires et de boissons alcooliques. Il va s'installer à Saint-Hyacinthe, dans la patrie d'Adèle, son épouse. Deux mois plus tard, il apprend avec grande peine la mort de son professeur de droit, Denis-Benjamin Viger :

> Vous ne pouvez douter de mes regrets à l'occasion de la mort de mon vénéré patron et bienfaiteur ; permettez-moi de vous les exprimer. J'espérais bien le revoir l'été prochain, dans cet état, sinon de santé corporelle, du moins d'activité et de force mentale qui faisaient tant de plaisir à moi comme à tous ceux qui l'aimaient [...]. Pour moi, je vais de mieux en mieux, sans être très fort ni capable encore de beaucoup de travail. Ma femme est assez bien et vous assure de ses respects et amitiés ainsi qu'à Madame Cherrier. En parlant de ma femme, je vous dirai que nous n'avons pas oublié, elle ni moi, l'intérêt et l'amitié que M. et Madame Viger lui ont toujours portés.

Un projet de loi controversé

Au total, les commissaires mettent un peu plus de cinq ans pour compléter la tâche colossale demandée. C'est peu, quoi que certains contemporains en pensent, car les sources consultées témoignent d'un labeur soutenu, imposant. « Il y a là la manifestation d'une somme de connaissances et d'érudition qu'on ne peut s'empêcher d'admirer[18]. » Les commissaires soumettent leurs rapports aux juristes du Bas-Canada avant de le présenter au gouvernement et ils ne reçoivent qu'un nombre restreint de commentaires d'ordre secondaire. Cartier jubile et il ne manque pas de faire éclater sa joie au grand jour lorsqu'il dépose le projet de code le 31 janvier 1865 :

> Parmi les défauts que l'on me reproche et que je reconnais du reste, on met au premier rang l'obstination. Je suis content qu'elle m'ait servi en cette circonstance ; je persévérai, et aujourd'hui je suis heureux du succès obtenu.

Soudain, comme un orage imprévisible d'été, les critiques tombent drues sur l'œuvre à peine achevée. Maximilien Bibaud, qui a fondé une école de droit à Montréal en 1851 où il enseigne encore, part le bal. Dans une série de six articles[19], il s'étonne que les commissaires se soient éloignés des sources traditionnelles du droit canadien en allant puiser abondamment chez les Américains et chez les Anglais une jurisprudence nettement étrangère aux préoccupations juridiques des Canadiens. Pour lui, il y a une grosse erreur de base que le mandat de la Commission ne justifie pas, bien au contraire. Étonnement pour étonnement, il faut d'abord remarquer que ces commentaires généraux viennent sur le tard, malgré la publication et la diffusion des différents rapports d'étape de la Commission, et que la jurisprudence dite canadienne est souvent truffée de contradictions. Les trois juges, membres de la Commission, ont d'ailleurs eu l'occasion de vivre ces contradictions lors des séances d'étude de la Cour seigneuriale, quelques années auparavant. Si la Commission a enfourché la tangente qu'on lui reproche à tort, on peut bien penser que la majorité des secteurs de notre législation souffrent du même problème. Cet état de fait a incité les commissaires à se tourner vers une solution, ou bien plus près des sources premières du droit dont on s'est trop éloigné au fil des ans, ou bien plus en accord avec la vie nord-américaine que nous devons mener parallèlement avec notre appartenance à l'empire britannique. Comment alors ne pas remarquer l'influence très sensible de Morin lorsqu'il est question d'adaptation de législation ou de jurisprudence étrangères dans le nouveau code ?

La question du mariage

À la suite de Bibaud, quelques avocats décident d'écrire des remarques sur certains points du code, et ce sont les chapitres se rapportant aux obligations, à l'enregistrement des droits réels et aux personnes qui sont plus ou moins contestés[20]. Mais c'est Édouard de Bellefeuille qui fait le plus de bruit avec ses articles sur le mariage[21] : ses idées sont partagées, cependant, par un bon groupe d'ultramontains, ce qui n'est pas sans lui donner une certaine influence. Querelle fort injuste à la vérité, car les commissaires se sont entendus pour confier la célébration du mariage aux ministres du culte et sur les empêchements sérieux que toutes les religions reconnaissent. Pour les autres objections mentionnées par le droit canonique, Caron et Morin proposent que « les autres empêchements restent soumis aux règles suivies jusqu'ici dans les diverses Églises et sociétés religieuses », car ils veulent « laisser le sujet dans l'état où il était avant le Code ». C'est le seul point où Day exprime une divergence avec ses collègues.

L'argumentation de de Bellefeuille ne fait pas l'unanimité, au sein même de l'Église canadienne. L'exagération est manifeste quand l'auteur écrit :

> Comment qualifier la faiblesse ou l'indifférence de cinq codificateurs chrétiens qui veulent nous imposer une législation anti-catholique et même anti-chrétienne par des modifications intempestives que l'on veut faire dans nos lois les plus importantes ?

Toutefois, les objections, qui fusent de partout au sujet du mariage, sont basées sur des problèmes réels : « on remet en vigueur certaines lois tombées en désuétude[22] » et plusieurs juges profitent de l'occasion pour annuler des mariages, ce qui n'est pas sans causer de sérieux problèmes à l'Église. Certains évêques, principalement ceux de Saint-Hyacinthe et de Trois-Rivières, voient même dans ces changements un empiétement de l'état civil sur les droits ecclésiastiques, ce qui constitue selon eux un « reste de gallicanisme qu'il fallait extirper ». La réputation de gallican de Morin le suit dans ce dossier.

Mgr Ignace Bourget, évêque de Montréal, partage ce point de vue et il a demandé immédiatement à Rome d'intervenir[23]. Plus calme et peu porté à l'ultramontanisme, Mgr Charles-François Baillargeon, administrateur du diocèse de Québec, juge autrement ce code. Sa réponse au cardinal Barnabo, qui fait sienne la plainte de Mgr Bourget, est empreinte d'un calme et d'une sérénité qui contrastent avec l'alarmisme intransigeant des dénonciateurs du code. Finalement, forcé par le IVe Concile provincial de 1868 de consulter Rome, Mgr Baillargeon voit son jugement confirmé dès l'année suivante par le Saint-Siège qui fait un bel éloge du Code.

Morin à la défense de l'œuvre des codificateurs

Mais Morin, fatigué par un si grand effort et très malade, ne prise pas cette critique au ton mordant qu'il ressent comme personnelle. Dans une lettre qu'il écrit à l'abbé François Pilote de collège de Sainte-Anne-de-la-Pocatière le 2 janvier 1865, Morin confirme simplement que les codificateurs ont suivi les instructions données par le gouvernement :

> L'échafaudage des écrivains dont il s'agit est dû en majeure partie à une erreur capitale où ils sont demeurés [...]. Cette erreur sur laquelle ils marchent est qu'ils supposent que le Code procède par voie de rappel des lois et que tout ce qui ne s'y trouve pas est aboli, pendant que ce code au contraire procède par voie de conservation et tout ce qui n'est pas aboli expressément ou implicitement demeurera loi comme auparavant. Le législateur a imposé cette marche aux codificateurs ; ils l'ont rigoureusement suivie. Ils ont proposé comme amendement tout ce qui changeait la loi en matières tant soit peu importantes. Vous ne trouverez aucun tel amendement sur les matières qui peuvent avoir trait aux choses religieuses, ni même aucune disposition qui puisse en avoir effet. S'il s'en trouvait que je n'aperçusse pas, qu'on les corrige et personne ne s'en

réjouira plus que moi. Si cependant, on voulait tenter d'aller jusqu'où veulent se rendre les écrivains en question, l'expérience ne fut, je ne dis pas seulement infructueuse mais dangereuse au dernier point, surtout dans le temps actuel, pour les grands intérêts que l'on prétendrait sauvegarder.

Morin fait taire les critiques car cette lettre circule librement parmi les membres du clergé et on peut déduire que les critiques civils du Code ont pu en prendre connaissance. Une fois de plus, Morin prouve sa grande compréhension d'un texte de loi, celui qui, justement, a été adopté pour autoriser la codification. Cette mise au point met un terme aux discussions publiques mais n'atténue pas pour autant l'impression que Morin a voulu embarrasser l'Église.

Une mort subite, le 27 juillet 1865

Morin, qui aspire au repos, a dû se résoudre à maints sacrifices au cours des dernières années. Il se réfugie le plus souvent possible dans sa nouvelle demeure de Saint-Hyacinthe, fuyant toute activité qui requiert quelqu'effort[24]. Le travail de codification étant terminé, il compte sur un séjour de deux mois dans le Nord, au domaine du docteur Benjamin Lachaîne à qui

Augustin-Norbert Morin vers la fin de sa vie (Coll. Archives du séminaire de Saint-Hyacinthe, peintre inconnu).

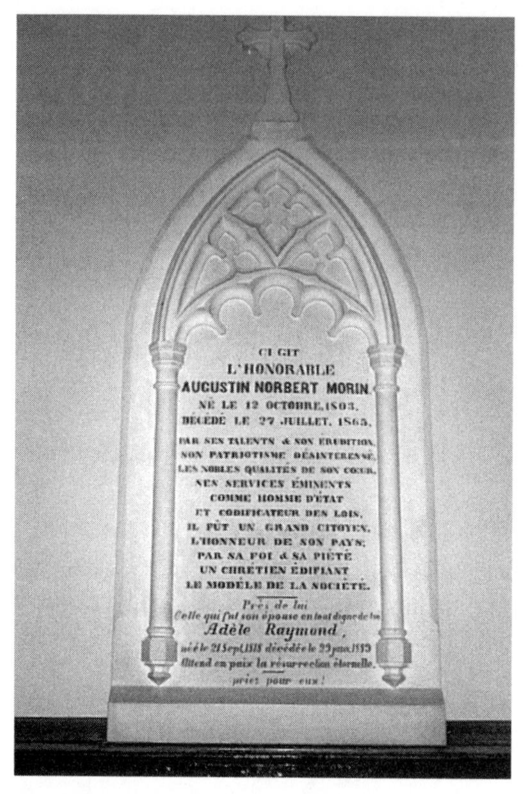

Plaque commémorative dans l'église de Notre-Dame-du-Rosaire, à Saint-Hyacinthe (Photo Jacques Fiset).

il a vendu toutes ses terres et bâtiments en 1861, pour refaire ses forces. Frappé d'une crise d'apoplexie à Sainte-Adèle, il meurt le 27 juillet 1865, quelques jours seulement avant la sanction royale qui donne au nouveau code civil sa reconnaissance légale.

Ses funérailles à l'église Notre-Dame-du-Rosaire de Saint-Hyacinthe sont à l'image de sa vie, simples, mais suivies par une grande foule recueillie et émue. C'est le professeur François-Charles Langelier, de la Faculté de droit de l'Université Laval, qui prononce l'oraison funèbre. Ses beaux-frères, Mgr Joseph-Sabin Raymond, grand vicaire du diocèse, et Rémy Raymond, député du comté, signent l'acte de sépulture et à eux se joignent plusieurs personnalités politiques comme Thomas d'Arcy McGee, George-Étienne Cartier, son vieil ami Étienne Parent, Pierre-Joseph-Olivier Chauveau, Joseph Cauchon et Charles Mondelet. Son corps est ensuite déposé dans la crypte de l'église.

CONCLUSION

Le témoignage d'estime que la société tout entière rend à Morin lors de ses funérailles doit trouver des explications ailleurs que dans son action politique immédiate. En effet, retiré « des affaires » depuis un peu plus d'une décennie et confiné au cours des six dernières années à un travail astreignant et peu visible de la population, l'homme public possède des qualités qui le rendent sympathique à tous, même à ses adversaires politiques. De fait, Morin n'a que des adversaires et pas d'ennemis ; pour mieux situer le personnage dans la galerie des célébrités canadiennes-françaises du XIXe siècle, il faut d'abord tracer un court portrait physique, moral et intellectuel de ce grand novateur.

Portrait physique

En son temps, Morin est considéré à juste titre comme un homme de grande taille, mais un peu voûté. Il y a dans sa démarche une noblesse qui tient à distance, mais de sa personnalité émane une chaleur qui attire. Le visage de prime abord est d'allure sévère sous une chevelure clairsemée, mais un sourire illumine facilement ses traits lorsque Morin reconnaît quelqu'un, de quelque condition qu'il soit, du simple fermier sur ses terres du Nord à ses collègues et amis comme La Fontaine, Parent et Girouard. Une voix au timbre grêle dont le débit est ralenti par l'asthme et une grande timidité qui se traduit en hésitations de toutes sortes dans les gestes les plus simples de la vie quotidienne ne sont pas de nature à lui donner une allure d'homme d'État.

Son allure frêle lui vient d'une santé défaillante : l'extrême pauvreté de la famille Morin n'a pas permis à l'enfant de jouir d'une alimentation adéquate. Ses aventures lors de la Rébellion, son errance dans les bois de la rivière du Sud et son internement dans les cachots insalubres du gouverneur à Québec lui ont laissé comme séquelle une arthrite déformante, dont les crises aiguës se manifestent le plus souvent lors des périodes difficiles de sa vie publique.

Portrait moral

Mais ce sont sans doute ses qualités humaines et morales qui font de Morin un être attachant. Son exquise politesse apparaît dès le premier contact avec lui, peu importe les circonstances. On se rend vite compte qu'il n'a jamais oublié ses origines modestes et terriennes ; bien au contraire, il s'en sert souvent comme des titres de gloire. Et sa modestie est certes le trait qui frappe le plus ses interlocuteurs. Prompt à remercier celui qui l'aide, il est peu enclin à réclamer le mérite qui lui revient, comme le font habituellement les politiciens. Mais cette belle qualité de la vie privée dégénère en défaut dans la vie publique. Que de contemporains[1] ont interprété à tort cette modestie comme de la mollesse ! Pourtant, peu de politiciens sont aussi tenaces que lui. Sans se lasser et sans changer un iota à ses projets, il met plus de vingt ans de studieuse obstination à atteindre quelques-uns de ses objectifs. Mais, sensible, l'homme s'émeut facilement devant la pauvreté et l'injustice, s'inquiète de l'effet de ses paroles et gestes et prend trop au sérieux les reproches qu'on lui adresse en vie politique[2]. Pieux, pratiquant sa religion avec assiduité mais sans ostentation, Morin est plus un gallican par principe qu'autre chose. De fait, c'est l'ultramontanisme qui l'agace au plus haut point. Époux modèle, sa vie privée est faite de frugalité, d'aménité, de bon esprit de famille avec ses frères et sœurs et aussi avec sa belle-famille, les Raymond de Saint-Hyacinthe.

Portrait intellectuel

C'est toutefois au niveau intellectuel que tous ses contemporains s'entendent le mieux pour reconnaître à Morin d'indiscutables qualités. Il possède une insatiable soif de connaître, même à un âge où généralement le commun des mortels n'aspire plus à augmenter son bagage de connaissances[3]. Qui plus est, il a une ouverture d'esprit qui lui fait non seulement accepter mais aussi adopter les nouveautés intellectuelles. Ainsi, les sciences naturelles, alors en plein développement, deviennent vite pour lui un indissociable complément à sa culture classique[4]. Vif d'esprit, Morin se complaît dans la vie intellectuelle. La lecture est pour lui un de ses moments privilégiés de ressourcement durant une vie trépidante[5]. Cultivé, Morin n'utilise pas un langage affecté pour autant et tous peuvent lui parler librement, sans gêne.

Des maîtres à l'influence durable

Durant ses années de formation, Morin avait eu la chance d'être en contact avec de grands éducateurs qui ont veillé au développement de ses talents. Le curé Thomas Maguire, de Saint-Michel, est certes la première figure importante que rencontre Morin. C'est lui qui recommande le jeune homme au Séminaire de Québec, convaincu de son intelligence brillante après lui avoir donné des leçons de catéchisme. Cette recommandation s'inscrit dans un plan de développement de l'éducation que Maguire a l'occasion de mettre en place quelques années plus tard avec Joseph-François Perrault. Novateur, Maguire s'illustre, par la suite, au collège de Saint-Hyacinthe par ses démarches visant à augmenter le niveau intellectuel des professeurs et la qualité de la bibliothèque du collège. Après quelques missions tumultueuses où il a refusé la mitre deux fois, Maguire revient comme aumônier des Ursulines de Québec où son influence se fait très nettement sentir sur l'éducation des filles[6].

Entré au Séminaire de Québec en 1815, Morin côtoie l'un des plus grands réformateurs du programme des humanités et l'un des plus brillants professeurs de son temps, l'abbé Jérôme Demers. Quand Morin et ses confrères atteignent les classes dites de philosophie, ils rejoignent alors Demers devenu directeur d'études de ces classes terminales. Cette direction, qui dure un bon quart de siècle, s'accompagne d'un train de réformes. Ainsi, Demers rédige le premier manuel de philosophie et il détache la physique de la philosophie contrairement à ce qu'entendait Aristote[7]. Plus important encore est le fait que Morin et ses collègues peuvent étudier les mathématiques et la physique selon les dernières découvertes, grâce au nouveau traité de Demers, qui apporte ainsi « un enseignement scientifique de qualité aux élèves de philosophie[8] ». De fait, ce traité vient compléter une œuvre éminemment pratique amorcée par Demers lui-même, soit un cabinet de physique de fabrication artisanale. À n'en pas douter, la passion de Demers pour les nouveautés scientifiques touche profondément ses élèves et laisse une empreinte sérieuse dans la vie de Morin.

Parvenu au terme de ses études classiques, Morin décide de s'orienter vers le droit, contrairement aux attentes de plusieurs ecclésiastiques dont l'abbé Pierre-Flavien Turgeon, alors directeur du Séminaire et futur archevêque de Québec. Parce qu'il n'y a pas de cours universitaires et que la seule façon de devenir avocat est de s'engager comme clerc dans le bureau d'un avocat reconnu par le Barreau, Morin doit choisir un « patron ». Il décide alors de quitter Québec pour entrer au service de Denis-Benjamin Viger, à Montréal. Avocat depuis une bonne vingtaine d'années, Viger possède une solide réputation comme homme de loi. Financièrement à l'aise, cousin de Louis-Joseph Papineau et « piqué » comme ce dernier par la politique, l'avocat montréalais a un côté novateur qui emballe Morin. De fait, en homme cultivé et grand lecteur qu'il est, Viger aime bien propager des idées et des théories nouvelles[9], ce qui a l'heur d'emballer son jeune clerc.

L'influence de Morin sur son époque…

Toute cette formation porte l'empreinte d'une culture imprégnée des sciences nouvelles et d'une curiosité intellectuelle tous azimuts à une période où commence à s'affirmer et à s'agiter la bourgeoisie canadienne-française avide de changement et de pouvoir. Morin ne peut pas échapper à cette tendance, mais il est très certainement celui qui a le plus propagé le changement, sans pour autant faire éclater les structures existantes. Homme nuancé, il reconnaît volontiers l'apport des institutions venant des deux mères patries, mais il en constate aussi les limites. Toute sa vie publique est marquée par son effort d'adaptation des institutions à notre spécificité nord-américaine. Faire un tour d'horizon de ces efforts constitue un résumé fidèle des actions de Morin.

Son tempérament et son insatiable curiosité le portent facilement vers des disciplines diverses, et sa vie publique ne se limite pas à sa carrière politique. Il faut aussi envisager son action et son influence comme homme de lettres, comme juriste, et enfin, comme propagandiste de l'éducation et de l'agriculture.

… comme homme de lettres…

Comme homme de lettres, Morin est un écrivain dont la production littéraire est quand même restreinte. Il écrit quelques poèmes « fort goûtés à l'époque[10] » et son nom figure dans le *Répertoire national* de James Huston qui reproduit trois de ses pièces en vers. Morin aime faire des vers, mais ce n'est pas de la grande poésie, peu s'en faut, et il est nettement plus à l'aise en prose où ses essais sont plus percutants. Sa lettre au juge Bowen et son essai sur l'éducation élémentaire sont de bons exemples de ses qualités littéraires. Mais il tient à encourager les jeunes à écrire, dans tous les styles, afin que se propage le goût littéraire, que la littérature d'ici puisse s'adapter aux différents courants et ne soit pas un ghetto. En un temps où la correspondance de toute nature avec la France doit encore passer par l'Angleterre, cet engagement est un geste plus que courageux.

… homme de loi…

L'homme de loi qu'est Morin écrit dans un style rebutant que seuls les initiés peuvent comprendre. Les *92 Résolutions* en sont un bon exemple. Mis à part l'aspect linguistique, Morin fait des pieds et des mains pour rendre la justice d'abord plus accessible aux gens du pays et, aussi, plus près des justiciables. Il entreprend avec succès de faire adopter un train de mesures susceptibles de rapprocher la justice du peuple : décentralisation des cours de justice, construction de Palais de Justice, libéralisation des listes de jurés. Il s'oppose avec force et succès à la participation des juges aux travaux de l'Assemblée. Enfin, il aide les détenteurs de « scripts » à obtenir les terres promises en simplifiant le plus possible les procédures et en diminuant les tarifs imposés pour de telles transactions.

Mais c'est comme juge que Morin a véritablement donné la mesure de son talent. D'abord comme membre de la Cour seigneuriale, spécialement formée pour conclure le dossier controversé du système seigneurial, Morin s'impose comme spécialiste de l'interprétation des lois du régime français. Louis-Hippolyte La Fontaine, juge en chef de cette cour, fait souvent appel à lui dans les dossiers qui remontent aux premiers temps de la colonie française. Pour Morin, cette tâche est essentielle, car seigneurs et censitaires doivent pouvoir jouir des droits que leur ont conférés les rois de France et d'Angleterre au fil des ans, sans mettre de côté la portée de la loi votée par l'Assemblée en 1854. Cette adaptation des lois des deux mères patries aux besoins de ses contemporains est une tâche à la mesure de Morin et où il excelle particulièrement.

On se méprend généralement sur la charge de travail que les membres du comité de codification des lois du Bas-Canada ont dû abattre pour en arriver à un produit fini de qualité en si peu de temps. Il ne faut pas perdre de vue que la tradition orale canadienne jouait un rôle de premier plan dans bon nombre de décisions et que la majorité des textes juridiques sur lesquels les juges s'appuyaient avaient été rédigés en France, dans un autre contexte. Pressés par la population anglophone d'avoir un code bilingue et de mettre un terme à des interprétations parfois contradictoires et laissées aux seuls juges, les codificateurs décident alors de retourner aux sources. Morin, quant à lui, remonte parfois jusqu'à l'Antiquité gréco-latine, examine les textes anglais et quelquefois américains en vigueur, compare avec la tradition canadienne et puis, comme produit fini, il rédige un nouvel article du code qui tient compte de toutes ces sources[11]. La confrontation avec la vision qu'ont Caron et Day, les autres codificateurs, n'est pas toujours aisée : c'est là que la culture et les connaissances juridiques de Morin jouent un rôle important. Ces discussions font avancer les choses et valent des changements substantiels en certaines circonstances. Elles nécessitent aussi un surplus de travail. Mais ce travail en profondeur plaît à Morin ; pour lui, simplement le fait de rédiger un code adapté aux besoins de ses compatriotes le récompense amplement de ses efforts.

… agriculteur expérimentateur…

L'apport de Morin en agriculture est marqué au coin de la continuité, de la nouveauté et de l'instruction. Pendant plus d'un quart de siècle, l'homme public possède des terres au nord de Montréal qu'il exploite méthodiquement, selon ses moyens et selon les expériences qu'il entend tenir. Avec régularité, il y consacre tous ses temps libres et il voit à faire connaître les résultats obtenus. Ses observations judicieuses sur les différentes cultures, en tenant compte du type de sol, sur l'organisation du travail de la ferme, sur l'alimentation des agriculteurs, sur la venue des immigrants en milieu rural, sur la rotation des cultures et sur tous les secteurs d'appoint à l'agriculture comme l'utilisation des terres à bois et l'aménagement des « sucreries » constituent une première au XIXe siècle et elles sont consignées soigneusement par Morin. Il n'hésite pas à propager les résultats de ses expériences dans les journaux et les revues agricoles, tant de langue française que de langue anglaise. Enfin, convaincu de la faiblesse de la transmission orale comme moyen de connaissances, il fonde des sociétés d'agriculture et d'horticulture où conférences et discussions vont de pair avec une certaine amélioration de l'agriculture bas-canadienne. Il met au point des programmes de formation pour fils d'agriculteurs et aussi pour les agronomes: l'évident souci de se servir des sciences naturelles est omniprésent. Pour lui, il n'y a aucune raison pour que l'agriculture soit le parent pauvre de l'économie, pourvu qu'on veuille bien tirer profit de l'expérience des autres pays en l'adaptant à ses besoins: en un mot, qu'elle se «canadianise»!

... comme citoyen obsédé par l'éducation...

L'enfant pauvre d'une paroisse rurale du Bas-Canada ne peut pas oublier qu'il doit son instruction à un curé clairvoyant. À cette époque, l'instruction n'est pas un droit mais un privilège. Et Morin n'accepte pas que l'ignorance, en vigueur lors de son temps de jeunesse, soit le lot de la grande majorité de ses compatriotes. Il préconise, en collaboration avec Joseph-François Perrault et, plus tard, avec Jean-Baptiste Meilleur, une instruction primaire répandue universellement. Ses idées sont surprenantes, voire un peu révolutionnaires pour l'époque[12]. Mais ses projets de financement sont mal perçus de la part de ses propres électeurs et provoquent même ce qu'on appelle «la guerre des éteignoirs[13]». Tout à fait conscient de la lenteur d'un tel procédé, il encourage les projets généraux de propagation de la culture, comme ceux de Vattemare, et la formation de l'Institut canadien de Montréal. Arrivé au sommet du pouvoir politique, il contribue à mettre en place un système d'écoles normales adaptées aux besoins de ses contemporains et il joue un rôle particulièrement important dans la mise sur pied de la première université francophone, Laval. Pour lui, l'instruction est le moyen dont dispose la minorité canadienne-française pour survivre en Amérique du Nord.

... et comme homme politique

Enfin, la partie la plus importante de la carrière de Morin se passe en politique active. Certes, cette période de la vie de Morin pose un certain nombre d'interrogations auxquelles cette étude ne peut répondre en tout ou en partie. Ainsi, comment un homme sans talent oratoire comme Morin a-t-il pu réussir à se faire élire à une époque où l'assemblée publique fait foi de tout ? On comprend que son titre de fils du comté lui ait valu la victoire dans Bellechasse, que l'auréole du martyr lui ait attiré la sympathie des électeurs, au lendemain des rébellions, dans Nicolet, Terrebonne et Saguenay. Mais ces facteurs n'expliquent pas tout. Sans doute Morin bénéficie-t-il d'une machine électorale bien rodée par les stratèges du parti.

Quelques constantes de sa carrière politique valent d'être soulignées. D'abord, son souci de respecter le choix des électeurs. À une époque où le système électoral souffre de plusieurs malaises profonds, Morin ne peut tolérer tout trafic de vote, toute apparence de fraude, en un mot tout ce qui contribue à modifier le choix des électeurs. Tout au long de sa carrière, il siège au Comité des privilèges et élections. Il s'oppose farouchement à la présence en Chambre de tout député dont l'élection est susceptible d'être entachée d'une quelconque irrégularité.

À titre de député et, plus tard, de ministre, Morin est d'une assiduité remarquable à la Chambre. En plus de cette assiduité, son travail comme membre de comités parlementaires spéciaux est étonnant par sa diversité et sa régularité. Dans les quatre premiers Parlements où il siège, il fait partie de plus de 90 comités, dont une bonne moitié sont des comités « ad hoc » mis sur pied pour régler un problème particulier. Il scrute consciencieusement tous les articles des projets de loi ou des règlements qui sont présentés. Rien d'étonnant alors d'entendre Étienne Parent réclamer que Morin prenne congé de temps à autre. Et dire que Morin s'oppose, à ses débuts, à toute forme d'indemnité pour les députés !

Comme président de la Chambre et, plus tard, comme premier ministre conjoint, Morin fait adopter des règlements pour les débats qui sont plus conformes à la réalité politique vécue au Canada-Uni que les traditions parlementaires directement importées de l'Angleterre. En effet, Morin, grand spécialiste de la procédure, est conscient que les règlements peuvent empêcher des parlementaires de donner la pleine mesure de leur talent et il les modifie pour leur permettre de jouer efficacement leur rôle.

Sa loyauté envers le chef de son parti est une réalité qui ne souffre pas non plus d'exception. Mais cette loyauté ne s'exprime pas par des applaudissements inconditionnels de tout ce que dit ou écrit son chef. Il ne craint pas d'exprimer des réticences devant certaines idées de Papineau, certains projets de La Fontaine et aussi de Hincks, ce qui ne va pas sans créer une certaine confusion dans quelques circonstances. Cette même loyauté met aussi à nu certaines de ses faiblesses, comme son acceptation d'être chef du Parti patriote lors de la rébellion à Québec[14].

L'honnêteté proverbiale de Morin tient toujours, même lorsqu'il exerce le pouvoir. Il donne l'exemple en sortant de la Chambre lorsqu'il est question de privilèges à accorder à la compagnie de chemin de fer qu'il préside. Turcotte résume bien la situation: « Bien qu'il fût ministre pendant l'époque des chemins de fer et des grands travaux publics qui donnèrent lieu à tant de spéculations individuelles, il sortit du cabinet aussi pur qu'il y était entré[15]. »

Ce sont sans contredit les grands projets législatifs de Morin qui nous permettent le plus d'apprécier son attachement à son pays et ses habitants. Pour contrer les effets négatifs du Conseil législatif, chambre haute calquée sur le modèle anglais, il propose l'équivalent du Sénat américain qu'il présente comme un outil législatif valable, qui peut effectuer un travail plus adapté à nos besoins. Mais Morin est minoritaire, même au sein de son parti sur cette question. C'est que les intérêts particuliers sont plus payants que les principes! On se résout, finalement, à adopter le principe d'une chambre haute élective, deux ans après son retrait de la vie publique, mais ce projet est tellement expurgé de son essence première qu'il constitue presque une insulte à l'intelligence de Morin.

La lutte légendaire qu'il a menée pour l'affectation des revenus provenant des biens des Jésuites illustre bien son sens de la justice et son attachement à l'instruction publique. Il combat farouchement, comme avocat du clergé catholique, toute forme de détournement de fonds au profit uniquement de l'école anglaise assimilatrice. De fait, il est procureur du clergé par souci d'équité. Pour lui, les fonds d'une institution catholique doivent revenir aux catholiques et, la nécessité des fonds pour les écoles paroissiales ou primaires sautant aux yeux de tout observateur averti, il voit là l'occasion de donner naissance à un réseau d'écoles publiques. Et son sens de l'équité se manifeste encore lorsqu'il plaide en faveur des écoles publiques payées pour la minorité catholique du Haut-Canada à même les fonds de la province.

Enfin, l'abolition du régime seigneurial et la sécularisation des terres du clergé constituent l'aboutissement de la théorie non écrite de Morin sur les institutions adaptées au besoin du pays. Inspiré du système féodal, le système seigneurial n'est plus un outil de développement lorsque Morin commence sa carrière politique. Bien au contraire, cette institution freine le développement des nouvelles terres pour l'expansion du chemin de fer et le développement urbain. Morin est longtemps seul, avec des hommes d'affaires anglophones, à souhaiter l'abolition du régime seigneurial, car Papineau et plusieurs membres importants du Parti patriote, et plus tard des réformistes, n'y trouvent pas leur compte... Quant à la sécularisation des terres du clergé, c'est le complément de solution au problème du régime seigneurial. Morin voit dans cette action une façon de contrer l'exode déjà important des Canadiens français vers les États-Unis. Mais les susceptibilités religieuses, à fleur de peau, ont exacerbé le problème au point où sa solution fait l'objet d'un troc politique!

Le type de « l'honnête homme »

Morin, à ne pas douter, est le type parfait de « l'honnête homme ». Tout ce qui est problème humain l'intéresse, tout ce qui est cas de justice est défendable. Progressiste en tout, il vit à l'aise dans son siècle, mais il a le défaut d'être avant-gardiste. Peu enclin à revendiquer les mérites qui lui sont dus, il passe, selon son désir d'ailleurs, dans l'ombre des grands ténors de son temps. Mais, contrairement à bien des hommes politiques de son temps, sa carrière a une unité et un sens. La canadianisation des institutions est le principe et le but de son action politique qui a marqué d'une empreinte durable la société canadienne-française.

NOTES

Introduction

1. Auguste Béchard. *L'Honorable A.-N.-Morin*, 2e édition, Saint-Hyacinthe, Imprimerie du Courrier de Saint-Hyacinthe, 1885, 276 p.
2. L.-O. David, « L'Hon. A.-N. Morin », *Biographies et portraits*, Montréal, Beauchemin & Valois, 1876, p. 114-126.
3. *Le Canadien*, 2 juillet 1847, p. 2. « Plusieurs membres sont intéressés dans ces spéculations et il s'est élevé une discussion sur la question de savoir si les membres intéressés dans une de ces compagnies pouvaient voter lorsqu'il s'agissait des autres compagnies dans lesquelles ils n'ont point d'intérêt direct. M. Morin, prétendant que les règles à suivre dans ces divers bills seraient établies par le précédent que créerait la première de ces mesures que l'on discutait alors, refusa obstinément de voter. Les autres représentants, semblablement situés, n'ont pas été aussi scrupuleux. »
4. L'accusation relative à la vente de terre de 1833 s'avéra finalement un ragot.
5. La Fondation de l'Université Laval sera entourée de beaucoup de prudence par Morin qui s'assurera, par écrit, des besoins d'une telle fondation et du désir réel du clergé.
6. Sa vision de la réforme du Conseil législatif et son refus d'entrer dans le ministère en 1847 sont des exemples qui illustrent bien ses qualités, mais qui démontrent aussi les problèmes qu'il a vécus.
7. Maximilien Bibaud, *Le Panthéon canadien : choix de biographies*, Montréal, Valois, 1891, 320 p.
8. Gérard Parizeau, « Augustin-Norbert Morin », *La Société canadienne-française au XIXe siècle. Essais sur le milieu*, Montréal, Fides, 1975, p. 465-519.
9. Gérard Parizeau, « Augustin-Norbert Morin », *Québec-Histoire*, vol. 2, no 1 (automne 1972), p. 93.
10. Jacques Monet, *The Last Cannon Shot. A Study of French-Canadian Nationalism, 1837-1850*, Toronto, University of Toronto Press, 1969, 422 p. Fernand Ouellet, *Histoire économique et sociale du Québec, 1760-1850. Structures et conjoncture*, Montréal, Fides, 1966, 639 p.

Chapitre premier

1. APC, MG-24. B-122. Généalogie des Morin du Canada, par A. N. Morin, 1829, p. 1.
2. Auguste Béchard. *L'Honorable A.-N. Morin*, p. 7.

3. L'abbé Maguire a été curé de Saint-Michel-de-Bellechasse de 1806 à 1827 selon la liste des curés cités dans l'œuvre d'Henri Gingras, *Saint-Michel de Bellechasse. Trois cents ans d'histoire, 1678-1978*, Lévis, Éditions Etchemin, 1977, p. 215.
4. Bien que Gérard Parizeau écrive à deux reprises que Morin a commencé son cours à Nicolet (« Augustin-Norbert Morin », *La Société canadienne-française au* XIXe *siècle. Essais sur le milieu*, p. 468. Voir aussi, du même auteur : « Supplément - Étude en forme de triptyque : II - Étienne Parent, ou le sens des réalités (1802-1874) », *Assurances*, 39e année, n° 3 (oct. 1971), p. 48), les fiches des anciens élèves du Séminaire de Québec confirment que Morin est entré en 1815 pour en ressortir en 1822 et aucune mention n'est faite de sa provenance d'une autre institution. L'abbé Douville, en annexe à son *Histoire du Collège-Séminaire de Nicolet*, a dressé « la liste des élèves du Séminaire de Nicolet depuis son ouverture en 1803 ». Le nom d'Étienne Parent est mentionné pour l'année 1814-1815 et porte le numéro 230. Mais nos recherches, tant pour les années antérieures que postérieures, ne nous ont pas permis de découvrir le nom de Morin. Cette liste semble exhaustive pourtant et donne des détails comme les dates d'entrée et de sortie du Séminaire, l'âge à l'entrée, le lieu de naissance ou de résidence, l'état ou profession et la mention de l'année du décès. Morin n'a jamais été étudiant à Nicolet.
5. ASSH – A5-R1 : Divers. Lettre d'appréciation du 11 novembre 1821 signée par l'abbé P.-F. Turgeon.
6. *L'Opinion publique* (Montréal), vol. V, n° 53 (31 déc. 1874), p. 1-2.
7. *Ibid.*
8. Thomas Chapais, *Discours et conférences* (1897), p. 188 cité dans Benoît Bernier, *Les idées politiques d'Étienne Parent 1822-1825*, Diplôme d'études supérieures (histoire), Laval, 1971, p. 16.
9. Auguste Béchard. *L'Honorable A.-N. Morin*, p. 21.
10. Une consultation de l'abbé Noël Baillargeon, historien du Séminaire de Québec et auteur de trois tomes de l'histoire de cette maison, confirme cette dernière hypothèse. « L'application des fondations » est un registre aux ASQ qui explique comment se faisaient dans la pratique les dons aux écoliers. L'abbé Baillargeon ajoute : « Des cas exceptionnels, comme Louis-Joseph Papineau par exemple, montrent une dérogation aux règlements sévères de la maison en ce qui a trait à la participation à une activité extérieure au Séminaire. Morin tout comme Parent, étudiants brillants, ont sans doute bénéficié des largesses des abbés Jérôme Demers et Pierre-Flavien Turgeon pour avoir droit de participer à la rédaction du *Canadien*. Car, jusqu'en 1850, rares étaient les étudiants finissants qui n'allaient pas dans les ordres : ceux qui se destinaient à l'état laïc quittaient le Séminaire dès la classe de Seconde ou de Rhétorique. Cette situation provoquait une critique de plus en plus grande dans la décennie 1840 car on prétendait que les candidats aux professions libérales étaient mal préparés. La fondation de l'Université Laval, en 1852, va remédier en partie à cet état de choses. » Le talent de Morin avait réussi à briser le carcan de l'austère maison !
11. ASQ, Lettres 1, n° 141. Montréal, 16 septembre 1826.
12. Jean-Pierre Wallot, « Edward Bowen », *DBC*, vol. IX, p. 83.
13. James Lane, *A.-N. Morin : lettre à l'honorable Edward Bowen, écuyer, juge de la Cour du Banc du Roi pour le district de Québec, par un étudiant en droit*, Réédition-Québec, 1968, p. 11 et 12.
14. *Ibid.*, p. 13.
15. André Beaulieu et Jean Hamelin, *La Presse québécoise des origines à nos jours*. Tome premier : *1764-1859*, p. 56.

16. *Ibid.*
17. Fernand Ouellet, *Le Bas-Canada 1791-1840. Changements structuraux et crises*, Ottawa, les Éditions de l'Université d'Ottawa, 1976, p. 323-324.
18. *La Minerve*, vol. 1, nº 1 (9 novembre 1826), p. 1.
19. ASSH, AR-RI : Sec. F, dossier 36. Lettre d'Étienne Parent à Morin : Québec, sans date, adressée à « A.-N. Morin, étudiant en droit chez DB.Viger, écuier, Montréal ».
20. *La Minerve*, vol. 1, nº 5 (27 novembre 1826), p. 18.
21. Gérard Malchelosse, « L'Association La Fraternelle (1880-1883) », *CDD*, nº 24 (1959), p. 210.
22. Malchelosse, *loc. cit.*, p. 210.
23. Beaulieu et Hamelin, *op. cit.*, p. 54.
24. *Ibid.*, p. 66.
25. *La Minerve*, vol. 1, le lundi 23 avril 1827. L'article paraît dans l'espace réservé à l'éditeur. Morin assumait cette tâche à ce moment ; d'ailleurs son style est facilement vérifiable.
26. L.-O. David, « L'Hon. A.-N. Morin », *Biographies et portraits*, p. 120.

Chapitre deuxième

1. Fernand Ouellet, *Le Bas-Canada 1791-1840. Changements structuraux et crises*, Ottawa, les Éditions de l'Université d'Ottawa, 1976, p. 330.
2. *Ibid.*
3. *La Minerve*, 7 février 1831, p. 2.
4. APC, MG-24, C-3, Vol. 1 : Lettre de Morin à Ludger Duvernay, 4 fév. 1831.
5. Brian Young, *George-Étienne Cartier, bourgeois montréalais*, Montréal, les Éditions du Boréal Express 1982, p. 24 ; Jean-Louis Roy, *Édouard-Raymond Fabre libraire et patriote canadien (1799-1854)*, Montréal, Éditions Hurtubise HMH, 1974, p. 122.
6. APC, MG-24, C-3, Vol. 1 : Lettre de Morin à Duvernay, 22 fév. 1831.
7. *La Gazette de Québec*, le 9 mars 1833.
8. *Ibid.* ; le journaliste a erré en identifiant Papineau comme député de Nicolet. D'ailleurs, les *Journaux de la Chambre d'Assemblée* ne rapportent pas ce débat.
9. *La Minerve*, 12 déc. 1831, p. 1.
10. *Ibid.*, 3 déc. 1832, p. 2.
11. *Ibid.*, 26 mars 1833, p. 2.
12. *Ibid.*
13. Thomas Chapais, *Cours d'histoire du Canada*, tome III, Québec, Librairie Garneau, 1921, p. 227.
14. Henri Brun, *La Formation des institutions parlementaires québécoises, 1791-1838*, Québec, les Presses de l'Université Laval, 1970, p. 197.
15. APC, MG-24, C-3, vol. 1 : Lettre de Morin à Duvernay, 19 mars 1831.
16. *La Minerve*, 6 fév. 1832, p. 1.
17. *Ibid.*
18. Brun, *op. cit.*, p. 198-199.
19. *Ibid.*
20. Ouellet, *op. cit.*, p. 333-334.
21. *La Minerve*, 14 janv. 1833, p. 3.
22. *La Minerve*, 28 fév. 1833, p. 1. La lettre est signée de Morin et datée du 22 février 1833.

23. ANQ-Q, Papiers Duvernay, document n° 198: lettre d'Étienne Parent à Ludger Duvernay, 10 déc. 1833.
24. *La Gazette de Québec*, 17 déc. 1833. La lettre est signée du pseudonyme « Canadien ».
25. *La Minerve*, 23 déc. 1833, p. 3.
26. *La Gazette de Québec*, 4 janv. 1834.
27. *La Gazette de Québec*, 4 fév. 1834.
28. *La Gazette de Québec*, 6 fév. 1834.
29. Thomas Chapais, *Cours d'histoire du Canada,* tome IV, *1833-1841*, Québec, Libraire Garneau, 1923, p. 17.
30. Morin donne une leçon d'éthique à ses collègues à l'occasion du débat pour son envoi à Londres en se retirant lors des discussions et du vote. Voir *La Gazette de Québec*, 4 mars 1834.
31. *La Minerve*, 31 mars 1834; *La Gazette de Québec*, 1er avril 1834.
32. *La Minerve*, 2 mars 1835, p. 1.
33. *La Minerve*, 9 mars 1835, p. 1.
34. *La Minerve*, 16 mars 1835, p. 1.
35. *La Minerve*, 12 mars 1835, p. 1.
36. *La Minerve*, 14 sept. 1835, p. 3.
37. *La Minerve*, 9 nov. 1835, p. 3.
38. ASSH, A-5, R-l. Papiers divers: lettre de L.-J. Papineau à Morin, le 10 nov. 1835.
39. Op. cit., p. 122.
40. *Ibid.*
41. *La Minerve*, 26 nov. 1835, p. 3; *Le Canadien*, 23 nov. 1835, p. 3.
42. L'édition du 5 décembre 1835 de *La Gazette de Québec* publie un extrait de *L'Ami du Peuple*, officieusement dirigé par les Sulpiciens que Morin venait de rabrouer, qui est farouchement hostile à cette nomination. Le journaliste de *L'Ami du Peuple* reproche à Morin, entre autres choses, « de s'être montré un des plus violents écrivains de la presse anticonstitutionnelle [...] et que le défaut de pratique du droit le rend très peu apte à des fonctions aussi délicates et aussi importantes que celles qu'il s'agirait de lui confier ».
43. *La Minerve*, 17 déc. 1835, p. 1.
44. *La Gazette de Québec*, 9 janv. 1836, p. 1.
45. *La Minerve*, 1er fév. 1836, p. 1.
46. APC, MG-24, 8-37. Vol. 1: Lettre de Charles-Ovide Perrault à Édouard-Raymond Fabre le 15 fév. 1836.
47. APC, MG-24, B-37. Vol. 1: Lettre de Charles-Ovide Perrault à Édouard-Raymond Fabre, 18 fév. 1836.
48. *La Minerve*, 14 mars 1836, p. 1.
49. *Ibid.*; voir *Rapport des Archives publiques du Canada* de 1923: « A Minute on the State of Affairs in Lower Canada in November 1836 », p. 252.
50. APC, MG-24, B-37, Vol. 1: Lettre de Charles-Ovide Perrault à Édouard-Raymond Fabre, 28 sept. 1836.
51. Robert Boily, « Les partis politiques québécois. Perspectives historiques », dans Vincent Lemieux, *Personnel et partis politiques au Québec*, Montréal, les Éditions du Boréal Express, 1982, p. 33.
52. Fernand Ouellet, *Le Bas-Canada, 1791-1840. Changements structuraux et crises*, Ottawa, les Éditions de l'Université d'Ottawa, 1976, p. 382.

53. *Montreal Gazette*, 30 sept. 1837, cité dans André Lefebvre, *La Montréal Gazette et le nationalisme canadien, 1835-1842*, Montréal, Guérin, 1970, p. 51.
54. *Ibid.*, p. 53.
55. Auguste Béchard, *L'Honorable A.-N. Morin*, p. 66.
56. *Ibid.*
57. Aegidius Fauteux, *Patriotes de 1837-1838*, Montréal, les éditions des Dix, 1950, p. 19.
58. *La Gazette de Québec*, 21 sept. 1837.
59. *La Minerve de Québec*, 16 nov. 1837, p. 3. Il s'agit d'une lettre de Morin au Comité permanent des Deux-Montagnes.
60. *La Gazette de Québec*, 3 avril 1838.
61. Le député de Trois-Rivières était un modéré, quoique partisan de Papineau.
62. *La Minerve*, 7 sept. 1837, p. 1.
63. Antoine Roy, « Les patriotes de la région de Québec pendant la Rébellion de 1837-1838 », *Les Cahiers des Dix*, n° 24, Montréal, 1959, p. 251.
64. *La Gazette de Québec*, 7 oct. 1837.
65. *La Gazette de Québec*, 16 nov. 1837.
66. Lettre de Jean-Joseph Girouard à Morin, le 1er avril 1838 ; cité dans Jean-Paul Bernard, *Les Rébellions de 1837-1838,* Montréal, Boréal Express, 1983, p. 154-155.
67. APC, MG-24, A-27, Vol. 21 : Déposition de William Valentine Andrews, Québec, 16 oct. 1838.
68. APC, MG-24, B-37, Vol. 2 : Lettre de L.-J. Papineau à Charles-Ovide Perrault, Albany, 3 fév. 1839.
69. APC, MG-24, B-26. Papiers Buller : Traduction dans le *Rapport des Archives du Canada*, 1923, p. 393.
70. ASSH, A-5, R-l, Papiers divers : Lettre de Andrew Stuart à P.-E. Leclerc, Montréal, 26 oct. 1839.
71. *La Gazette de Québec*, 29 oct. 1839.
72. Le même journal, le 26 novembre 1839, écrit à ce sujet « que c'était pour quelque défaut de forme dans le mandat que M. Morin, qui s'était livré à la police, avait été mis en liberté [...]. Le défaut de forme auquel nous avons fait allusion était de la nature suivante : une personne convaincue d'un crime est aidée à effectuer son évasion ; ceux qui l'ont aidée sont considérés par la loi comme coupables du même crime ; mais le criminel se trouvait, lors de son évasion, sous la garde de personnes que la loi ne connaît pas comme ses gardiens ».

Chapitre troisième

1. Thomas Chapais, *Cours d'histoire du Canada,* tome IV*, 1833-1841*, Québec, Librairie Garneau, 1932, p. 241.
2. Il s'agit de l'ordonnance concernant la déportation de Canadiens aux Bermudes, dans un territoire qui ne relevait pas de son champ de compétence..
3. ASSH, A-5, R-1, sec. F, dossier 36 : « Copie d'un contrat d'association en vue d'une étude légale entre A.-N. Morin et B. Delagrave, datée à Québec, le 15 janvier 1840 ». Malgré tous nos efforts, notre recherche pour trouver la trace de cet associé de Morin s'est soldée par un échec : il n'y a pas de B. Delagrave ayant exercé la profession d'avocat à Québec durant cette période. Et cet associé ne semble pas être Cyrille Delagrave, car Louis-Philippe Audet, en

parlant de ce dernier, se contente d'affirmer que, « admis au barreau le 8 août 1838, il exerça sa profession en société avec le futur juge Jean Chabot » (*DBC*, vol. X, p. 237).
4. *Ibid.* « 1 : Il y aura société entre les soussignées, avocats et procureurs, à compter de ce jour, révocable à la volonté de l'un ou de l'autre des contractants. Cette société sera fondée sur une égalité et une réciprocité parfaite de travail, mises, soins, déboursés, pertes et profits. Il s'étendra à l'exercice entier de la profession et à toute la province. 3 : Tant que M. Morin occupera sa maison actuelle, il fournira le bureau moyennant un prélèvement annuel de vingt louis pour loyer, et de dix louis pour chauffage et éclairage, garde et entretien, la papeterie non comprise. »
5. APC, MG-24, B-14, vol. 2. Papiers La Fontaine : Lettre de Morin à La Fontaine, 22 fév. 1840.
6. APC, MG-24, B-14, vol. 2. Papiers La Fontaine : Lettre de Morin à La Fontaine, 22 mars 1840.
7. *Ibid.* Lettre de Morin à La Fontaine, 12 mai 1840.
8. Jacques Monet, *La Première Révolution tranquille. Le nationalisme canadien-français (1837-1850)*, Montréal, Fides 1981, p. 82.
9. *La Gazette de Québec*, 16 avril 1840.
10. MG-24, B-14, vol. 2. Papiers La Fontaine : Lettre de Morin à La Fontaine, 18 sept. 1840.
11. *Ibid.* L'article XXVII de l'*Acte d'Union* établit la qualification des membres de l'Assemblée législative à la possession de terre « de la valeur de cinq cents livres, argent sterling de la Grande Bretagne en sus de toutes rentes, charges, mortgages et dettes hypothécaires ».
12. *Le Canadien*, 21 oct. 1840.
13. *La Gazette de Québec*, 25 fév. 1841.
14. *Ibid.*
15. *Ibid.*
16. L'élection de Montréal, en 1832, s'est prolongée pendant vingt-quatre jours.
17. C'est comme rédacteur littéraire dans *La Revue canadienne* qu'il agit ainsi.
18. André Beaulieu et Jean Hamelin, *La Presse québécoise des origines à nos jours.* Tome premier *: 1764-1859*, Québec, les Presses de l'Université Laval, 1973, p. 138.
19. Claude Galarneau, « Nicolas-Marie-Alexandre Vattemare », *DBC*, IX, p. 888.
20. Cité dans Marcel Lajeunesse, *Les Sulpiciens et la vie culturelle à Montréal au* XIXe *siècle*, Montréal, Fides, 1982, p. 21.
21. APC, MG-24, B-68. Hincks Papers : Lettre de Morin à Hincks, 8 mai 1841.
22. Paul G. Cornell, *The Alignment of Political Groups in Canada, 1841-1867*, Toronto, University of Toronto Press, 1962, p. 7.
23. *Ibid.*, p. 87 et 93.
24. Thomas Chapais, *Cours d'histoire du Canada,* tome V, *1841-1847*, Québec, Librairie Garneau, 1932, p. 117.
25. *Journaux de l'Assemblée législative de la province du Canada*, séance du 10 août 1841.
26. *Le Canadien*, 18 août 1841.
27. Antoine Gérin-Lajoie, *Dix ans au Canada, de 1840 à 1850 : histoire de l'établissement du gouvernement responsable*, Québec, L. J. Demers & Frère, 1888, p. 98.
28. APC, MG-24, B-14, vol. 2. Papiers La Fontaine : Lettre de Francis Hincks à La Fontaine, 29 juin 1841.
29. *La Gazette de Québec*, 15 juillet 1841.

30. *Ibid.*
31. *La Gazette de Québec*, 7 oct. 1841.
32. Extrait d'une lettre de Morin en date du 11 août 1841 et publié dans *Le Canadien*, 26 janv. 1842.
33. ASSH, A-5, R-l: Papiers divers: « Commission in favor of Augustin-Norbert Morin, Esquire, as Judge in the Inferior District of Rimouski. » Deux autres documents similaires mentionnent une nomination pour les districts de Kamouraska et Saint-Thomas.
34. *Le Canadien*, 12 janv. 1842.
35. APC, MG-24, B-14, vol. 3. Papiers La Fontaine: Lettre de Morin à La Fontaine, 23 sept. 1842.
36. *La Gazette de Québec*, 15 sept. 1842. L'article parle de la jurisprudence établie par Morin lors d'un jugement concernant les actions hypothécaires.
37. André Labarrère-Paulé. *P.-J.-O. Chauveau*, Montréal, Fides, 1962, p. 55-56.

Chapitre quatrième

1. L'administration anglaise, pour ne pas reconnaître le principe du gouvernement responsable, nommait conseillers ceux qui, dans un tel gouvernement, auraient droit au titre de ministres.
2. *Le Canadien*, 10 janv. 1842.
3. Jacques Monet, *La Première Révolution tranquille. Le nationalisme canadien-français (1837-1850)*, p. 128.
4. On a donné le qualificatif de « vendu » à tous ceux qui avaient accepté précédemment des postes administratifs au sein de l'Union. Cette épithète désobligeante va donner des résultats électoraux fort négatifs à ceux à qui elle est accolée.
5. APC, MG-24, B-14, vol. 3. Papiers La Fontaine: Lettre de sir Charles Bagot à La Fontaine, 13 sept. 1842.
6. Thomas Chapais, *Cours d'histoire du Canada*, tome V *1841-1847*, p. 70.
7. APC, MG-24, B-14, vol. 3. Papiers La Fontaine: Lettre de Morin à La Fontaine, 23 sept. 1842.
8. APC, MG-24, B-14, vol. 3. Papiers La Fontaine: Lettre de Morin à La Fontaine, 27 sept. 1842.
9. *Ibid.*
10. APC, MG-24, B-14, vol. 13. Papiers La Fontaine: Lettre de La Fontaine à Morin, 28 sept. 1842.
11. ASSH, A-5, R-l: Papiers divers. Deux documents importants se rattachent à cette nomination: a) « Commission appointing Augustin-Norbert Morin, Esquire, to be our Commissioner of Crown Lands in Our Province off Canada » ; b) « Commission appointing Augustin-Norbert Morin, Esquire, to be one of the Members of Our Executive Council for the Province of Canada ». Dans les deux cas, la nomination est faite par sir Charles Bagot, au nom de la reine Victoria ; mais le texte de la deuxième nomination confère à Morin un rang élevé, soit derrière l'honorable James Edward Surall.
12. APC, MG-24, B-l4, vol. 3. Papiers La Fontaine: Lettre de Pierre de Sales Laterrière à La Fontaine, 29 oct. 1842.
13. Lettre datée du 18 décembre 1842 et parue dans *Le Canadien* du 26 déc. 1842.

14. J. E. Hodgetts, *Pioneer Public Service. An Administrative History of the United Canadas, 1841-1867,* Toronto, University of Toronto Press, 1955. Cet ouvrage mentionne l'existence du département des Terres de la Couronne avant le régime d'Union mais contient très peu de données administratives qui puissent nous éclairer.
15. Denis Bertrand et Albert Desbiens, *Le Rapport Durham*, Montréal, les Éditions Sainte-Marie, 1969, p. 90.
16. Morin a longuement expliqué ses choix en 1855 lors des séances d'une commission d'enquête sur l'administration des terres de la Couronne. Voir J. E. Hodgetts, *op. cit.*, p. 131-132.
17. Lettre citée textuellement dans *Le Journal de Québec* du 3 janv. 1843, dans *Le Canadien* du 4 janv. 1843 et dans *La Minerve* du 5 janv. 1843.
18. Expression populaire qui signifie l'obtention de faveurs monétaires pour les amis du parti au pouvoir.
19. Victor Tremblay, *Histoire du Saguenay depuis les origines jusqu'à 1870*, Chicoutimi, La Librairie régionale inc., 1968, p. 415.
20. *Ibid.*, p. 337 : Laterrière était candidat au Conseil législatif.
21. *Le Canadien*, 10 nov. 1843.
22. ASSH, A-5, R-1, section F, dossier 19, boîte E : Lettre de Morin à Nérée Boubée, professeur de géologie à Paris, 15 nov. 1852.
23. ASSH, A-5, R-l, Papiers divers : « Qualification personnelle, 11 novembre 1851. »
24. ASSH, A-5, R-l, section F, dossier 12, boîte B : « Terres de la Rivière du Nord. »
25. ASSH, A-5, R-l, section F, dossier 12, boîte B : « Agriculture. »
26. ASSH, A-5, R-l, section F, dossier 12, boîte B : « Agriculture. »
27. ASSH, A-5, R-l, section F, dossier 12, boîte B : « Intérêts agricoles du pays. »
28. ASSH, A-5, R-1, section F, dossier 12, boîte B : « Agriculture : de l'amélioration des terres glaises révisées. Montréal, 16 juin 1830. »
Il s'agit du texte d'une conférence devant un auditoire inconnu. Le texte est daté de Montréal : c'est le seul point qui nous autorise à croire que ce fut à l'occasion d'une réunion de la Société d'agriculture du district de Montréal. Ainsi, il dit de l'amendement :
« Dans un pays où la main-d'œuvre est si disproportionnée avec la valeur du sol et de ses produits, c'est encore un problème de savoir s'il y aurait du profit à nourrir les animaux entièrement en vert durant l'été dans la vue de conserver les fumiers, d'améliorer le sol et d'en fermer l'accès aux mauvaises herbes. Mais la chose mériterait d'être essayée, sur les terres où la pâture est peu abondante, comme celles dont il s'agit ici. »
Quant à lui, « l'assolement se composerait : 1) d'une année de repos absolu, destiné au mélange des terres rapportées et des engrais et à la destruction de mauvaises herbes au moyen des labours d'été ; 2) d'une culture préparatoire en sillons ; 3) d'une année de bled. La terre serait alors très bien préparée et en semant du bled net on ne pourrait manquer d'avoir une belle bonne récolte. Il est absolument impossible, vu la longueur des hivers du pays et l'époque tardive à laquelle les récoltes de tout genre sont enlevées de terre, de donner plus d'un labour chaque année, soit d'automne ou de printems, a terrains qui ne se reposent pas ».
29. ASSH, A-5, R-l, section F, dossier 12, boîte A : « Grains, graines et jardinage. Expériences de 1857. 5 septembre 1857. » Ce document confirme que des expériences avaient été tentées durant l'été avec le blé, les pommes de terre, les soleils de l'Ohio, les haricots, l'orge de Nepaul, l'orge mondé et la moutarde blanche.

30. La culture des fleurs, les roses en particulier, n'a plus de secrets pour Morin.
31. Jean-Jacques Jolois, *Joseph-François Perrault (1753-1844) et les origines de l'enseignement laïque au Bas-Canada*, Montréal, les Presses de l'Université de Montréal, 1969, p. 133.
32. ASSH, A-5, R-l, section F, dossier 12, boîte A : « École normale d'agriculture. » Document manuscrit. « Nombre de leçons sur chaque sujet :

50	1.	Botanique
50	2.	Physique et météorologie ; climats
60	3.	Géologie et minéralogie ; sol
100	4.	Chimie agricole
50	5.	Phytologie et physiologie végétale
150	6.	Opérations de culture ; grains, fourrages, racines, assolemens
150	7.	Animaux, art vétérinaire
150	8.	Consommation ; produits, économie de l'agriculture domestique
150	9.	Enseignement de l'agriculture : écoles
70	10.	Mécanique agricole, instruments, arts agricoles, dessèchemens
70	11.	Jardinage
70	12.	Comptabilité ; calculs, monnaies
70	13.	Histoire, littérature, biographie et bibliographie agricole

Ajouter probablement de nouveaux sujets, retranchant sur les trois derniers. Commencer avec les cours 1, 2, 3, 4, 6 et 7 ; plus tard 5, 8 et 10 et enfin les autres. Mesurer la longueur de chaque lecture sur le tems et sur les difficultés pratiques du sujet. »

Chapitre cinquième

1. Seuls ses amis très intimes (Girouard, La Fontaine et Parent) semblent utiliser ce surnom qui n'a été retrouvé qu'une seule fois dans toute la correspondance dépouillée. Il est possible toutefois qu'il ait été ainsi interpellé par les membres de son parti, comme l'affirme Jacques Monet, *La Première Révolution tranquille. Le nationalisme canadien-français (1837-1850)*, p. 63.
2. Yvan Lamonde, « Joseph-Sabin Raymond (Raimond) », *DBC*, vol. XI, p. 803 : le père écrivait son nom avec un « i » mais les enfants modifient l'orthographe en substituant un « y » au « i ».
3. ASQ, Fonds Verreau, boîte 42, liasse 18 : Lettre de La Fontaine à Jacques Viger, 4 mars 1843.
4. Nulle part, Morin ne donne une explication ou même n aborde ce sujet. Tout au plus une copie de lettre adressée à son frère, François, mentionne une déception de ce « manque de progéniture ».
5. Monet, *op. cit.*, p. 142.
6. *Ibid.*, p. 152. Le mot « Canadiens » désigne ici les Canadiens français.
7. W. Stewart Wallace, « Metcalfe, sir Charles Theophilus Metcalfe, first Baron », *The MacMillan Dictionary of Canadian Biography*, Toronto, MacMillan, 1963, p. 510.
8. Lettre du Prince Albert à Stanley, citée dans Monet, *op. cit.*, p. 173.
9. « Je n'ai jamais entrepris quelque chose avec autant d'hésitation, ou avec si peu d'espoir de bien faire. Je crains que le peu de réputation que j'ai acquis est plus susceptible d'être terni que d'être rehaussé dans les eaux troubles du Canada. » Metcalfe à R. D. Mangles, 22 janvier 1843, cité dans Jacques Monet, *op. cit.*, p. 173.

10. Les membres du Conseil se font appeler « ministres » et les mots « cabinet », « gouvernement » et « administration » sont couramment utilisés.
11. Cornell, *op. cit.*, p. 10-11 : les réformistes conservent une forte majorité. Ils ont perdu deux sièges dans le Haut-Canada mais ils ont enlevé trois comtés aux tories dans le Bas-Canada.
12. *Le Canadien*, 1er déc. 1843 ; *La Minerve*, 7 déc. 1843.
13. ASSH, A-5, R-l, section F, dossier 36 : lettre de Morin à Étienne Parent, 9 déc. 1843.
14. Antoine Gérin-Lajoie, *Dix ans au Canada, de 1840 à 1850 : histoire de l'établissement du gouvernement responsable*, Québec, L.-J. Demers & Frère, 1888, p. 230.
15. J.M.S. Careless, *Brown of the Globe*, vol. I : *The Voice of paper Canada, 1818-1859*, Toronto, The MacMillan Company, 1959, p. 29.
16. *Le Mercury* dément cette information mais on ne peut savoir qui est ce M. Atchison ; Cornell, *op. cit.*, dans ses tableaux ne cite jamais ce nom et les dictionnaires ne font pas mention de cette personne.
17. En raison de son âge et de ses nombreuses années passées dans la vie publique, Denis-Benjamin Viger reçoit alors ce surnom, à la fois respectueux et satirique.
18. Denis-Benjamin Viger, *La Crise ministérielle et Mr Denis-Benjamin Viger*, Kingston, 1844.
19. Monet, *op. cit.*, p. 216.
20. *La Minerve*, 18 mars 1844 ; *Le Journal de Québec*, 21 mars 1844 ; *Le Canadien*, 22 mars 1844.
21. Pierre Dufour et Gérard Goyer, « Édouard-Louis Pacaud », *DBC*, vol. XI, p. 728.
22. *La Minerve*, 9 sept. 1844.
23. *Ibid.*
24. Parmi les privilèges que les conseillers de la Reine recevaient avec ce titre, il y avait celui de porter des toges de soie pour plaider ou dans les grands moments de l'année judiciaire.
25. *Le Journal de Québec*, 1er oct. 1844.
26. APC, MG-24, B-14, vol. 5. Papiers La Fontaine : Lettre de Robert Baldwin à La Fontaine, 7 nov. 1844.
27. *La Minerve*, 26 déc. 1844.
28. *La Minerve*, 16 janv. 1845.
29. APC, RG-4, 1A4, vol. 8 : lettre de Morin à Denis-Benjamin Papineau, 15 sept. 1845.
30. *La Minerve*, 6 fév. 1845.
31. *Correspondance entre l'hon. W. H. Draper et l'hon. R. E. Caron ; et, entre l'hon. R. E. Caron et les honbles. L.-H. La Fontaine et A.-N. Morin dont il a été question dans un débat récent à l'Assemblée législative ; contenant plusieurs lettres supprimées*. Montréal, s. éd, 1846, 36 p.
32. George Metcalf, « William Henry Draper », *DBC*, vol. X, p. 2 79
33. AUQTR, Boîte BE-AP-6 : Augustin-Norbert Morin, *Lettre prononcée devant l'Institut Canadien de Montréal le 18 décembre 1845*, Montréal, Lovell & Gibson, 1846, 30 p.
34. Les promotions aux grades supérieures annoncées par le colonel Gugy le 15 décembre 1845 montrent seulement seize Canadiens français parmi les élus, contre cent deux anglophones. La campagne de presse qui suit les nominations entraîne un malaise évident au sein du groupe de Viger lorsque Gugy s'entête à ne pas faire une plus large part aux officiers canadiens-français malgré la demande formelle qui lui est faite.
35. *La Minerve*, 13 avril 1846.
36. ASSH, A-5, R-1, section F, dossier 36 : lettre de l'évêque de Montréal à Morin, 27 mai 1846.

37. Monet, *op. cit.* p. 305.
38. APC, Baldwin Papers, V-51 : Francis Hincks à Baldwin, 16 août 1846 : « Une rupture entre Morin et La Fontaine est sur le point de se produire. Je redoute une telle éventualité. En ce moment, je suis convaincu que chacun est mécontent de l'autre et je crains qu'un froid ne s'établisse entre eux. » Cité dans Monet, *op. cit.*, p. 292.
39. APC, Elgin Papers : Lettre de William H. Draper à Morin. Montréal, 31 juillet 1846.
40. Monet, *op. cit.*, p. 308.
41. En qualité de pair écossais, titre hérité de son père, il ne peut accéder à aucun poste ministériel.
42. William Lewis Morton, « James Bruce », *DBC*, vol. IX, p. 97-98.
43. Louis-Philippe Audet, « Une richesse inexploitée : la correspondance du Dr Jean-Baptiste Meilleur », *Les Cahiers des Dix*, n° 38 (1973), p. 62.
44. APC, Elgin Papers, A-398 : Confidential Memorandum from the Governor General to A.-N. Morin. Monklands, Feb. 23, 1847.
45. Jean Hamelin et Pierre Poulin, « Pierre-Joseph-Olivier Chauveau », *DBC*, vol. XI, p. 195.
46. APC, MG-24, B-54. Papiers Chauveau : Lettre de P.-J.-O. Chauveau à Morin, 17 mars 1847.
47. *Le Canadien*, 2 juillet 1847.

Chapitre sixième

1. Maurice Carrier et Monique Vachon, *Chansons politiques du Québec, 1765-1833.* Tome 1, Montréal, Leméac, 1977, p. 329.
2. *Le Canadien*, 3 janvier 1848.
3. Paul G. Cornell, *The Alignment of Political Groups in Canada, 1841-1867*, Toronto, University of Toronto Press, 1962, p. 99-100.
4. Jean-Paul Bernard, *Les Rouges. Libéralisme, nationalisme et anticléricalisme au milieu du XIXe siècle*, Montréal, les Presses de l'Université du Québec, 1971, p. 34.
5. Jacques Monet, « Bartholomew Conrad Augustus Gugy », *DBC*, vol. X, p. 351.
6. *La Minerve*, 20 janv. 1848.
7. APC, Papiers Baldwin, vol. 55 : Lettre de La Fontaine à Baldwin, 2 fév. 1848.
8. Jacques Monet, *La Première Révolution tranquille. Le nationalisme canadien-français (1837-1850)*, p. 334.
9. Robert Rumilly, *Papineau et son temps.* Tome 2, Montréal, Fides, 1977, p. 329.
10. *La Minerve*, 28 fév. 1848.
11. Il s'agit sans doute d'une traduction peu heureuse de « Mr Speaker », mais la tradition populaire a aussi associé le talent oratoire de Louis-Joseph Papineau à cette fonction. Durant le reste de ce chapitre, nous emploierons cette expression d'époque : l'Orateur.
12. Henri Brun, *La Formation des institutions parlementaires québécoises. 1791-1830*, Québec, les Presses de l'Université Laval, 1970, p. 134.
13. Andrée Désilets, *Hector-Louis Langevin, un père de la Confédération canadienne*, Québec, les Presses de l'Université Laval, 1969, p. 21.
14. Richard Adam, *Le Parti rouge (1847-1867) : l'histoire d'une évolution politique*, Thèse de doctorat ès lettres (histoire), Laval, 1983, p. 79.

15. À n'en pas douter, le style est de Morin. Nous souscrivons volontiers à cette hypothèse émise par Monet, *op. cit.*, p. 379. Les explications données au sujet du gouvernement responsable sont des arguments qu'on peut lire dans la correspondance de Morin conservée aux Archives du Séminaire de Saint-Hyacinthe.
16. Claude Vachon. « Louis-Édouard Glackmeyer », *DBC,* vol. XI, p. 387.
17. Morin connaît bien Papineau. Le texte d'Adam, *op. cit.*, p. 199, le démontre : « Par déférence pour son ancien chef, Morin répondit qu'il ne devait pas accepter la première place et que par ailleurs, Papineau ne voudrait pas de la seconde. »
18. Des estimations réalistes parlent de 6000 personnes alors que *L'Avenir* évalue à 8000 personnes admises au carré Bonsecours et à 2000 le nombre des gens qui ont dû être refoulés.
19. Lionel Groulx, « Un débat parlementaire en 1849 », *RHAF,* vol. 2, n° 3 (décembre 1948), p. 381.
20. Jean-Paul Bernard, *op. cit.*, p. 40.
21. *Ibid.*
22. Antonio Drolet, « Un hôpital municipal à Québec en 1834 », *Trois siècles de médecine québécoise,* Cahier d'histoire n° 22, la Société historique de Québec, 1970, p. 66.
23. *L'Avenir,* 8 nov. 1848. Cette lettre n'engendre pas de changements immédiats, mais l'organisation d'une faculté de médecine lors de la naissance de l'Université Laval en 1852 sera une réponse partielle à l'insatisfaction de Morin.
24. Soeur Marianna O'Gallagher, *Saint-Patrice de Québec,* Cahier d'histoire n° 32, Québec, la Société historique de Québec, 1979, p. 54.
25. William G. Ormsby, « Sir Francis Hincks », *DBC,* vol. XI, p. 451.
26. La dette totale de la ville est de £195,159, mais, si on enlève certaines redevances, la dette réelle s'élève à £142,000 (*L'Avenir,* 4 août 1849).
27. Jean-Louis Roy, *Édouard-Raymond Fabre libraire et patriote canadien (1799-1854),* Montréal, Éditions Hurtubise HMH, 1974, p. 165.
28. J. M. S. Careless, *The Union of Canadas. The Growth of Canadian Institutions, 1841-1867,* Toronto, McClelland and Stewart, 1967, p. 122.
29. APC, Papiers La Fontaine : Lettre de Morin à La Fontaine, 7 fév. 1849.
30. Jacques Monet, *op. cit.*, p. 405 : la réclamation de Wolfred Nelson accrédite, chez les tories, la thèse populaire qui veut que le projet de loi d'indemnisation soit une récompense monétaire aux insurgés.
31. Alice Parizeau. « Quand le Parlement de Montréal énervait les Montréalais », Supplément de *La Presse,* 26 nov. 1966, p. 28.
32. Robert Migner, *op. cit.*, 25 juillet 1986, p. 7.
33. Papineau a qualifié le gouvernement responsable « d'un mot jeté au hasard, une vaine théorie » dans son manifeste de 1848.
34. J. M. S. Careless, *op. cit.*, p. 125.
35. Alfred Perry a été identifié comme le meneur des émeutiers en direction du parlement. Voir Monet, *op. cit.*, p. 407.
36. W. Stewart Wallace, *The MacMillan Dictionary of Canadian Bibliography,* Toronto, MacMillan, 1963, « Peter Perry », p. 592-593 ; H. E. Turner, « Peter Perry », *DBC,* vol. VIII, p. 775.
37. Gerald Tulchinsky, « George Moffatt », *DBC,* vol. IX, p. 610-613.
38. Pour une étude approfondie de la crise annexionniste, il faut consulter : Monet, *op. cit.*, p. 403-426 ; J. M. S. Careless, *op. cit.*, p. 127-131 ; Jean-Paul Bernard, *op. cit.*, p. 61-73.

39. Il s'agit alors essentiellement du *Journal de Québec*, du *Canadien*, des *Mélanges religieux* et, au début, de *La Minerve*.
40. Déjà on commence à appeler ainsi les disciples de Papineau et de *L'Avenir*. Voir Jacques Monet, *op. cit.*, p. 423.
41. Parmi les personnalités qui ont passé dans le camp des rouges au sujet de l'annexion, il y a Édouard-Raymond Fabre, maire de Montréal, Joseph Masson, Jean-Joseph Girouard, ami intime de Morin, Louis-Michel Viger et Pierre-Joseph-Olivier Chauveau. Voir Monet, *op. cit.*, p. 425.
42. L'appui inconditionnel de lord Grey à une émission d'obligations du Canada, grâce aux efforts de Hincks, redonne une certaine santé économique à la colonie. Voir Careless, *op. cit.*, p. 130.
43. Antoine Gérin-Lajoie, *Dix ans au Canada, de 1840 à 1850 : histoire de l'établissement du gouvernement responsable*, Québec, L.-J. Demers & Frères, 1888, p. 46-47.
44. Jacques Monet, « Louis-Hippolyte La Fontaine », *DBC*, vol. IX, p. 495.
45. *L'Avenir*, 7 juillet 1849. Il faut se souvenir que *L'Avenir* est dirigé par des adversaires de Morin, qui n'ont pas toujours été tendres avec lui…

Chapitre septième

1. Andrew Jackson, à l'élection présidentielle de 1832, prétendait avoir été le premier président élu par le peuple puisqu'une convention l'avait désigné comme candidat de son parti ; toutefois, c'est un tiers parti qui avait inauguré cette coutume de convention de parti aux présidentielles de 1828.
2. William G. Ormsby, « Sir Francis Hincks », *DBC*, vol. XI, p. 453.
3. Brian Young, *George-Étienne Cartier, bourgeois montréalais*, Montréal, Boréal Express, 1982, p. 91.
4. Andrée Désilets, « Joseph Cauchon », *DBC*, vol. XI, p. 177
5. Jean Hamelin et Pierre Poulin, « Pierre-Joseph-Olivier Chauveau », *DBC*, vol. XI, p. 196.
6. La portion bas-canadienne du ministère Hincks-Morin avant la dissolution du Parlement le 6 novembre 1851 est la suivante :
   - Augustin-Norbert Morin, secrétaire général du Canada
   - Étienne-Paschal Taché, receveur général
   - René-Édouard Caron, président du Conseil législatif
   - Lewis Thomas Drummond, procureur général du Bas-Canada
   - John Young, commissaire en chef des Travaux publics
   - Pierre-Joseph-Olivier Chauveau, solliciteur général du Canada, sans siège dans le cabinet.
7. Pierre Dufour et Gérard Goyer, « Édouard-Louis Pacaud », *DBC*, vol. XI, p. 728.
8. Jean-Louis Roy. *Édouard-Raymond Fabre, libraire et patriote canadien (1799-1854)*, p. 150.
9. L'expression « bureau d'agriculture » est une traduction littérale de l'anglais couramment utilisée à l'époque. Aujourd'hui, on désigne cette unité administrative par le mot « ministère ».
10. Chapais, *op. cit.*, p. 25.
11. Les appendices aux *Journaux de l'Assemblée législative* témoignent de la tâche et des responsabilités qui incombent à Morin.

12. ASSH, A-5, R-1, boîte E : il s'agit d'un brouillon de rapport des délibérations du Conseil exécutif au sujet de l'utilisation des fonds provenant de la vente des réserves du clergé. Selon Morin, quelques ministres ont des opinions précises, d'autres ne les ont pas encore exprimées. Ainsi, Rolph, Cameron et Drummond sont favorables à la théorie de Brown : le soutien à un réseau d'écoles élémentaires publiques. Hincks, Young, Taché et Caron désirent que chaque dénomination religieuse reçoive au prorata de ses membres des sommes qui serviront à mettre sur pied des écoles confessionnelles. Quant à Morin, il se démarque de tous : il désire qu'on dédommage d'abord l'Église catholique pour la spoliation des biens des Jésuites et qu'on utilise le reste pour la formation des maîtres en créant des écoles normales à direction laïque. Il tient toujours à ce que chaque paroisse paie pour ses écoles.
13. *Le Journal de Québec,* 21 sept. 1852, donnera la réponse de Morin : « L'attention du gouvernement n'a pas été appelée sur ce sujet depuis bien des années. Cependant, le gouvernement s'en est occupé et s'en occupera, mais non pas par l'action de cette chambre. »
14. *Ibid.,* 25 sept. 1852. Il s'agit de l'enquête menée au sujet de l'administration générale et médicale de l'hôpital de la Marine.
15. *Le Canadien,* 27 sept. 1852. On veut connaître la nature du prêt consenti au Comité spécial pour la reconstruction de Montréal et dont Louis-Hippolyte La Fontaine fait partie
16. *Ibid.* Le rapport des inspecteurs de prisons pour le Bas-Canada est déposé en réponse à la demande de la Chambre.
17. *Le Pays,* 1er septembre 1852, attribue à Morin les propos suivants : « Le pays paraît avoir des doutes sur la nécessité et sur le mode de changement à apporter dans la constitution de cette branche de la législature. »
18. John Hare, Marc Lafrance et David-Thierry Ruddel, *Histoire de la ville de Québec, 1608-1871,* Montréal, Boréal Express, 1987, p. 212.
19. Dans Louis-Alexandre Bélisle, *Dictionnaire général de la langue française au Canada,* Québec, Bélisle Éditeur, 1954, on retrouve au mot « télégraphe », p. 1260 : « Personne qui vote sous le nom d'un autre. »
20. André Garon, *La Question du Conseil législatif électif sous l'Union des Canadas, 1840-1856,* Thèse de D.E.S. (1969), p. 157-159 : l'auteur établit que les présences moyennes sont de 31 % contre un quorum qui augmente en pourcentage à cause de l'absence de nominations pour remplacer les conseillers qui quittent ou décèdent.
21. Morin en fait allusion dans un brouillon de lettre à l'un de ses frères. Voir ASSH, A-5, R-l, boîte B.
22. La lettre du 29 janvier 1854 de Eloffe & Cie à Morin est significative puisqu'on mentionne les abonnements de Morin : *La Réforme*, les *Annales de la Sainte-Enfance*, les *Annales de la Propagation de la Foi*, les *Annales de l'Archiconfrérie*, le *Livre des Familles*, la *Réforme agricole*. Cette lettre spécifie aussi que Morin recevra bientôt une collection de minéralogie agricole et de géologie agricole (ASSH, A-5, R-l, Section F, dossier 12 : boîte A).
23. Auguste Béchard, *L'Honorable A.-N. Morin*, p. 183.
24. *Le Journal de Québec*, 3 août 1854.
25. William F. Ormsby, « Sir Francis Hincks », *The Pre-Confederation Premiers: Ontario Government Leaders 1841-1867,* Toronto, University of Toronto Press, 1980, p. 182-183.

Chapitre huitième

1. APC, FM-24, B-122, Papiers Morin: Lettre d'Étienne Parent à Morin, 30 janv. 1855 ; ASSH, A-5, R-1: Papiers divers. « Commission Appointing The Honorable Augustin-Norbert Morin to be one of the Puisne Judges of the Superior Court for Lower Canada », 29 janv. 1855.
2. *Le Journal de Québec*, 1er février 1855.
3. *Le Journal de Québec* du 8 fév. 1855 relate cette fondation en ces termes: « The Law Reporter, journal de jurisprudence, publiée mensuellement à Montréal par MM. Ramsay et Morin, avocats, format in-8, abonnement 15 s. par an. Ce journal est rédigé avec talent et avec soin: il contient le compte rendu des décisions des cours supérieures et de circuit du district de Montréal, des jugements des cours de judicature d'Angleterre sur des questions qui sont d'un grand intérêt pour les hommes de loi du Bas-Canada ». Outre Louis-Siméon Morin, le coéditeur de cette feuille est Thomas Kennedy Ramsay. Il semble que ce soit une publication mort-née car on ne peut en trouver aucune recension dans André Beaulieu et Jean Hamelin, *La Presse québécoise des origines à nos jours,* tome premier, *1764-1859.*
4. Après Morin, il faudra attendre plus d'un siècle, avec Louis Saint-Laurent, au début des années 1960, pour retrouver ce même phénomène: ce sera alors le même engouement pour les cours d'un homme pas plus pédagogue et guère meilleur orateur que Morin.
5. APC, FM-24, B-122, Papiers Morin: Lettre de F. Martin, s.j., à Morin, le 24 fév. 1855. Vraisemblablement, le père Martin est provincial de la communauté et il veut récompenser l'ancien procureur des biens des Jésuites.
6. Thomas Chapais, *Cours d'histoire du Canada,* tome VII, *1851-1861*, p. 120.
7. APC, FM-24, B-14, volume 9, Papiers La Fontaine: les notes jointes par Morin à sa lettre à La Fontaine, 27 déc. 1855. Ces notes méritent d'être lues pour comprendre la complexité du travail imposé à la Cour seigneuriale et pour juger du sérieux des recommandations faites.
8. Beaulieu et Hamelin. *La Presse québécoise des origines à nos jours,* tome premier: *1764-1859,* p. 190.
9. Anonyme, « De la codification des lois du Canada », *Revue de législation et de jurisprudence*, vol. 1, 184, p. 337.
10. Joseph Tassé, *Discours de sir George-Étienne Cartier,* Montréal, Eusèbe Sénéchal & Fils, 1893, p. 129.
11. Le recensement de 1851 mentionne que 220 733 habitants du Bas-Canada sont de langue anglaise sur un total de 890 261.
12. Maximilien Caron, « De la physionomie, de l'évolution et de l'avenir du Code civil », *Le Droit dans la vie familiale. Livre du centenaire du Code civil (1)*, Montréal, les Presses de l'Université de Montréal, 1970, p. 6.
13. Édouard Lefebvre de Bellefeuille, « Code civil du Bas-Canada. Législation sur le mariage », *Revue canadienne,* tome II, janvier 1865.
14. L'idée d'une codification a été émise plusieurs fois depuis le début du régime britannique. Un article paru en mai 1846 dans la *Revue de législation et de jurisprudence*, « De la codification des lois du Canada », semble avoir relancé le projet avec des arguments sérieux: de toute évidence, Cartier s'en est largement inspiré même s'il a enrobé ses explications d'une « sauce maison » qui ne trompe personne.

15. Dans le système britannique, un pouvoir, une loi ou un règlement qui n'a pas été appliqué durant plus d'un demi-siècle tombe en désuétude automatiquement. Au Canada, un exemple souvent cité est l'atrophie des pouvoirs du gouverneur général dans la querelle entourant l'affaire King-Meighen de 1926.
16. Les grands cahiers de travail que Morin a utilisés sont conservés aux archives du Séminaire de Saint-Hyacinthe Les pages de ces cahiers sont divisées en trois grandes parties : à gauche, on y retrouve les références aux codes anciens, au centre sont énumérées les lois ou interprétations actuellement en cours au Bas-Canada et la colonne de droite est réservée à la nouvelle loi proposée.
17. À l'aide d'un échantillonnage non scientifique, j'ai constaté que les références aux codes anciens proviennent dans presque 95 % des cas des livres de droit que Morin possède. Je puis faire cette affirmation après avoir fait une vérification poussée dans la bibliothèque de droit de Morin conservée au Séminaire de Saint Hyacinthe.
18. Maximilien Caron, *loc. cit.*, p. 8.
19. Maximilien Bibaud, *Exégèse de jurisprudence*, p. 7-32.
20. Selon Thomas McCord, secrétaire de la Commission et auteur de *The Civil Code of Lower Canada*, Montréal, 1867, préface, p. IX-X, il s'agit respectivement de Thomas Ritchie, Hervieux et Charles-François Langelier.
21. Édouard de Bellefeuille, « Code civil du Bas-Canada. Législation sur le mariage », *Revue canadienne*, tome 1, 1864, p. 602-619, 654-672 et 731-738 et tome Il, 1865, p. 30-44.
22. Jacques Grisé, *Les Conciles provinciaux de Québec et l'Église canadienne (1851-1886)*, Montréal, Fides, 1979, p. 232.
23. Lettre de Mgr Bourget au cardinal Barnabo, citée dans Gérard Parizeau, « Augustin-Norbert Morin », *La Société canadienne-française au XIXe siècle*, Montréal, Fides, 1975, p. 513.
24. Morin doit se désister de tout engagement comme la collation des grades à l'Université Laval en 1864 (voir ASQ, Université 77, nº 98, 4 juillet 1864) et même la présentation d'un doctorat d'honneur en droit aux codificateurs Caron et Day (voir ASQ, Université 104, nº 67, 5 juillet 1865).

Conclusion

1. Plusieurs personnes ont mis en doute les sentiments de Morin. Charles-Ovide Perrault se demande, plusieurs mois avant la Rébellion, si Morin fait partie vraiment du groupe des radicaux ; François-Xavier Garneau l'accuse d'avoir manqué à sa parole, en acceptant l'Union et un poste de ministre ; *L'Avenir* reproche à Morin sa trop grande docilité face à La Fontaine et, plus tard, face au groupe de Québec.
2. L'épisode douloureux de 1847 lors des tractations menées par le gouverneur au sujet de son éventuelle entrée au sein du ministère est un exemple parfait de cette trop grande sensibilité : l'intervention de La Fontaine devient nécessaire pour éviter une grave dépression nerveuse chez Morin.
3. Les commandes de livres et de revues qu'il passe à Bossange, son libraire parisien, après son retrait de la vie politique, témoignent bien de ce goût inné.
4. Dans le chapitre IV, nous avons eu amplement l'occasion de montrer l'apport des sciences naturelles que Morin juge essentiel pour l'amélioration et le développement de l'agriculture au Bas-Canada.

5. Sa remarquable bibliothèque personnelle comprend quelques milliers de titres. Elle est conservée au Séminaire de Saint-Hyacinthe.
6. James H. Lambert, «Thomas Maguire», *DBC,* vol. VIII, p. 657 et p. 659-660.
7. Claude Galarneau, « Un souffle nouveau sur l'enseignement », *Cap-aux-Diamants,* vol. 4, n° 1 (printemps 1988), p. 10-11.
8. Claude Galarneau, «Jérôme Demers», *DBC,* vol. VIII, p. 237.
9. Fernand Ouellet et André Lefort, « Denis-Benjamin Viger », *DBC,* vol. VIII, p. 891.
10. Réginald Hamel, John Hare et Paul Wyczynski, *Dictionnaire pratique des auteurs québécois,* Montréal, Fides, 1976, p. 510-511.
11. Il faut lire les cahiers de travail du commissaire Morin, déposés aux Archives du Séminaire de Saint-Hyacinthe, pour comprendre la somme de recherches qu'a nécessitée la codification.
12. Voir le texte de sa conférence prononcée à l'Institut canadien de Montréal en décembre 1847, et dont de larges extraits apparaissent au chapitre V.
13. L'expression vient de l'opposition particulièrement violente des électeurs du comté de Nicolet au paiement d'une taxe pour le financement des écoles paroissiales. Morin vit une expérience pénible lors d'une assemblée tenue à Saint-Grégoire. Voir aussi l'appréciation sur le sujet d'Antoine Gérin-Lajoie, *Dix ans au Canada, de 1840 à 1850 : histoire de l'établissement du gouvernement responsable,* p. 187.
14. Antoine Roy, « Les patriotes de la région de Québec pendant la Rébellion de 1837-1838 », *Les Cahiers des Dix,* n° 24 (1959), Montréal 1959, p. 251, qualifie ainsi l'action de Morin : « Il manquait de l'énergie et de l'esprit de décision si nécessaire à ceux qui veulent faire triompher une cause qui demande la faveur du peuple. »
15. Louis-P. Turcotte, *Le Canada sous l'Union, 1841-1867,* Québec, L.-J. Demers & Frères, 1882, p. 254-255.

SIGLES ET ABRÉVIATIONS

AAQ	Archives de l'archevêché de Québec
ANQ-Q	Archives nationales du Québec à Québec
APC	Archives publiques du Canada
APJTR	Archives du Palais de Justice de Trois-Rivières
ASQ	Archives du Séminaire de Québec
ASSH	Archives du Séminaire de Saint-Hyacinthe
ASTR	Archives du Séminaire de Trois-Rivières
AUQTR	Archives de l'Université du Québec à Trois-Rivières
AVM	Archives de la Ville de Montréal
BRH	*Bulletin des recherches historiques*
CDD	*Cahiers des Dix*
CH	*Communications historiques — Historical Papers*
CHR	*Canadian Historical Review*
DBC	*Dictionnaire biographique du Canada*
HS	*Histoire sociale - Social History*
RHAF	*Revue d'histoire de l'Amérique française*
RS	*Recherches sociographiques*
SCHEC	Société canadienne d'histoire de l'Église catholique

BIBLIOGRAPHIE

Sources manuscrites

Archives de l'Archevêché de Québec
Archives nationales du Québec
Archives publiques du Canada
Archives du Palais de Justice de Trois-Rivières
Archives du Séminaire de Québec
Archives du Séminaire de Saint-Hyacinthe
Archives du Séminaire de Trois-Rivières
Archives de la Ville de Montréal

Journaux

L'Avenir
La Gazette de Québec
La Minerve
Le Canadien
Le Journal de Québec
The Québec Gazette
L'Agriculture
L'Ère nouvelle
Le Journal des Trois-Rivières
Le Pays
Les Mélanges religieux
The Quebec Chronicle-Telegraph
The True Witness

Études

Biographies

BÉCHARD, Auguste, *L'Honorable A.-N. Morin*, Saint-Hyacinthe, Imprimerie du Courrier de Saint-Hyacinthe, 1885, 276 p.

BIBAUD, Maximilien, *Le Panthéon canadien: choix de biographies*, Montréal, J.-M. Valois, 1891, 320 p.

DAVID, Laurent-Olivier, « L'Hon. A.-N. Morin », *Biographies et portraits*, Montréal, Beauchemin & Valois, 1876, p. 114-126.

PARADIS, Jean-Marc, « Augustin-Norbert Morin », *DBC*, vol. IX, p. 626-631.

PARIZEAU, Gérard, « Augustin-Norbert Morin », *Québec-Histoire*, vol. 2, n° 1 (automne 1972), p. 93.

—, « Augustin-Norbert Morin », *La Société canadienne-française au* XIXe *siècle. Essai sur le milieu*, Montréal, Fides, 1975, p. 465-519.

Ouvrages généraux

AUDET, Louis-Philippe, « La surintendance de l'éducation et la loi scolaire de 1841 », *Les Cahiers des Dix*, vol. 25 (1960), p. 147-169.

—, *Le Système scolaire de la province de Québec*, Québec, les Éditions de l'Érable, 1951-1956, 6 vol.

—, « Les biens des Jésuites et les projets d'université de 1843 », *Les Cahiers des Dix*, n° 40 (1975), p. 139-160.

—, « Une richesse inexploitée: la correspondance du Dr Jean-Baptiste Meilleur », *Les Cahiers des Dix*, n° 38 (1973), p. 59-92.

—, « Cyrille Delagrave », *DBC*, vol. X, p. 237-238

BAILLARGEON, Georges, « La tenure seigneuriale a-t-elle été abolie par suite des plaintes des censitaires », *RHAF*, vol. 21, n° 1 (juin 1967), p. 64-80.

BARNARD, Juliette, *Mémoires Chapais*, Montréal, Fides, 1961, 2 vol.

BEAUDOIN, Jean-Louis, « L'influence religieuse sur le droit civil du Québec », *Revue générale de droit*, vol. XV, n° 3 (1984), p. 563-572.

BELLERIVE, Georges, *Délégués canadiens-français en Angleterre, de 1763 à 1867*, Québec, Garneau, 1913, 238 p.

BERNARD, Jean-Paul, *Les Rouges - Libéralisme, nationalisme, anticléricalisme au milieu du* XIXe *siècle*, Montréal, les Presses de l'Université du Québec, 1971, 394 p.

—, « Thomas Boutillier », *DBC*, vol. IX, p. 80-81.

BOISSONNAULT, Charles-Marie, « Création de deux écoles de médecine québécoise », *Trois siècles de médecine québécoise*, Cahiers d'histoire n° 22, Québec, La Société historique de Québec, 1970, p. 70-74.

BONENFANT, Jean-Charles, « George-Étienne Cartier, juriste », *Les Cahiers des Dix*, n° 31 (1966), p. 9-25.

—, « René-Édouard Caron », *DBC*, vol. X, p. 144-149.

Bossé, Éveline, *Joseph-Charles Taché (1820-1894). Un grand représentant de l'élite canadienne-française*, Québec, Garneau, 1974, 324 p.

Bouthillier, Guy et Jean Meynard, *Le Choc des langues au Québec, 1760-1970*, Montréal, les Presses de l'Université du Québec, 1972, 767 p.

Boyd, John, *Sir George-Étienne Cartier, His Life and Times. A Political History of Canada from 1814 until 1873*, Toronto, MacMillan, 1914, 439 p.

Brun, Henri, *La Formation des institutions parlementaires québécoises, 1791-1838*, Québec, les Presses de l'Université Laval, 1970, 281 p.

Brunet, Michel, « Ludger Duvernay et la permanence de son œuvre », *Alerte*, vol. 16, n° 147 (avril 1959), p. 114-120.

Buckner, Philip A., *British Policy in British North America, 1815-1850*, London, Greenwood Press, 1985, 358 p.

Careless, J. M. S., *Brown of the Globe. vol. 1 : The Voice of Upper Canada, 1818-1859*, Toronto, The MacMillan Company, 1959, 354 p.

—, *The Pre-Confederation Premiers : Ontario Government Leaders, 1841-1867*, Toronto, University of Toronto Press, 1980, 340 p.

—, *The Union of Canada. The Growth of Canadian Institutions, 1841-1867*, Toronto, McClelland & Stewart Limited, 1967, 256 p.

Carrier, Maurice et Monique Vachon, *Chansons politiques du Québec*, Montréal, Leméac, 1979, 2 vol.

Carrier, Maurice, Jules Martel et Raymond Pelletier, « Les squatters dans le canton d'Arthabaska, 1835-1866 », *Revue d'ethnologie du Québec*, n° 1, Montréal, Leméac, 1975, p. 79-116.

Carrière, Gaston, *Histoire documentaire de la Congrégation des Missionnaires Oblats de Marie-Immaculée dans l'Est du Canada.* 1re partie *: de l'arrivée au Canada à la mort du fondateur (1841-1861), tome 11*, Ottawa, les Éditions de l'Université d'Ottawa, 1959, 344 p.

—, *Histoire documentaire de la Congrégation des Missionnaires Oblats de Marie-Immaculée dans l'Est du Canada.* 1er partie *: de l'arrivée au Canada à la mort du fondateur (1841-1861), tome V*, Ottawa, les Éditions de l'Université d'Ottawa, 1963, 274 p.

Chapais, Thomas, *Cours d'histoire du Canada*, Québec, Garneau, 1919, 8 vol.

Cornell, Paul Grant, « James Morris », *DBC*, vol. IX, p. 634-635.

—, « The Alignment of Political Groups in the United Province of Canada, 1856-1864 », *Canadian Historical Review*, vol. 30, n° 1 (mars 1949), p. 22-46.

—, *The Alignment of Political Groups in Canada, 1841-1867*, Toronto, University of Toronto Press, 1962, 119 p.

Creighton, Donald, *John A. Macdonald,* Vol. I : *The Young Politician*, Toronto, The MacMillan Company, 1952, 524 p.

—, *John A. Macdonald. Le Haut et le Bas-Canada.*, Montréal, Éditions de l'Homme, 1981, 451 p.

Daveluy, Marie-Claire, « Un éminent Canadien : Raphaël Bellemare (1821-1896) », *RHAF*, vol. 12, n° 4 (mars 1959), p. 535-573.

David, Laurent-Olivier, *L'Union des deux Canadas, 1841-1867*, Montréal, Eusèbe Sénécal, 1898,

—, *Les Patriotes*, Montréal, Eusèbe Sénécal, 1884, 299 p.

De Celles, Alfred D., *La Fontaine et son temps*, Montréal, Librairie Beauchemin, 1907, 208 p.

—, *Papineau, 1786-1871*, Montréal, Librairie Beauchemin, 1905, 243 p.

Deschênes, Gaston, *Une capitale éphémère, Montréal et les événements tragiques de 1849*, Septentrion, 1999, 160 p.

Désilets, Andrée, *Hector-Louis Langevin, un père de la Confédération canadienne*, Québec, les Presses de l'Université Laval, 1969, 461 p.

Desjardins, Édouard, « Joseph-Émery Coderre », *DBC*, vol. XI, p. 332-333.

Dionne, René, *Antoine Gérin-Lajoie, homme de lettres*, Sherbrooke, Éditions Naaman, 1978, 434 p.

Douville, J.-A.-I., *Histoire du Collège-Séminaire de Nicolet, 1803-1903.* Tome second : *1861-1903*, Montréal, Librairie Beauchemin, 1903, 491 p.

Drolet, Antonio, *Les Bibliothèques canadiennes, 1604-1960*, Montréal, Cercle du livre de France, 1965, 234 p.

—, « Un hôpital municipal à Québec en 1834 », *Trois siècles de médecine québécoise*, Cahier d'histoire n° 22, Québec, la Société historique de Québec, 1970, p. 66-69.

Dubuc, Alfred, « La crise économique au Canada au printemps de 1848 », RS, vol. 3, n° 3 (1962), p. 317-329.

Dubuc, Alfred et Robert Tremblay, « John Molson », *DBC*, vol. VIII, p. 698-703.

Eid, Nadia F., *Le Clergé et le pouvoir politique au Québec. Une analyse de l'idéologie ultramontaine au milieu du XIXe siècle*. Montréal, les Éditions Hurtubise HMH, 1978, 318 p.

Falardeau, Jean-Charles, *Étienne Parent, 1802-1874*, Montréal, les Éditions de La Presse, 1975, 344 p.

FAUCHER, Albert, *Québec en Amérique au XIXe siècle*, Montréal, Fides, 1973, 247 p.

FLEMING, Robert J. and J. Thomas MITCHINSON, « The Speakership in Canada », *Canadian Parlementary Review*, vol. 6, nº 1 (Spring 1983), p. 20-24.

FOSTER, Joséphine, « L'émeute de Montréal en 1849 », *Canadian Historical Review*, vol. XXXII, nº 1 (mars 1951), p. 61-69.

FOURNIER, Jules, *Anthologie des poètes canadiens*, Montréal, Granger, 1933, 299 p.

GAGNON, Serge, *Le Québec et ses historiens de 1840 à 1920. La Nouvelle-France de Garneau à Groulx*, Québec, les Presses de l'université Laval, 1978, 474 p.

GALARNEAU, Claude, « Nicolas-Marie-Alexandre Vattemare », *DBC*, vol. IX, p. 888-889.

—, « Un souffle nouveau dans l'enseignement », *Cap-aux-Diamants*, vol. 4, nº 1 (printemps 1988), p. 9-12.

—, « Jérôme Demers », *DBC*, vol. VIII, p. 235-240.

GARNEAU, François-Xavier, *Histoire du Canada*, 8e édition. Montréal, les Éditions de l'Arbre, 1944, 9 vol.

GINGRAS, Henri, *Saint-Michel de Bellechasse. Trois cents ans d'histoire, 1678-1978*, Lévis, les Éditions Etchemin, 1977, 230 p.

GOSSELIN, Auguste, *Le Docteur Labrie*, Québec, Laflamme & Proulx, 1907, 290 p.

GRISÉ, Jacques, *Les Conciles provinciaux de Québec et l'Église canadienne (1851-1886)*, Montréal, Fides, 1979, 454 p.

GROULX, Lionel, « Dossier Jacques Labrie », *RHAF*, vol. 1, nº 3 (décembre 1947), p. 408-417.

—, *Histoire du Canada français depuis la découverte*. Tome II : *Le régime britannique au Canada*, Montréal, Fides, 1960, 442 p.

—, « Un débat parlementaire en 1849 », *RHAF*, vol. 2, nº 3 (décembre 1948), p. 375-389.

GUAY, Donald, *Les Courses de chevaux au Québec. Chronologie commentée (1647-1900)*, Québec, l'Éditeur officiel du Québec, 1979, 126 p.

HAMELIN, Jean, *Histoire du Québec*, Saint-Hyacinthe, Edisem, 1977, 538 p.

HAMELIN, Jean, John HUOT et Marcel HAMELIN, *Aperçu de la politique canadienne du XIXe siècle*, Québec, Revue Culture, 1965, 154 p.

HAMELIN, Jean, et Marcel HAMELIN, *Les Mœurs électorales dans le Québec de 1791 à nos jours*, Montréal, les Éditions du Jour, 1962, 124 p.

HAMELIN, Jean, et Pierre POULIN, « Pierre-Joseph-Olivier Chauveau », *DBC,* vol. XI, p. 194-204.

HARE, John, *Les Patriotes 1830-1839*, Montréal, les Éditions Libération, 1971, 233 p.

—, Marc LAFRANCE et David-Thierry RUDDELL, *Histoire de la ville de Québec, 1608-1871*, Montréal Boréal Express, 1987, 399 p.

HEINTZMAN, Ralph, « The Political Culture of Quebec, 1840-1960 », *Canadian Journal of Political Science/Revue canadienne de science politique*, vol. XVI, n° 1 (mars 1983), p. 3-60.

HINCKS, sir Francis, *Reminiscence of His Public Life*, Montreal, William Drysdale, 1884, 450 p.

HODGETT, J. E., *Pioneer Public Service. An Administrative History of the United Canada, 1841-1867*, Toronto, University of Toronto Press, 1955, 292 p.

JOLOIS, Jean-Jacques, *Joseph-François Perrault (1753-1844) et les origines de l'enseignement laïc au Bas-Canada*, Montréal, les Presses de l'Université de Montréal, 1969, 269 p.

KENNY, Stephen, « Cahots and Catcalls : An Episode of Popular Resistance in Lower Canada at the Outset of Union », *Canadian Historical Review*, vol. LXV, n° 2 (juin 1984), p. 184-208.

LACOURCIÈRE, Luc, « L'enjeu des Anciens Canadiens », *Les Cahiers des Dix*, n° 32 (1967), p. 223-254.

LAJEUNESSE, Marcel, *Les Sulpiciens et la vie culturelle à Montréal au XIXe siècle*, Montréal, Fides, 1982, 280 p.

LAMBERT, James H., « Thomas Maguire », *DBC,* vol. VIII, p. 656-660.

LAMONDE, Yvan, « Joseph-Sabin Raymond (Raimond) », *DBC,* vol. XI, p. 803-805.

LEFEBVRE, André, *La Montreal Gazette et le nationalisme canadien*, Montréal, Guérin, 1970, 207 p.

LEMIEUX, Vincent, *Personnel et partis politiques au Québec*, Montréal, les Éditions du Boréal Express, 1982, 347 p.

LITTLE, J. I., « Colonization and Municipal Reform in Canada East », *Histoire sociale-Social History*, vol. XIV, n° 27 (mai 1981), p. 93-121.

MALCHELOSSE, Gérard, « L'Association La Fraternelle (1880-1883) », *Les Cahiers des Dix*, n° 24 (1959), p. 209-240.

MANNING, Helen Taft, *The Revolt of French Canada, 1800-1835*, Toronto, The MacMillan Company, 1962, 426 p.

Massicotte, Édouard-Zotique, « Comment Ludger Duvernay acquit *La Minerve* en 1827 », *Bulletin des recherches historiques*, vol. 26, nº 1 (janvier 1920), p. 22-24.

Metcalf, George, « Draper, Conservatism and Responsable Government in the Canadas, 1836-1847 », *Canadian Historical Review*, vol. 42, nº 4 (1961), p. 300-324.

—, « William Henry Draper », *The Pre-Confederation Premiers. Ontario Government Leaders, 1841-1867*, Toronto, University of Toronto Press, 1980, p. 32-88.

—, « William Henry Draper », *DBC*, vol. XI, p. 276-282.

Migner, Robert, « 5 juin 1854, un premier traité de libre-échange », *Le Devoir*, 25 juillet 1986.

Monet, Jacques, « La crise Metcalfe and the Montreal Election 1843-1844 », *Canadian Historical Review*, vol. 44, nº 1 (1963), p. 1-19.

—, *La Première Révolution tranquille. Le nationalisme canadien-français (1837-1850)*, Montréal, Fides, 1981, 504 p.

—, « La presse canadienne-française et le projet d'union », *Revue du Centre d'étude du Québec*, nº 1 (avril 1967), p. 1-8.

—, *The Last Cannon Shot. A Study of French-Canadian Nationalism*, Toronto, University of Toronto Press, 1969, 422 p.

Morton, W. L., « James Bruce, 8e comte d'Elgin et 12e comte de Kincardine », *DBC*, vol. IX, p. 97-102.

Nish, Elizabeth, « La Fontaine and Double Majority », *Revue du Centre d'étude du Québec*, nº 1 (avril 1967), p. 9-17.

O'Gallagher, Sœur Marianna, *Saint-Patrice de Québec*, Cahier d'histoire nº 32, Québec, la Société historique de Québec, 1979, 126 p.

Ormsby, William G., « Sir Francis Hincks », *The Pre-Confederation Premiers. Ontario Government Leaders, 1841-1867*, Toronto, University of Toronto Press, 1980, p. 148-196.

—, « Sir Francis Hincks », *DBC*, vol. XI, p. 447-458.

—, *The Emergence of Federal Concept in Canada, 1839-1845*, Toronto, University of Toronto Press, 1969, 151 p.

Ouellet, Fernand, *Histoire économique et sociale du Québec, 1760-1850. Structures et conjoncture*, Montréal, Fides, 1966, 639 p.

—, « L'histoire sociale du Bas-Canada, bilan et perspectives de recherches », *Communications historiques - Historical Papers*, 1970, p. 1-18.

—, *Papineau. Textes choisis et présentés*, Québec, les Presses de l'Université Laval, 1970, 104 p.

OUELLET, Fernand et André LEFORT, « Denis-Benjamin Viger », *DBC*, vol. IX, p. 890-901.

PARIZEAU, Alice, « Quand le Parlement de Montréal énervait la population », *Supplément de La Presse*, 26 nov. 1966, p. 26-30.

PARIZEAU, Gérard, *La Vie studieuse et obstinée de Denis-Benjamin Viger*, Montréal, Fides, 1980, 333 p.

PATTERSON, Graeme, « An Enduring Canadian Mythm : Responsible Government and the Family Compact », *Journal of Canadian Studies - Revue d'études canadiennes*, vol. XII, n° 2 (printemps 1977), p. 3-16.

POULIN, Pierre, « James Gibb », *DBC*, vol. VIII, p. 357-358

POULIOT, Léon, *Monseigneur Bourget et son temps.* Tome III : *l'évêque de Montréal. Deuxième partie : la marche en avant du diocèse*, Montréal, les Éditions Bellarmin, 1972, 197 p.

ROY, Antoine, « Les Patriotes de la région de Québec pendant la Rébellion de 1837-1838 », *Les Cahiers des Dix*, vol. 24 (1959), p. 241-254.

ROY, Jean-Louis, *Édouard-Raymond Fabre libraire et patriote canadien (1799-1854)*, Montréal, les Éditions Hurtubise HMH, 1974, 220 p.

ROY, Pierre-Georges, *Les Juges de la province de Québec*, Québec, Imprimerie du Roi, 1933, 588 p.

ROYAL, Joseph, *Histoire du Canada, 1841-1867*, Montréal, Beauchemin, 1909, 525 p.

RUMILLY, Robert, *Histoire de la Société Saint-Jean-Baptiste de Montréal. Des Patriotes au fleurdelisé, 1834-1948*, Montréal, les Éditions de l'Aurore, 1975, 564 p.

—, *Histoire de Montréal.* Volume 3, Montréal, Fides, 1970, 419 p.

—, *Honoré Mercier et son temps.* Tome I : *1840-1888*, Montréal, Fides, 1975, 418 p.

—, *Papineau et son temps*, Montréal, Fides, 1977, 2 vol.

RYERSON, Stanley Bréhaut, *Capitalisme et confédération*, Montréal, les Éditions Parti-Pris, 1978, 364 p.

SAVARD, Pierre et Paul WYCZYNSKY, « François-Xavier Garneau », *DBC*, vol. IX, p. 327-336.

SULTE, Benjamin, *Histoire des Canadiens français*, Montréal, Wilson, 1844-1882, 8 vol.

SWEENY, Alastair, *George-Étienne Cartier: A Biography*, Toronto, McClelland & Stewart Limited, 1976, 352 p.

SYLVAIN, Philippe, « Auguste-Eugène Aubry », *Les Cahiers des Dix*, n° 35 (1970), p. 191-226.

—, « Cyrille Boucher (1834-1865), disciple de Louis Veuillot », *Les Cahiers des Dix*, n° 37 (1972), p. 295-318.

—, « Les difficiles débuts de l'université Laval », *Les Cahiers des Dix*, n° 36 (1971), p. 211-234.

—, « Louis-Jacques Casault, fondateur de l'Université Laval », *Les Cahiers des Dix*, n° 38 (1973), p. 117-132.

THÉRIAULT, Yvon, *Les Publications parlementaires d'hier et d'aujourd'hui*, Québec, Assemblée nationale du Québec, 1982, 37 p.

TREMBLAY, Jean-Paul, *À la recherche de Napoléon Aubin*, Québec, les Presses de l'Université Laval, 1969, 187 p.

TREMBLAY, Victor, *Histoire du Saguenay depuis les origines jusqu'à 1870*, Chicoutimi, la Librairie régionale inc., 1968, 405 p.

TRUDEL, Marcel, *Chiniquy*, Trois-Rivières, les Éditions du Bien public, 1955, 339 p.

TULCHINSKY, Gerald J. J., « George Moffatt », *DBC*, vol. IX, p. 610-613.

—, *The Rivers Barons. Montreal Businessman and the Growth of Industry and Transport, 1837-1853*, Toronto, University of Toronto Press, 1977, 310 p.

UNDERHILL, Frank H., *Canadian Political Parties*, Ottawa, la Société historique du Canada, 1964, 20 p.

VACHON, Claude, « Louis-Édouard Glackmeyer », *DBC*, vol. XI, p. 386-388.

VAUGEOIS, Denis, *L'Union des deux Canadas, Nouvelle conquête ?*, Trois-Rivières, les Éditions du Bien public, 1962, 241 p.

WADE, Mason, *Les Canadiens français*, Ottawa, le Cercle du livre de France, 1962, 685 p.

YOUNG, Brian, *George-Étienne Cartier, bourgeois montréalais*, Montréal, les Éditions du Boréal Express, 1982, 242 p.

TABLE DES MATIÈRES